COLLOQUIAL FRENCH

COLLOQUIAL FRENCH

By
WILLIAM ROBERT PATTERSON
F.R.G.S. , F.R.A.S., M.R.A.S., F.R.A.I., M.C.P., Etc.

Sixteenth Edition
Revised by J. Bayeux, O.A., O.I.

LONDON
ROUTLEDGE & KEGAN PAUL LTD
BROADWAY HOUSE, 68–74 CARTER LANE, EC4V 5EL

First published 1917
Fifteenth edition 1947
Sixteenth edition 1950
Reprinted
1951, 1954, 1958, 1960
1964, 1969 and 1972

Published by Routledge and Kegan Paul Ltd
Broadway House, 68–74 Carter Lane, London, EC4V 5EL

ISBN 0 7100 4321 X (c)
ISBN 0 7100 6384 9 (p)

Published and distributed in the United
States of America by Dover Publications, Inc.,
180 Varick Street, New York 14, N.Y.

Made and printed in Great Britain by
William Clowes & Sons, Limited, London, Beccles and Colchester

CONTENTS

PREFACE

THIS book is intended expressly for the use of those grown-up people who require a sound colloquial knowledge of the French language either for business or pleasure.

Unlike the usual school and popular grammars, it will be found to contain extensive exercises in the form of conversations which take place, under continually changing conditions, between a central character and the people with whom he meets in his wanderings.

The scenes have been varied intentionally in order to foster interest and for the purpose of extending the vocabulary ; they contain elements of pleasure, pain, anger, humour, love, and danger.

The whole of the conversation in each lesson must be read out aloud over and over again, and the student must endeavour to adopt the tone of voice of each character as suggested by the context.

A good French-English and English-French dictionary —a pocket edition to begin with—should be used in conjunction with this work in order to increase the student's store of words. The sentences in the conversation lessons have been purposely arranged in such a way that the student may substitute other words for those already given, to suit his or her requirements.

Each sentence must be used in as many combinations as possible : affirmatively, negatively, interrogatively, with other nouns in the singular and plural and with other verbs in their various tenses. Such a practice will pave the way to fluency.

I have purposely omitted to give any alphabetically arranged vocabulary or index at the end of the book, because I consider that the student will never require such a thing if he learns each lesson thoroughly before proceeding to the next.

I am much indebted to A. L. Ingpen, Esq., Barrister-at-Law (Middle Temple), who devoted much of his valuable time to reading and correcting the manuscript ; and to Captain Pelletier, Captain MacVey, C. Northcote, Esq., and A. Davis, Esq., for many excellent suggestions.

W. R. P.

COLLOQUIAL FRENCH

CHAPTER I

Introductory Remarks

The French language is by no means a difficult one to learn, nor does the task require what is popularly termed a 'special gift.'

Three things are necessary to the person of normal intelligence : ' Inclination,' ' Energy,' and ' Patience.'

The student of French is fortunate in having ready at his command a fairly extensive vocabulary, due to the resemblance of many French words, in both orthography and meaning, to those of his mother-tongue.

I select any book at random and encounter, in the first half-dozen pages, the following words, which any of my readers will understand at once, even though the spelling may not be, in all cases, exactly our own.

Élégance	Responsabilité	Nombre
Conscience	Danger	Péril
Particulier	République	Commercial
Solide	National	Branche
Commerce	Frontière	Expérience
Gothique	Religieux	Origine
Existence	Histoire	Fatigue
Liberté	Remède	Point
Faveur	Reste	Tolérance
Contrôle	Part	Partie
Professeur	Capitale	Chapitre
Politique	Page	Société
Méthode	Plan	Territoire
Degré	Auteur	Phrase
Caractère	Spécial	Gouvernement
Favorable	Colonie	Expansion
Enfant	Chance	Place
Port	Table	Famille

These are but a few of the many hundreds which exist.

We shall find, as we progress in our studies, that words which end in -*ion* in English are written similarly in French, and have the same, or nearly the same, signification.

A few of the most common ones are—

Action	Position	Communication
Question	Profession	Condition
Organisation	Impression	Opération
Attention	Situation	Salutation
Expression	Extension	Discrétion
Confession	Information	Passion
Relation	Extraction	Commission
Vision	Description	Région
Direction	Occasion	Disposition

The English suffix *-ic* is usually found in French as *-ique*—

Tactic	=	Tactique
Mathematic	=	Mathématique
Republic	=	République
Energetic	=	Énergique
Arctic	=	Arctique
Pacific	=	Pacifique
Artistic	=	Artistique
Music	=	Musique

The suffix *-ment* of French adverbs is generally equivalent to the English *-ly*—

Actually	=	Actuellement
Truly	=	Vraiment
Certainly	=	Certainement
Habitually	=	Habituellement
Absolutely	=	Absolument
Legally	=	Légalement
Notably	=	Notamment
Constantly	=	Constamment
Infinitely	=	Infiniment
Precisely	=	Précisément
Naturally	=	Naturellement
Rapidly	=	Rapidement
Generally	=	Généralement
Severely	=	Sévèrement
Extremely	=	Extrêmement
Evidently	=	Évidemment

There are also many substantives (nouns) ending in *-ment* which resemble, more or less, their English equivalents—

Element	=	Élément
Regiment	=	Régiment
Argument	=	Argument
Movement	=	Mouvement
Government	=	Gouvernement
Department	=	Département

The names of many animals and flowers will be easily recognised by English students—

Lion	=	Lion
Tiger	=	Tigre
Elephant	=	Éléphant
Rat	=	Rat
Zebra	=	Zèbre
Crocodile	=	Crocodile
Violet	=	Violette[1]
Rose	=	Rose
Pansy	=	Pensée
Tulip	=	Tulipe
Chrysanthemum	=	Chrysanthème

The Latin designations of things born of nature are, of course, known to scientists all the world over, though the latter may be entirely ignorant of their local names.

In addition to the words given in the above lists, there are hosts of others in common use which may be recognised at a glance, such as—

Canal	Rivière	Bible
Hymne	Compote	Camarade
Possible	Impossible	Cigarette
Montagne	Lac (*Lake*)	Indien
Air	Bataille (*Battle*)	Sac
Soldat (*Soldier*)	Miroir (*Mirror*)	Vase
Bière (*Beer*)	Sous-marin (*Submarine*)	Troupe
Service	Transport	Automobile
Total	Société	Combat
Lettre	Patriotisme	Armée (*Army*)
Origine	Mine	Voyage

In some cases the orthography (spelling) is identical with that of English words; in others, there is a slight difference.

After a few weeks of assiduous work the reader should be able to understand the general purport of a newspaper article, but this recognition of the close resemblance of many English and French words will give him no help whatever in writing and speaking.

Few of the French words I have already given would be understood by a native of France if they were pronounced by an Englishman who knew no French.

The explanation is, that both our vowels and consonants have other values in French, as I will show later in the chapter dealing with pronunciation.

---

[1] The French 'violet' signifies 'violet-colour.'

The student who learns a language merely for the purpose of reading is depriving himself of manifold pleasures, and will never attain originality ; there is as much fascination in speaking and writing as in reading.

The foregoing remarks and examples have been given solely in order to show the reader that he has, at the outset, an extensive vocabulary ready to his hand.

Now, it is quite a simple matter to grasp the signification of some words by studying the context, but it is by no means easy to recall a word at any given moment.

It requires, therefore, very little effort to read and comprehend what one reads.

The question of speaking and writing is entirely another matter, and demands a certain degree of fluency on the student's part which can only be obtained by constant repetition. By constantly repeating a word or phrase it becomes absorbed by the brain without any effort of will, and can be recalled instantly.

Hundreds of expressions that are stored away somewhere in our brain-cells have been retained there by constant repetition.

One of the secrets of modern advertising lies in bringing certain words, phrases, or illustrations continually before the eye of the public. It is, indeed, a very successful method.

Consider for a moment the number of advertisements which you can remember having seen at various periods of your life.

We have no reason to memorise these things, yet it is inevitable that we should do so, for they are thrust upon us at every turn—in our periodicals, at the railway station, on moving vehicles, and on walls.

The result of this constant repetition is clear ; we memorise what we see, by what I may term a process of gradual absorption. By such a means we are less likely to forget than if we taxed the brain heavily over a short period.

This is the best of all systems to adopt in the study of modern foreign languages, and even those words which resemble English words in their orthography must be treated in the same way.

A large vocabulary is of little value unless it can be used for the purposes of reading, writing, and speaking.

I do not intend this book to be a complete guide to the French tongue, for there exist so many already, and, moreover, my purpose would not be served by so doing.

I propose to select only a few hundred words—those which occur every day, many of which never appear in grammatical works—and to employ them continually in various ways, together with idiomatic expressions of frequent occurrence.

An increased vocabulary will only be necessary after the reader has mastered the words I have chosen.

The ordinary phrase-books should be eschewed altogether by the beginner, for the majority of them give only one probable reply to each question, and this is certainly not conducive to versatility.

Conversational French is very rich in interjectory expressions which are not fully considered in the usual grammars, but which are as essential to the natives of France as the characteristic gestures which they habitually make.

I have found from personal experience that students learn with increased speed if they gesticulate moderately whilst repeating passages from French plays.

Another point that requires special attention is the pronunciation of the vowels and consonants.

The beginner must neither mumble nor whisper when practising any phrase or passage, for mobility of the organs of speech is more than necessary to fluent articulation. The lips and the tongue especially should be mobile, and the mouth must be frequently opened to a greater degree than is usual in speaking one's mother-tongue.

Many beginners, in their efforts to speak like a native, and overcome by their own enthusiasm, imagine that rapidity of utterance tends to render their meaning clearer ; but this is quite a misguided idea, and does not constitute fluency.

A man may be a fluent speaker, though a slow and deliberate one ; on the other hand another man may declaim with great speed and yet make no pretence to fluency on account of the poorness of his grammar.

The majority of British people have formed the impression that French ought to be spoken much faster than their own tongue, and I am ready to admit that the French never drawl. They may hesitate from time to time between words, but this is not drawling ; indeed, the formation of the language will not permit it, though it is never necessary to speak hurriedly unless under exceptional circumstances.

The tonic accent in French falls equally on all syllables, which is equivalent to stating that there exists no tonic accent at all.

This regularity of pronunciation may have given rise to the impression of rapidity which, I would assure the reader, is an erroneous one.

British students will probably experience a sensation of incompleteness when they first begin to learn the spoken language, because every English word of two or more syllables bears the tonic accent on one of these, and the practice will be difficult to avoid.

The best possible advice I can give to beginners is that they should throw the stress upon the last syllable of poly-syllabic French words ; in this way each will receive its full value.

This rule holds good except in the case of words which terminate in an unaccented ' e,' when the accent will fall upon the penultimate, namely, the syllable before the last, as demonstrated in the following examples—

Table	(accented on the syllable			' ta ')
Magnifique	(	,,	,,	,,	' fi ')
Bague	(	,,	,,	,,	' ba ')
Élève	(	,,	,,	,,	' lè ')
Parole	(	,,	,,	,,	' ro ')
Votre	(	,,	,,	,,	' vo ')
Apprendre	(	,,	,,	,,	' pren ')
Téléphone	(	,,	,,	,,	' pho ')
Autre	(	,,	,,	,,	' au ')

When the final ' e ' is accented thus, ' é,' the stress should fall upon it—

Donné	(accented upon the syllable			' né ')
Compliqué	(	,,	,,	,,	' qué ')
Spécialité	(	,,	,,	,,	' té ')
Obscurité	(	,,	,,	,,	' té ')
Moitié	(	,,	,,	,,	' é ')

If there are two ' e's,' one accented and the other un-accented, as in ' entrée,' the stress falls upon the former.

Words ending in -*tion* have the tonic accent on the ' tion,' and those parts of verbs which end in -*ent* (the ' nt ' being mute) are accented upon the syllable preceding this termina-tion—

Donnent	(accented on the syllable			' donn ')
Revinrent	(	,,	,,	,,	' vinr ')
Étaient	(	,,	,,	,,	' tai ')

The ' e ' at the end of all words, and the ' ent ' at the end of parts of verbs only, are mute.

In other words this final ' ent ' is pronounced, and therefore the tonic accent falls upon it in the usual way—

Précédent (accented on the syllable ' ent ')
Président (,,   ,,   ,,   ,,)
Comment (,,   ,,   ,,   ,,)

In this category are included all nouns and adverbs having the ending -*ment*.

I must now mention another point of equal importance ; it is known as the ' liaison,' which is the flow of the end of one word into the beginning of the next when this begins with a vowel or mute ' h,' in order to avoid any unpleasant abruptness in speaking.

There are some words, however, with which this liaison is never made ; the conjunction ' et ' is one of them, and the ' t ' is never sounded.

The liaison is also omitted where confusion might arise if it were made as, for instance, in the sentence, ' Les‿Anglais aiment la chasse.' [1]

The ' s ' in ' les ' is usually silent, but whenever the word following it begins with a vowel or mute ' h ' it is pronounced as an English ' z.'

The ' s ' of ' Anglais ' is also silent when the word stands alone, and is even unheard before a word beginning with a vowel.

If by any chance we did sound this consonant and attempt to run it over to the initial ' a ' of the next word we should alter the sense of the sentence, which would then read, ' Les‿ Anglaises‿aiment la chasse.'

In the first instance we refer to English people generally, but, in the second, to English women.

In the same manner we might confuse ' Français ' with ' Françaises,' signifying the French people as a whole and French women ; there exist many other such words.

I have selected the following passage from a French science reader to demonstrate the use of the liaison, and I have indicated, by means of a small curve, the position of each.

' L'eau est‿un liquide‿incolore qui paraît cependant bleu ou verdâtre, quand‿il est vu sous‿une grande‿épaisseur.

' Elle est‿inodore quand‿elle‿est pure, et elle‿a une

---

[1] 'The English love hunting '

légère saveur qui permet quelquefois de distinguer les ᵥeaux de sources différentes.'

The English equivalent is—

' Water is a colourless liquid which, however, appears blue or greenish when seen in great bulk.

' It is inodorous when pure, and it has a slight taste which permits one sometimes to distinguish waters from different sources.'

The ' d ' of the word ' quand ' is pronounced ' t ' before a word beginning with a vowel.

Where two vowels occur, one being the mute ' e ' at the end of one word and the other (any vowel) as the initial of the next, the liaison is also made.

We shall discover that some consonants are not sounded when they happen to be at the end of a word, except where the liaison is necessary ; the above extract will provide us with a few instances—

Est	Paraît	Cependant
Quand	Permet	Quelquefois
Distinguer	Les	Eaux

In addition to these, which are but a few of the hundreds that are used, we must include all plurals in ' s.'

The essential point to be remembered, then, in the formation of a liaison between two words, is that the second word must commence with a vowel.

Returning to the subject of fluency, let me urge the reader to carry this book with him wherever he may be, and to refer to it at every available moment.

If he be alone the various passages should be repeated aloud ; not in a monotonous voice, but with energy and expression, for a great deal depends upon ' tone.'

There must be life in all that is said, and each word ought to be indicative of the speaker's mood.

For this reason modern plays in prose afford the best practice for the student who has already mastered the syntax of a language, because, in such works, we are introduced to characters of varied and varying temperaments.

We meet with the humorist, the passionate lover, the winsome maid, the irate father, the proud nobleman, the servile domestic, and, last but not least, the villain.

By studying the parts allotted to each and by rendering them aloud we are able to form a closer acquaintanceship with the spirit of the language, and to understand what is said to us.

It is advisable, for the student's sake, that he should endeavour to converse from time to time with a native of France, in order that he may ask questions and comprehend the replies.

' Tone ' takes a very important place in the study of foreign tongues, and, unfortunately, very little attention is paid to it in teaching, for it is not only conducive to clear understanding, but lends at the same time valuable assistance to the memory.

Although language work ought never to be forced, one should concentrate all one's thought upon the lesson while it is in progress, and this can be done without tiresome effort.

The amount of labour entailed in the acquirement of a foreign speech is as nothing compared to the benefit an intelligent individual may reap from such knowledge, for it not only brings its own reward as an asset to one's education, and, incidentally, to one's profession, but it also provides an admirable training for the brain in any other work it may be called upon to do.

Take this book with you on your walks into the country and read aloud as you go !

This is the healthiest form of study.

Take it with you into the garden, on your daily journeys to and from your place of business, and on your holidays, and read, either aloud or silently, even for a brief period !

Remember that every odd minute is of value ! Strive to cultivate persistency, and if you cannot go forward with your language-study, do not, on any account, fall behind !

When you do not feel sufficiently energetic to undertake the study of a new chapter it would be a wise plan to read over the back work.

There should be a frequent revision of all that has been done, for this forms the foundation of one's knowledge, and it is quite evident that one's progress depends upon the soundness of the elementary work.

Do not imagine, because a French word resembles its English equivalent, that less notice should be taken of it, but learn it as carefully as you do the rest, giving special attention to its pronunciation.

Now, for the student's guidance, I must repeat that the three chief points to be borne in mind throughout all language practice are : (1) Mobility of the organs of speech, (2) Tone, and (3) Accentuation.

CHAPTER II

BEFORE dealing with the pronunciation of French vowels and consonants, let us first examine a few English sounds.

For convenience, I shall divide our vowel sounds, which are extremely variable, into two series, namely, ' fixed ' and ' mobile,' and the beginner must learn to differentiate between them.

' Fixed ' vowels are those which can be pronounced by one movement of the vocal organs only.

' Mobile ' vowels are those which require a second movement to complete them.

Among the English vowels, as pronounced in the alphabet, the only fixed vowel is ' e,' all the others being mobile.

This ' e,' when once the vocal organs arrange themselves, may be continued indefinitely, but the remaining four require a further movement to complete the sound.

In the words ' be,' ' Dee,' ' fee,' ' he,' ' key,' ' Lee,' ' me,' ' knee,' ' pea,' ' see,' ' tea,' ' we,' and ' ye ' we may check the sound at any moment without any further movement of the organs of speech.

Now, try to adopt the same principle to the following words, which contain the vowels, ' a,' ' i,' ' o,' and ' u,' as pronounced in the English alphabet—

Mate	Mite	Moat	Mute
Fate	Fight	Float	Tutor
Rate	Right	Wrote	Music

It is quite obvious that none of these vowel sounds can be closed without a perceptible movement of one or more of the vocal organs. They are not fixed vowels, but are, more or less, diphthongs.

My reason for introducing this matter is to forewarn the student against the mispronunciation of French vowels, which do not resemble the double sound of diphthongs as do the English vowels. They may, indeed, be said to be more concise than ours.

' Mate ' is composed of three sounds only, namely, ' m,'

' a,' and ' t,' the ' a ' being pronounced as the first letter of the alphabet.

The final ' e ' serves to alter the sound of ' a ' from that of the word ' mat ' to that of ' mate.'

The latter is a combination of two distinct syllables, ' may ' and ' it,' spoken quickly, the first running into the second, showing that ' a ' is, in this instance, mobile.

French vowels—and even diphthongs—are never so drawled as ours, and are decidedly more pure or ' fixed.'

' Mite ' or ' might ' can be represented as ' my ' and ' it ' joined together and spoken rapidly.

' Moat ' is clearly ' mo ' and a rapid ' oot,' whilst ' mute ' becomes ' mee ' and ' oot.'

This secondary vowel sound might be designated by various names, but the most suitable one, in my opinion, is ' off-glide.'

If the reader will pronounce the English sounds ' a,' ' i,' and ' o ' aloud and prolong each one, he will notice a gradual conversion of one sound into another. Even in a word or syllable spoken fast the same thing occurs, though it becomes less noticeable.

Many British people never seem to understand that the pronunciation of the French word ' mot ' (word) is neither ' mow ' nor ' mo'oo,' but that it approaches nearer the ' mo ' of ' monster.'

The shorter a vowel becomes, the nearer it approximates to a fixed or pure vowel.

There are, however, fixed sounds other than the ' e ' to which I have referred.

Convenient examples are found in the ' aw ' of ' law,' the ' a ' of ' father,' the ' a ' of ' man,' the ' e ' of ' men,' the ' i ' of ' sit ' (a short ' ee '), the ' oo ' of ' boot ' and the ' u ' of ' but,' all of which may be prolonged without affecting their regularity.

We must learn from this that it is absolutely incorrect to give to some foreign vowel sounds the same value that they have in English.

One can gather quite a lot by listening to the pronunciation of a foreigner who is learning one's own language.

I have a friend whose name is Smith. French people refer to him and address him as ' Meestair Smeet,' and a beginner might infer much from these two words.

Let us examine the first expression ' Meestair.'

We deduce from this that the French have no equivalent for our short and abrupt ' i ' sound, as in ' Mister,' and that ' er ' is pronounced by them as ' air.'

' Smeet ' shows us that there exists no 'th ' sound in their tongue.

We are so very fond of mimicking the foreigner when he is conversing in English ; why should we not do so when we are studying his language ?

The Frenchman's rendering of our ' Mister ' will aid us wonderfully in the pronunciation of his word ' mystère ' (mystery), for we have but to say ' meestair,' sounding the ' r ' clearly, and the thing is done.

The consonants of the French language are simple enough to the British student, and are pronounced much the same as in English, the only two requiring any comment being the ' j ' and the ' r.'

The ' j ' has the sound of our ' s ' in ' pleasure,' or the ' z ' in ' azure,' so that the French ' jour ' (day) might be rendered by means of our letters ' zhoor,' and ' jalousie ' (jealousy) by ' zhalloo-zee.'

Note, in passing, that the ' s ' has often the English ' z ' sound, as in ' pains,' ' guns,' etc.

The French ' g ' is similar to French ' j ' before ' e ' and ' i,' but is hard, as in ' go,' before ' a,' ' o,' and ' u.'

There are two sounds of ' r ' as spoken by the French, the throat ' r ' caused by vibrations of the uvula, and the lingual ' r ' by vibrations of the tongue, much depending upon the location of the speaker.

It is of very little consequence which one the student uses in speaking ; the main point is that this letter must be sounded distinctly, like any other consonant, except in only a few cases, such as at the end of infinitives in ' -er ' (donner, chanter, etc.) ; and even here it is customary to pronounce it before a word beginning with a vowel, in order to make the liaison.

Turning now to the French vowels ' a,' ' e,' ' i,' ' o,' and ' u,' we find that the most troublesome one to the English ears is undoubtedly the ' u,' which does not resemble our ' u ' in ' lunatic,' for the French have already this ' oo ' sound written ' ou,' as shown in the following words—

Cou	(pronounced ' koo ')	meaning ' neck '
Ou	(,, ' oo ')	,, ' or '
Où	(,, ' oo ')	,, ' where '

Joujou	(pronounced ' zhoo-zhoo ')	meaning	' toy '
Chou	(,, | ' shoo ')	,,	' cabbage '
Trou	(,, | ' troo ')	,,	' hole '
Clou	(,, | ' kloo ')	,,	' nail '
Mou	(,, | ' moo ')	,,	' soft '
Tout [1]	(,, | ' too ')	,,	' all '
Bout [1]	(,, | ' boo ')	,,	' end '
Vous [1]	(,, | ' voo ')	,,	' you '
Nous [1]	(,, | ' noo ')	,,	' we ' or ' us '
Sous [1]	(,, | ' soo ')	,,	' under '
Fou	(,, | ' foo ')	,,	' fool ' and 'fool- ish '
Glouglou	(,, | ' gloo-gloo ')	,,	' gurgling '
Froufrou	(,, | ' froo-froo ')	,,	' rustle '
Houx [1]	(,, | ' oo ')	,,	' holly '
Toujours	(,, | ' too-zhoor ')	,,	' always '

This ' ou ' sound is simplicity itself, but the ' u ' is unknown to the English scheme of phonetics, and, as we have no equivalent for it, I must perforce resort to some other means in order to explain how it ought to be sounded.

This is how it is done :

Open your mouth and pronounce a succession of ' e's,' as in the word ' be.'

Now very slowly and gradually protrude the lips and purse them as though you were going to finish off with a whistle, and continue all the time to repeat the ' e.' Do you remark how the sound changes, although you are still trying to sound the ' e ' ?

The resulting sound with the lips thrust forward and pursed is the French ' u,' which is thoroughly un-English.

You must continue to practise this new vowel until you are able to say it at once without any preparation or forethought. It must come spontaneously to the lips and must never be confounded with the French ' ou,' or regrettable errors will ensue.

' Avez-vous vu ? ' signifies in English, ' Have you seen ? '— in ' vous ' we find the ' ou,' whilst in ' vu ' the ' u ' appears.

Were both equal to one another there would be nothing to distinguish ' vous ' from ' vu ' as regards their pronunciation.

Hence the need for caution at the commencement of our work.

The ' u ' is combined with several consonants to form

---

[1] ' s,' ' x,' ' t,' and ' d ' are generally mute at the end of words.

words, many of them in common usage, of which the following are examples—

Bu	(past participle of ' boire,' *to drink*)	=	*drunk*
Du	(contraction for ' de le ')	=	*of the*
Lu	(past participle of ' lire,' *to read*)	=	*read*
Mû	(,, ,, ' mouvoir,' *to move*)	=	*moved*
Nu		=	*naked, bare*
Pu	(,, ,, ' pouvoir,' *to be able*)	=	*been able*
Su	(,, ,, ' savoir,' *to know*)	=	*known*
Tu	(used familiarly)	=	*thou*
Eu [1]	(past participle of ' avoir,' *to have*)	=	*had*
Vu	(,, ,, ' voir,' *to see*)	=	*seen*

I have noticed in some grammars that the English equivalents for such words as ' cuir ' (leather), ' suis ' (am), and ' nuit ' (night) are spelled as though pronounced ' queer,' ' swee,' and ' n'wee.'

These types, however, are altogether wrong, for they are actually advising the student to render the ' u ' as French ' ou,' against which mistake I have just been warning him.

' Queer ' is nothing less than the two syllables ' koo ' and ' eer ' spoken quickly, the first running into the second.

' Swee ' is likewise a rapid ' soo ' and ' ee ' combined, and ' n'wee ' is composed of ' noo ' and ' ee.'

The reader must substitute the actual French ' u ' sound for the ' oo ' in each case, permitting the stress to fall on the '-ir,' '-is,' and '-it,' and endeavouring at the same time to render each complete word as one syllable.

In order to gain further practice the beginner may select a few words which embody both sounds.

' Voulu,' the past participle of ' vouloir,' to wish, meaning ' wished,' will suffice as one example, and there are plenty of similar ones.

You will achieve the mastery over this vowel in a few moments by following the instructions I have given, but I should advise constant practice at intervals for several days until absolute correctness becomes a habit.

The following list contains words in common use which need special attention on account of the ' u '—

Tu	=	*thou*	
Pluie	=	*rain*	(English ' ee ' following French ' plu ')
Bruit	=	*noise*	(English ' ee ' following French ' bru ')
Mur	=	*wall*	(Pronounce ' r ' clearly)

---

[1] In other cases ' eu,' when attached to consonants, is pronounced differently, as will be demonstrated later.

Punir	=	*to punish*	(English ' neer ' following French ' pu.')
Utile	=	*useful*	(English ' teel ' following French ' u ')
Juste	=	*just*	(' j ' as ' s ' in ' pleasure,' ' e ' mute)
Dur	=	*hard*	(Pronounce ' r ' clearly)
Plume	=	*pen, feather*	(Final ' e ' mute)
Rue	=	*street*	(Final ' e ' mute)
Jupe	=	*petticoat*	(' j ' as ' s ' in ' pleasure,' ' e ' mute)
Nuage	=	*cloud*	(' a ' as in ' art,' ' g ' as French ' j,' ' e ' mute)
Lune	=	*moon*	(Final ' e ' mute)
Sur	=	*on*	(Pronounce ' r ' clearly)
Lui	=	*him*	(English ' ee ' following French ' lu ') [1]
Fruit	=	*fruit*	(English ' ee ' following French ' fru ')
Une	=	*a, one*	(Final ' e ' mute)
Turc	=	*Turk*	(Pronounce ' r ' clearly, and ' c ' as ' k ')
Figure	=	*face*	(' g ' as in ' gone ' ; final ' e ' mute)
Jusque	=	*until, up to*	(Pronounce ' que ' as English ' k ')
Jus	=	*juice, gravy*	(Final ' s ' mute)
Pur	=	*pure*	(Pronounce ' r ' clearly)
Plusieurs	=	*several*	(For the syllable ' sieurs ' *vide* later paragraph)
Huile	=	*oil*	(' h ' mute, ' e ' mute)
Fus, fut	=	*was*	(' s ' and ' t ' mute)
Plutôt	=	*rather*	(Pronounce ' tôt ' as English ' toe ' spoken quickly)

The word ' guide ' (guide) is a departure from the general rule regarding the pronunciation of the ' u ' ; it is sounded as ' geed,' the ' g ' being hard, as in ' good.'

From the ' u ' we pass to the nasals, ' an,' ' en,' ' in,' ' on,' and ' un,' which are, as their name implies, sounds spoken more or less with a twang.

You have heard, on a hot summer day, the droning of a bee in its flight, and you have heard, too, the monotonous humming of a distant aeroplane.

You can give, quite easily if you try, an excellent imitation of these practically identical sounds by ' buzzing ' or ' humming ' with the lips and teeth pressed tightly together. While doing this, distend the nostrils widely, and the sound will assume a decidedly nasal intonation. Then suddenly open the mouth and, with the nostrils still distended, pronounce a prolonged ' a ' as in ' art ' or ' father.'

Now pronounce a succession of ' a's ' in the same manner, and you have exact reproductions of the French nasal ' an ' ; on no account are you to copy the English ' n,'

---

[1] Notice particularly the difference of pronunciation between ' lui ' and the French name ' Louis,' one having the ' u ' and the other the ' ou.'

which is totally different. There will, I admit, appear to be heard a kind of 'ng' sound, as in 'wrong,' 'rung,' etc., but it must be unfinished, or nipped in the bud, as it were. Let there remain just the suspicion of it.

Custom will allow you soon to obviate all necessity of resorting to the strange and grotesque preliminaries which I have advocated.

The 'en' is very nearly akin to the 'an,' though it is not so wide a sound.

It resembles the 'o' of 'hot' subjected to the same treatment as given above for the French 'an.' In the combinations 'ien' and 'yen' it approaches the 'a' of 'man' spoken rapidly and nasally.

The nasal 'in' may be attained by pronouncing a very short 'a' as in 'man,' with the same twang; 'on' by saying 'aw' as in 'law' quickly, and 'un' by means of the 'u' in 'bun' under the same conditions.

The French 'intention' is a very good word to work upon, as it contains three separate nasal vowels.

Note that, in English, the 't' of words ending in '-tion' has the sound of 'sh,' in French that of the English 's' in 'soon.'

The following words, in everyday use, contain one or more of these nasals. The stress is, as usual, on the last syllable—

Matin	=	*morning*	('a' as in 'hat')
Condition	=	*condition*	(Pronounce as three syllables)
Passion	=	*passion*	('a' as in 'hat')
Mon	=	*my*	(as 'maw' nasally)
Ton	=	*thy, tone*	(as 'taw' nasally)
Son	=	*his, sound*	(as 'saw' nasally)
Bon	=	*good*	(as 'baw' nasally)
Long	=	*long*	(as 'law' nasally, 'g' mute)
Front	=	*forehead*	(as 'fraw' nasally)
Don	=	*gift*	(as 'daw' nasally)
On	=	*one*	(as in 'one ought to go')
Pont	=	*bridge*	(as 'paw' nasally, 't' mute)
Allons	=	*let us go*	(as 'allaw' nasally, 's' mute)
Tronc	=	*trunk (tree)*	(as 'traw' nasally, 'c' mute)
Comment?	=	*how?*	('com' as in 'common,' 't' mute)

In all words ending in '-ment' the 't' is silent.

'Om' is generally nasal when not followed by 'm' or a vowel, and is pronounced like nasal 'on,' as in—

Composition	=	*composition*	('si' as a short 'zee')
Compte	=	*account*	(as 'cawnt,' 'awn' nasal)

Combat	=	*fight*
Combien ?	=	*how much, how many* ?

('bat' as 'baa' in 'baa-lamb' spoken quickly)

(two syllables)

Another sound, which is a trifle confusing as explained in popular grammars, is the ' eu.'

Once again I must request you to protrude and purse your lips, this time pronouncing the ' ea ' of ' heard ' or the ' i ' of ' fir.'

The outcome of this will be the French ' eu ' as spoken in the following—

Feu	=	*fire*	Peur	=	*fear* (' r ' clearly)
Pneu	=	*tyre*	Peu	=	*a little, few*
Beurre	=	*butter* (' rr ' clearly)	Veut	=	(*he*) *wishes*

' Œu ' is rendered in the same way, as—

Nœud	=	*knot* (' d ' silent)
Sœur	=	*sister* (' r ' clearly)
Vœu	=	*vow* (' v ' as in English)

' Ue ' in the combination ' ueil ' is also similar to the above, as—

Orgueil	=	*pride* (' g ' hard ; ' il ' as an abrupt English ' ee ')
Cercueil	=	*coffin* (' cer ' as English ' sair ' ; second ' c' hard)
Deuil	=	*mourning* (' d ' as in English)

Remember always to throw the stress or tonic accent towards the end of the word ; in this way you will not fail to give the full value to each syllable.

The vowels ' a,' ' e,' ' i,' ' o,' and ' u ' may be either long or short ; when long they occasionally carry a circumflex accent (^).

Long			*Short*		
Pâte	=	*paste, dough*	Patte	=	*paw*
Bête	=	*beast*	Pelle	=	*shovel*
Gîte	=	*resting-place*	Petite	=	*little*
Côte	=	*coast, rib*	Note	=	*bill*
Flûte	=	*flute*	Butte	=	*knoll, hill*

' E ' when unaccented is only faintly heard in the middle of a word, and not at all when final.[1]

In popular journals during a conversation between French

---

[1] When final, it changes a nasal into the usual ' n ' sound. In ' don ' (*gift*) we find a nasal, but ' donne ' (*give, gives*) is sounded as English ' don.'

people, usually the uneducated class, it is often replaced by an apostrophe, as in, ' Ma p'tite amie ' for ' Ma petite amie ' (my little friend).

It ought, however, to be pronounced like the ' i ' of ' fir ' or the ' e ' of ' her ' spoken as rapidly as possible.

It is mute, as I have said, at the end of a word.

Table	=	*table*	(' a ' as in ' art ')
Banque	=	*bank*	(' a ' as in ' art ' nasally ; ' que ' as ' k ')

Notice that we do not pronounce our ' bank ' as ' ban ' followed by a ' k ' sound, but as ' bang ' and ' k '; our ' ng ' sound is unknown in French, and it would be advisable that the student should remember this point when practising the nasals.

There are two other kinds of ' e,' written ' é ' and ' è,' the first closed and the second open. They have both the sound of the English ' a ' in ' fate ' uttered rather sharply.

Open the mouth slightly in pronouncing ' é ' and widely in pronouncing ' è,' as given in the following examples—

Café	=	*coffee*		Procès	=	*lawsuit*
Bonté	=	*goodness, kindness*		Succès	=	*success*

The syllable '-er ' in the middle and sometimes at the end of a word is equivalent in sound to our ' air,' the ' r ' being rendered distinctly, except when it happens to be the final syllable of the infinitive form of a verb, in which case it resembles the ' a ' of ' fate ' spoken quickly, and is similar to the French closed ' é.'

As ' *air* ' (' *r* ' *clearly*)			As ' *a* ' *in* ' *fate* ' (*quickly*)		
Terre	=	*earth*	Chanter	=	*to sing*
Mer	=	*sea*	Parler	=	*to speak*
Fer	=	*iron*	Aller	=	*to go*
Ver	=	*worm*	Donner	=	*to give*
Vers	=	*verse* (' s ' mute)	Clocher	=	*steeple*
Vert	=	*green* (' t ' mute)	Rocher	=	*rock*
Nerf	=	*nerve* (' f ' mute)	Léger	=	*light* [1]

The final '-et ' of nouns and adjectives, and the '-ez ' form of certain parts of verbs, is likewise pronounced as the ' a ' of ' fate,' delivered abruptly—

Valet	=	*valet*		Allez	=	*go*
Secret	=	*secret*		Parlez	=	*speak*
Complet	=	*complete*		Venez	=	*come*

---

[1] Not heavy

Sujet	=	*subject*	Chantez	=	*sing*
Préfet	=	*prefect*	Mettez	=	*put*
Forêt	=	*forest* (open ' e ')	Apportez	=	*bring*

The '-ez' of some other words has, too, the same value as—

Assez	=	*enough*
Rez	=	*ground-floor* (in ' rez-de-chaussée ')
Chez	=	*at the house of.* (Chez mon père = *at my father's*)

Nez = *nose*

' Y ' is pronounced as French ' i,' or short English ' ee.'

Pays	=	*country* (pronounced ' pay-ee ')
Joyeux	=	*joyful* (pronounced ' zho'ah-e,' followed by French ' eu ')

The principal diphthongs are ' ia,' ' ie,' ' io,' ' ieu,' ' oi,' ' ui,' ' oua,' ' oué,' and ' oui.'

Piano	=	*piano*	(' ia ' as ' ya ' in ' yard ')
Pied	=	*foot*	(' ie ' as ' ye ' in ' yet '; ' d ' mute)
Pioche	=	*pick-axe*	(Pronounce as ' p ' followed by ' yosh ')
Lieu	=	*Place*	(Pronounce as ' l ' followed by French ' ieu ')
Loi	=	*law*	(Pronounce as ' l ' followed by ' o'ah ')
Lui	=	*him*	(French ' lu ' followed by very short ' ee ')
Douane	=	*custom-house*	(French ' ou ' followed by ' a ' of ' art '; the remaining letters as usual)
Loué	=	*praised* [1]	(' loo ' followed by ' a ' of ' fate ')
Oui	=	*yes*	(Similar to English ' we ' or ' oo'ee ')

' Ch ' is sounded like the English ' sh ' of ' shame,' and occasionally as ' k,' but never like the ' ch ' of ' church.'

' Ph ' is equivalent to our ' f '; ' th ' to our ' t,' for to the French our ' th ' in ' think ' and ' that ' is altogether foreign.

The ' h ' is never heard as in English, although there are two distinct ' h's ' in French, one termed ' mute,' and the other ' aspirate,' the difference between them being that a liaison may be made in the case of the ' mute,' but not in the case of the ' aspirate.'

The definite article is ' le ' for masculine, and ' la ' for feminine nouns, both of which drop their vowel before another vowel or before mute ' h,' but do not do so when followed by an aspirate ' h,' though both are equally silent in speech.

---

[1] Also signifies ' rented, hired.'

Examine carefully the following instances—

Mute ' h '			*Aspirate ' h '*		
L'herbe	=	*the grass*	Le hibou	=	*the owl*
L'heure	=	*the hour*	La haine	=	*the hatred*
L'homme	=	*the man*	Le havre	=	*the haven*
L'histoire	=	*the story, history*	Le hareng	=	*the herring*
L'habit	=	*the garment*	La hache	=	*the axe*
L'hirondelle	=	*the swallow*	Le haricot	=	*the kidney-bean*

The combination ' ai ' is of common occurrence, and does not equal our ' ay ' in ' day,' nor the ' a ' of ' fate,' as some books assure us, both of these sounds being far too broad, and having too close a relationship to the diphthong.

When we pronounce the ' e ' of ' met ' it is not necessary to open the mouth very widely, but by sounding this short vowel as openly as possible one obtains an excellent rendering of the French ' ai ' as contained in the words ' fait ' (makes and made), ' gai ' (gay), ' mais ' (but), ' mai ' (May), and ' aide ' (aid).

Turning again for a moment to the ' ui ' sound, I must warn the reader against confusing it with ' oui.'

The latter is pronounced exactly like our English ' we,' but the pronunciation of the former varies.

In such words as ' lui,' ' fluide,' ' nuit ' (night), ' puits ' (a well), ' suis ' (am), ' suif ' (suet), ' suie ' (soot), ' suivre ' (to follow), ' suisse ' (Swiss), etc., it is composed of the French ' u ' followed by a rapid and short ' ee ' as in ' meet,' but in the following words and a few others of less importance this ' ui ' has simply the sound of our ' ee.'

Guide	=	*guide*	(' g ' as in English ' guide ')
Gui	=	*mistletoe*	(' g ' as in ' guide ')
Guichet	=	*small window* [1]	(' chet ' as a very quick ' shay ')
Guignol	=	*Punch and Judy show*	(' g ' hard ; ' geen-yoll ')

This last word brings us to the pronunciation of the French ' gn,' which resembles the ' ni ' of ' onion ' or the ' ny ' of ' canyon.' The Spanish equivalent for this sound is ' ñ,' and ' canyon ' is written ' cañon '; the French spelling would therefore be ' cagnonne ' or perhaps ' cannionne.'

Now, there are certain terminations to French words in which the vowel ' i ' appears which require a few explanatory remarks.

---

[1] Where one buys railway and theatre-tickets, for instance.

The '-iel' in 'miel' (honey), 'ciel' (sky), and some other words, is pronounced like the English 'yell,' spoken very quickly, and the two words I have given as examples might consequently be given as 'm'yell' and 's'yell,' each uttered as one syllable.

The ending '-ier' is similar to the 'ye' of 'yet'—a little more open, perhaps, though not nearly so wide a sound as the 'ya' of 'Yale.' Take care to accentuate the last syllable.

Panier	= *basket*	('a' as in 'art,' but shorter).
Pommier	= *apple-tree*	('pom' as in 'pomp')
Poirier	= *pear-tree*	(Pronounce middle 'r' clearly, and 'oi' as 'o'ah')
Charpentier	= *carpenter*	('en' nasal)

The ending '-ière' must be pronounced as 'yare' (to rhyme with 'mare'), spoken quickly—

Manière	= *manner*	(man-yare)
Cafetière	= *coffee-pot*	(caft-yare)

The ending '-ion' is equivalent to 'yaw' (to rhyme with 'law'), spoken nasally, as already explained.

The endings '-ai,' '-ais' and '-ait' are to be rendered as 'a' in 'fate' quickly.

We have three very important points to notice with regard to the French pronunciation of the final '-ture,' which must not be overlooked.

Firstly, the tonic accent falls upon it; secondly, it contains the French 'u' sound, and thirdly, the 'r' must be heard.

The termination 'eur' is a combination of the French 'eu' and the audible 'r,' except in the pronunciation of the word 'gageure' (a bet, wager), in which case 'eure' is similar to the French '-ure.'

Some years ago necessity forced me to invent a plan whereby I could register, in my notebook, the pronunciation of a new word as exactly as possible, which certainly facilitated my studies.

Let us imagine that I had just heard some word previously unknown to me, and that I wished to make a note, not only of the word itself, but of the apparent sound of each syllable.

The method I adopted for my own edification was a very simple one, and might be used with considerable advantage by anyone.

The word in question might have been the German ' Jahreszeit ' (season of the year), and I should have made the entry as follows—

Jahreszeit = *season*. (Jahr = *year* ; zeit = *time*)
(Yarmouth-rest-sight)

The last entry in brackets gave me a solution to the pronunciation, by connecting up only those portions of the English words which I had underlined ; in this case, ' Ya-rest-sight.'

Here are a few examples in French—

One dot above a vowel or diphthong indicates a nasal, two dots the French ' u,' three dots the ' eu.'

Crayon	=	*pencil*	(Crate-yawn)
Bateau	=	*boat*	(Bark-toe)
Personne	=	*person*	(Pair-sonn)
Clocher	=	*steeple*	(Clod-shade)
Bas	=	*stocking*	(Ba-ba)
Triste	=	*sad*	(Tree-stem)
Joli	=	*pretty*	(Zhaw-lee)
Figure	=	*face*	(Figure)
Feu	=	*fire*	(Further)

Many people experience a considerable amount of difficulty with the French ' l ' and ' r ' after such consonants as ' c,' ' d,' ' p,' ' b,' ' v,' and ' t.' The above plan may be used as efficaciously for these as for any other sounds.

Sable	=	*sand*	(Sardine-blanket)
Souple	=	*supple*	(Soupladle)
Louvre	=	*the Louvre in Paris*	(Luminous-Bovril)
Libre	=	*free*	(Lee-bread)
Tigre	=	*tiger*	(Tee-ground)
Titre	=	*title*	(Tea-tray)
Boucle	=	*buckle*	(Boo-clever)

Do not omit to pronounce the ' r ' distinctly wherever it occurs in the above examples.

As in English, we have so many varieties of pronunciation,

each student must standardise his own system, for any work on phonetics, unless it be comparative, is only applicable to those who speak the dialect of the author.

It behoves each one, therefore, when taking notes, to write the equivalents for foreign sounds exactly as he himself hears them.

There is a lamentable tendency among the British, as I have remarked, to drawl and prolong unnecessarily the French vowels and diphthongs, particularly the ' oi,' which must sound like ' o'ah ' pronounced short.

Pronounce the following words aloud, giving full value to the other letters, yet throwing the tonic accent on the ' o'ah.'

Bois	=	*wood*	(silent ' s '; pronounced as ' bo'ah ')
Quoi ?	=	*what* ?	(pronounced as ' ko'ah ')
Doigt	=	*finger*	(silent ' gt '; pronounced as ' do'ah ')
Oie	=	*goose*	(pronounced as ' o'ah ')
Foi	=	*faith*	(pronounced as ' fo'ah ')
Joie	=	*joy*	(pronounced as ' zho'ah ')
Loi	=	*law*	(pronounced as ' lo'ah ')
Moi	=	*me*	(pronounced as ' mo'ah ')
Noix	=	*walnut*	(silent ' x '; pronounced as ' no'ah ')
Poix	=	*pitch*	(silent ' x '; pronounced as ' po'ah ')
Pois	=	*pea*	(silent ' s '; pronounced as ' po'ah ')
Poids	=	*weight*	(silent ' ds '; pronounced as ' po'ah ')
Roi	=	*king*	(pronounced as ' ro'ah ')
Soi-même	=	*oneself*	(pronounced as ' so'ah ')
Soit	=	*so be it*	(silent ' t '; pronounced as ' so'ah ')
Soie	=	*silk*	(like ' soit,' but not so abrupt)
Toit	=	*roof*	(silent ' t '; pronounced as ' to'ah ')
Toi	=	*thee*	(like ' Toit ')
Voit	=	*sees*	(silent ' t '; pronounced as ' vo'ah ')

Now, as a fitting termination to the subject of French phonetics, I append a short list of words whose sounds are more or less intricate to the beginner. Note the dots above certain letters—

Angleterre	=	*England*	(Arm-glove-tare)
Vieil	=	*old*	(V'Yates-eel)
Méfier	=	*to distrust*	(Mate-F'yellow)
Ennemi	=	*enemy*	(Enter-Meek)
Oreille	=	*ear*	(Or-ray-ee)
Feuille	=	*leaf*	(Fervent-ee)
Château	=	*castle*	(Shark-toe)

Chemin	=	*way, road*	(Sham-man)
Fenêtre	=	*window*	(Fern-aim-tram)
Symbole	=	*symbol*	(Sam-boll)
Monsieur	=	*Mister, sir*	(M-heard-s'year; ' r ' mute)
Pierre	=	*stone*	(P'yare)
Bouteille	=	*bottle*	(Boot-ay-meet)
Boîte	=	*box*	(bo'aht)
Ouate	=	*cotton-wool*	(oo'aht)
Rhin	=	*the river Rhine*	(Ran, nasal)
Reims	=	*the French town*	(As ' Ran,' followed by ' ss ' of ' his ')
Conte	=	*tale*	(Caw-t, nasal)
Comte	=	*Count*	(,, ,,)
Compte	=	*bill*	(,, ,,)
Je	=	*I*	(Zh-heard)
Te	=	*thee*	(T-heard)
Me	=	*me*	(M-heard)
Se	=	*himself*	(S-heard)
De	=	*of*	(D-heard)
Le	=	*the*	(L-heard)
Ne	=	*not*	(N-heard)
Considération			(Caw-seed-air-rather-s'yaw)
Charbon	=	*coal*	(Shark-baw ; ' r ' clearly)
Plaisir	=	*pleasure*	(Pleasant-ear)
Poisson	=	*fish*	(Po'ah-saw)
Poison	=	*poison*	(Po'ah-zaw)

As I have previously remarked, there may be just a suspicion of an ' ng ' sound, but no more, in the nasals, or the correct effect will be destroyed.

Note particularly that such words as ' bouteille ' in the above list seem to finish off at the end with an almost imperceptible sound, as of the first ' e ' in ' ermine ' or the ' e ' of ' wonder.'

We even sound it ourselves at the end of words like 'heard,' 'word,' 'light,' and others.

The pronunciation of the personal pronouns is as follows—

Je	(Zh-Fir)
Me	(M-Fir)
Moi	(Mo'ah)
Tu	(French ' u ' preceded by ' t ')
Te	(T-heard)
Toi	(To'ah)
Il	(Eel)
Elle	(Well)
Lui	(French ' lu ' followed by very short ' ee ')
Le	(Learn)
La	(Lark)
Soi	(So'ah)
Nous	(Noo)
Vous	(Voo)
Ils	(Eel ; ' s ' sounded before a vowel)
Elles	(Well ; ' s ' sounded before a vowel)
Eux	(French ' eu '; ' x ' silent)
Les	(Lake, abruptly)
Leur	(French ' leu '; ' r ' clearly)
Se	(Servant)
En	(*Nasal*)
Y	(Meet)

The numbers from one to twenty are—

Un	(Nasal ' un ')
Deux	(Dervish)
Trois	(Tro'ah)
Quatre	(Cat-ran)
Cinq	(Sack, nearly ' sang'k ')
Six	(Cease, or ' seize ' before a vowel)
Sept	(Set)
Huit	(The ' ü ' followed by ' eet ')

Neuf	(Nerve-fan)
Dix	(Deece, or ' deeze ' before a vowel)
Onze	(Awning-z)
Douze	(Dooze)
Treize	(Trays, ' ay ' not too open)
Quatorze	(Cat-orz, ' r ' clearly)
Quinze	(K, nasal ' in,' z)
Seize	(Sez, ' e ' rather open)
Dix-sept	(Deece-set)
Dix-huit	(Deez, French ' u,' followed quickly be ' eet ')
Dix-neuf	(Deez-n, French ' eu,' f)
Vingt [1]	(V, nasal ' in ')

When unconnected with a noun the numbers from five to ten inclusive are pronounced as above ; otherwise they are liable to phonetic changes.

Before a vowel they are pronounced as shown, except ' six ' and ' dix,' which take a ' z ' sound (see above), but before a word beginning with a consonant they lose the sound of their final consonants, and appear, therefore, as follows—

Cinq	(Sack, strong nasal)
Six	(See)
Sept	(Seven)
Huit	(French ' u ' followed quickly by ' ee ')
Neuf	(Nerve)
Dix	(Dee)

The words ' bien,' ' mien,' etc., which contain the combination ' ien,' are to be uttered as one syllable.

Imagine the syllable ' ya ' of ' Yankee ' to have a strong nasal sound, and pronounce such words thus—

Bien	=	*well*	(B'ya)
Lien	=	*bond*	(L'ya)
Mien	=	*mine*	(M'ya)

---

[1] ' Vingt,' rhymes with ' vin ' (wine).

Rien	=	*nothing*	(R'yà)
Sien	=	*his*	(S'yà)
Tien	=	*thine*	(T'yà)
Vient	=	*comes*	(V'yà)
Chien	=	*dog*	(Sh'yà)

The verses given below are intended to serve as exercises for the pronunciation of those sounds, foreign to the British ear, which present certain difficulties to the beginner.

He should, if possible, requisition the services of a native of France, and ask him (or her) to repeat each verse aloud, slowly at first, and then at the speed of ordinary conversation—

1. *Verse for the practice of ' u '*

Il a tant plu
Qu'on ne sait plus
Pendant quel mois
Il a le plus plu ;
Mais le plus sûr
C'est qu'au surplus
S'il eût moins plu
Ça m'eût plus plu.

Translation

It has rained so much
That one knows no more (longer)
During which month
It has rained most ;
But the most sure (thing)
Is, furthermore, that
If it had rained less
It would have pleased me more.

2. *Verse for the practice of Nasal Sounds*

Du pain sec et du fromage,
C'est bien peu pour déjeuner,
On me donnera, je gage,
Autre chose à mon dîner ;
Car Didon dîna, dit-on,
Du dos d'un dodu dindon.

Translation

Dry bread and cheese
Is very little for breakfast.
I shall be given, I'll be bound,
Something else for my dinner ;
For Didon dined, they say,
Of the back of a plump turkey.

3. *A Riddle*

Je suis ce que je suis,
Mais je ne suis pas ce que je suis,
Car, si j'étais ce que je suis,
Je ne serais pas ce que je suis.
        Que suis-je ?

Translation

I am what I am,
But I am not what I follow,
For if I were what I follow
I should not be what I am.
        What am I ? [1]

4. *For the practice of the nasal ' in ', ' ain ', and ' ein ', which are pronounced alike*

Cinq capucins, sains de corps et d'esprit, ceints de leur ceinture, qui portaient sur leur sein le seing du Saint-Père.

Translation

Five Capuchin monks, healthy in body and mind, with their belts around them, who bore upon their breast the seal of the Holy Father.

---

[1] There are many solutions to this riddle, but the most common one, I believe, suggests a man driving a donkey. Another suggests a man-servant following in the steps of his master.

' Je suis,' signifying ' I am,' happens to be orthographically similar to ' Je suis ' (from ' suivre,' *to follow*), meaning, ' I follow,' and this is itself the key to the mystery.

CHAPTER III

LA PREMIÈRE LEÇON

FRENCH nouns are divided into two categories, masculine and feminine, called genders; they are also divided into numbers, singular and plural.

As French adjectives have to agree with the nouns they qualify, they are also subject to the same changes as nouns.

To form the plural of nouns we add an 's,' and, in like manner, the adjectives take an 's' also when they qualify nouns which are plural.[1]

The article 'the' and certain pronouns follow the same example under the same conditions.

Let us examine the article 'the.'

Le	=	*the* (before a masculine noun)
La	=	*the* (before a feminine noun)
Les	=	*the* (before a plural noun, masculine or feminine)
L'	=	*the* (before a masculine or feminine noun which begins with a vowel or mute 'h')

EXAMPLES

Le jour	=	*The day*	La nuit	=	*The night*
Les jours	=	*The days*	Les nuits	=	*The nights*
L'ami	=	*The friend* (m.)	L'amie	=	*The friend* (f.)
Les amis	=	*The friends*	Les amies	=	*The friends*

We can now make use of an adjective, say 'good,' which in French is written 'bon' (nasal). The feminine form is 'bonne' (not nasal).

By adding an 's' to form the plural we have 'bons' and 'bonnes.'

Le bon ami	=	*The good friend.* ('Bon' not nasal before a vowel; note the liaison.)
Les bons amis	=	*The good friends.* (Note the liaison.)
La bonne amie	=	*The good friend* (feminine)
Les bonnes amies	=	*The good friends* (feminine)

---

[1] We shall discover a few exceptions later, which add an 'x' instead of 's'.

The numbers from one to twenty have already been given in the last chapter, and by means of them we can obtain further combinations.

Un bon ami	=	*A (or one) good friend*
Dix-neuf bonnes amies	=	*Nineteen good friends* (f.)

In addition to these we can now become acquainted with three common expressions, as follows—

Bonjour	=	*Good day* ; *Good morning*
Bonne nuit	=	*Good night*
Bonsoir	=	*Good evening*

You will see from the latter that ' soir ' is masculine by means of ' bon.'

The best way to remember whether a noun is masculine or feminine is by learning the article which accompanies it at the same time.

Now, you may have an idea that the French verbs are extremely difficult to master, but this is not the case.

Examine carefully and seriously the four following forms noting the various points they have in common.

The Present Tense

Parler (to speak)

Je parle	*(I)*
Tu parles	*(Thou)*
Il (elle) parle	*(He, she)*
Nous parlons	*(We)*
Vous parlez	*(You)*
Ils (elles) parlent	*(They)*

Finir (to finish)

Je finis
Tu finis
Il finit
Nous finissons
Vous finissez
Ils finissent

Recevoir (to receive)

Je reçois
Tu reçois
Il reçoit
Nous recevons
Vous recevez
Ils reçoivent

Vendre (to sell)

Je vends
Tu vends
Il vend
Nous vendons
Vous vendez
Ils vendent

After studying the above forms certain points will have impressed themselves upon you.

Firstly, that ' elles ' is the plural of ' elle,' and signifies ' they ' for a number of feminine nouns.

Secondly, those words used with ' thou ' all end in ' s.'

Thirdly, those used with ' vous ' all end in ' ez,' and those with ' nous ' in ' ons.'

Fourthly, those used with ' ils ' and ' elles ' all end in

'ent,' which, by the way, like the final unaccented 'e' (as in parle), is silent.

'Parle,' 'parles,' and 'parlent' are sounded alike.

'Finis,' 'finit' are sounded alike as 'fee-nee,' but 'finissent' becomes 'fee-neece' (our 'niece').

'Reçois' and 'reçoit' are also sounded alike, but in 'reçoivent' the 'v' is heard.

'Vends' and 'vend' are alike, but in 'vendent' the 'd' is pronounced, whereas it is silent in the first three persons.

The ending 'ons' is nasal, and the 's' mute.

The ending 'ez' sounds like the 'a' of 'fate' spoken very quickly, and not too openly.

Take care to pronounce 'recevez' correctly, as 'R-Fir-Serve-Vale' (the first two 'e's' alike).

The forms of the verb ending in 'er,' 'ir,' 'oir,' and 're' as given at the top of each group are termed infinitives, and it is this part of the verb which is found in vocabularies and dictionaries. ('Parler,' to speak, etc.)

The root, which is the infinitive deprived of its suffix ('Parler' deprived of 'er,' leaving 'parl') never changes throughout the conjugation of the verb. That is how we recognise it at once in reading and conversation, and the ending or suffix gives us the tense or time.

There exist, of course, some irregularities which, however, can be learned gradually and without fatigue.

Both the verb 'to be' (être) and 'to have' (avoir) are irregular to the types already given.

The Present Tense

Être (to be)			Avoir (to have)		
Je suis	=	I am	J'ai	=	I have
Tu es	=	Thou art	Tu as	=	Thou hast
Il (elle) est	=	He (she) is	Il (elle) a	=	He (she) has
Nous sommes	=	We are	Nous avons	=	We have
Vous êtes	=	You are	Vous avez	=	You have
Ils (elles) sont	=	They are	Ils (elles) ont	=	They have

Both the verbs 'to know' (connaître and savoir) are irregular.

'Connaître' means 'to know' or 'to be acquainted with,' and 'savoir' means 'to know,' implying study or in the sense of understanding.

Let us examine them, for we shall use them presently in conversation.

The Present Tense

Connaître (to know)	*Savoir (to know)*
Je connais	Je sais
Tu connais	Tu sais
Il (elle) connaît	Il (elle) sait
Nous connaissons	Nous savons
Vous connaissez	Vous savez
Ils (elles) connaissent	Ils (elles) savent

I am sure you will still see certain resemblances here between these and the other verbs I have shown you.

The verb ' appeler ' (to call, to be named) resembles ' donner ' (to give), as do all the verbs ending in ' er,' but sometimes the ' l ' becomes ' ll.'

> J'appelle
> Tu appelles
> Il (elle) appelle
> Nous appelons
> Vous appelez
> Ils (elles) appellent

The first three and the last are all pronounced alike, with the stress falling on ' pell.' (The final 'e,' ' es,' and ' ent ' are silent as usual.)

Supposing that we want to employ such sentences as ' I call myself Henry ' (as the French would say), or, ' He calls himself Charles,' we should have to add words equivalent to ' myself,' ' thyself,' ' himself,' ' themselves,' and so on.

These are quite small words in French—

Me	=	*myself*	(or m' only before a vowel)
Te	=	*thyself*	(or t' only before a vowel)
Se	=	*himself, herself, itself* (or s' only before a vowel)	
Nous	=	*ourselves*	(also means ' we ')
Vous	=	*yourselves*	(also means ' you ')
Se	=	*themselves*	(or s' only before a vowel)

Now notice where these words are placed, when we want to indicate ' self ' and ' selves.'

This kind of verb, where the action bends back or reflects upon the subject, is called ' reflexive.'

> Je m'appelle
> Tu t'appelles
> Il (elle) s'appelle
> Nous nous appelons
> Vous vous appelez
> Ils (elles) s'appellent

Note the dropping of the ' e ' of ' me,' ' te,' and ' se ' before a word beginning with a vowel.

In English, when we desire to ask questions, we reverse the order of certain words, as in the following instances—

We have	—	Have we ?
I am	—	Am I ?
You are	—	Are you ?
She has	—	Has she ?
You have	—	Have you ? or Have you got ?

This is exactly the French way, too. Note that the French have no word similar to our word ' got,' so we must endeavour to forget it altogether.

When we ask questions we frequently begin with ' Do ' or ' Did,' as, ' Do you speak English ? '

The French do not employ any such word in similar cases ; they would simply say, ' Speak you English ? ' which becomes, in their language, ' Parlez-vous‿anglais ? ' (Note the liaison.)

Anglais   (nasal ' an ' followed by ' gla ' of ' glade ')
Français   (' fran ' nasal, followed by short ' say ')
Allemand (' all ' of ' alloy ' followed by nasal ' man ')

In using the reflexive verbs interrogatively we have to place the first word at the end, as—

Vous‿appelez-vous ?
S'appelle-t-il ?

Do you remark the ' t ' in the latter example ? It is placed there to avoid an ugly jump from ' pelle ' to ' il.'

This is quite a common practice in French, but only in connection with ' he ' and ' she ' of the third person singular.

Note the following examples from ' avoir.'

Il a	=	*He has*	A-t-il ?	=	*Has he ?*
Elle a	=	*She has*	A-t-elle ?	=	*Has she ?*

You will always find the musical ' t ' necessary when dealing with those third persons of verbs which end in an unaccented ' e.'

Let us now use the word ' not ' in conjunction with these verbs.

The French for ' not ' is ' ne——pas,' with a space for the verb itself.

This is how it is used with ' être ' and ' avoir,' the ' ne ' becoming ' n ' before a vowel.

The Present Tense (negatively)

Je ne suis pas	Je n'ai pas
Tu n'es pas	Tu n'as pas
Il (elle) n'est pas	Il (elle) n'a pas
Nous ne sommes pas	Nous n'avons pas
Vous n'êtes pas	Vous n'avez pas
Ils (elles) ne sont pas	Ils (elles) n'ont pas

This is how it is used with ' donner ' (to give)—

Je ne donne pas
Tu ne donnes pas
Il (elle) ne donne pas
Nous ne donnons pas
Vous ne donnez pas
Ils (elles) ne donnent pas

This is how it is used with ' s'appeler ' (to call one-self)—

Je ne m'appelle pas
Tu ne t'appelles pas
Il (elle) ne s'appelle pas
Nous ne nous appelons pas
Vous ne vous appelez pas
Ils (elles) ne s'appellent pas

Let us now master a short vocabulary of simple words before we make an attempt at conversation.

Voilà	=	*There is*	Voici	=	*Here is*
Oui	=	*Yes*	Non (nasal)	=	*No*
Très	=	*Very*	Bien	=	*Well*
Merci	=	*Thanks*	Je vous remercie	=	*I thank you*
Monsieur	=	*Mister, sir*	Comment ?	=	*How ?*
C'est	=	*It is*	Est-ce ?	=	*Is it ?*

('C'est' pronounced ' say ' short; ' Est-ce ' pronounced ' Ess.')

Ce n'est pas	=	*It is not*
N'est-ce pas ?	=	*Is is not ?* or *Is it not so ?*
Qui	=	*Who* (pronounced as English ' key ')
Maintenant	=	*Now* (both ' ain ' and ' ant ' nasal ; the middle ' t ' sounded, the final ' t ' mute ; pronounce as two syllables)
Votre	=	*Your* (singular)
Vos	=	*Your* (plural)
Mon	=	*My* (singular masculine)
Ma	=	*My* (singular feminine)
Mes	=	*My* (plural, masculine and feminine)
Son, sa, ses	=	*His, her* (masculine, feminine, and plural)

Mon père	=	*My father*	Ma mère	=	*My mother*
Mon frère	=	*My brother*	Ma sœur	=	*My sister*
Mes frères	=	*My brothers*	Mes sœurs	=	*My sisters*

Où	=	*Where*	À	=	*At, to*
A présent	=	*At present*	La chambre	=	*The room*
Parfaitement	=	*Perfectly* (also signifies *That's so*)			

Comment allez-vous ?	=	*How do you do ?*
Comment va-t-il ?	=	*How is he ?*
Comment va-t-elle ?	=	*How is she ?*

The words ' va ' and ' allez ' are parts of the verb ' aller ' (to go), which, in the present tense, is conjugated thus—

Je vais	=	*I go*	Nous allons	=	*We go*
Tu vas	=	*Thou goest*	Vous allez	=	*You go*
Il va	=	*He goes*	Ils vont	=	*They go*

Pardon	=	*I beg your pardon*	Dans	=	*In*
Sa chambre	=	*His (her) room*	De	=	*of, from*

' Sa ' is always used with feminine nouns, like ' ma ' (my), whether the possessor is masculine or feminine. Such words (sa, ma, la) agree with the object, and not with the possessor of it.

Sa mère	=	*His* (or *her*) *mother*
Mon frère	=	*My brother* (whether a male or a female is speaking)

' My mother's room ' is identical with, ' The room of my mother,' and the latter is the French way of constructing the sentence, for they have no possessive ' s ' such as we have. They say, therefore, ' La chambre de ma mère.'

Et	=	*And* (pronounced as ' e ' of ' yet ' openly)
La France	=	*France* L'Angleterre = *England*

(The ' an ' of ' France ' and of ' Angleterre ' is nasal ; ' terre,' meaning ' earth ' or ' land,' is similar in sound to the English ' tare,' with the ' r ' rendered distinctly.)

Donnez-moi	=	*Give me*	Énorme	=	*Enormous*
Déjà	=	*Already*	Grand	=	*Tall, big*
Moi	=	*Me*	Dites-moi	=	*Tell me*
En France	=	*In France*	En Angleterre	=	*In England*
Avec	=	*With* (' a ' of ' had ' followed by ' veck ')			

CONVERSATION

Georges Durand. ' Bonjour, monsieur.'

Henri Beaumont. ' Bonjour, monsieur. Comment allez-vous ? '

G. D. ' Oh, très bien, merci. Et vous ? '

H. B. ' Très bien, monsieur, je vous remercie.'

G. D.   ' Où allez-vous à présent ? '

H. B.   ' Je vais en Angleterre, monsieur.'

G. D.   ' Vraiment ! Vous allez en Angleterre ? '

H. B.   ' Oui. Mon père va aussi en Angleterre.'

G. D.   ' Vraiment ! Il y (there) va avec vous ? '

H. B.   ' Oui, oui, il y va avec moi.'

G. D.   ' Allez-vous à[1] Londres ? '

H. B.   ' Mon père va à Londres, mais moi, je vais à Douvres.'

G. D.   ' Et votre sœur, où va-t-elle ? '

H. B.   ' Ah, voilà ma sœur. Bonjour, Suzanne.'

Suzanne B.   ' Bonjour, Henri. Bonjour, Monsieur Durand.'

G. D.   ' Bonjour, mademoiselle.   Comment allez-vous ? '

S. B.   ' Très bien, merci.   Je vais en Angleterre avec mon père et mon frère.'

G. D.   ' Vraiment ! Et votre mère y (there) va avec vous ? '

S. B.   ' Ma mère ?   Elle n'est pas en France, monsieur ; elle est déjà en Angleterre.'

H. B.   ' Oui, oui, elle est déjà à Londres.'

G. D.   ' Je connais votre mère, mademoiselle.'

S. B.   ' Vous connaissez ma mère ? '

G. D.   ' Oui, je connais Madame Beaumont.'

S. B.   ' Connaissez-vous aussi mon père ? '

G. D.   ' Oh, oui, je connais très bien votre père.'

S. B.   ' Connaissez-vous mon ami Charles ? '

G. D.   ' Non, mademoiselle, je ne connais pas votre ami. Est-il grand ? '

S. B.   ' Oh, oui, il est très grand, n'est-ce pas, Henri ? '

(Henri does not seem to have heard the question.)

S. B.   ' Henri ! '

H. B.   ' Oh, pardon.'

S. B.   ' Tu connais Charles ? '[2]

H. B.   ' Oh, oui, très bien.'

S. B.   ' Il est très grand, n'est-ce pas ? '

---

[1] ' En ' is used before the names of countries, and ' à ' before the names of towns.

[2] She addresses her brother as ' tu,' not ' vous,' because ' tu ' is used between members of a family and between very intimate friends.

H. B. (smiling). ' Oh, il est énorme ' (enormous).

S. B. (stamping her foot but smiling, too). ' Henri ! ' (after a moment), ' Avez-vous un ami, Monsieur Durand ? '

G. D. ' Non, mademoiselle, mais ' (smiling) ' mais j'ai une amie.'

S. B. (interested). ' Oh, vraiment ! '

H. B. (winking). ' Ah, bon.'

S. B. ' Monsieur ! '

G. D. (bowing). ' Mademoiselle.'

S. B. ' Dites-moi, comment s'appelle-t-elle ? '

G. D. ' Elle s'appelle—— ' (he hesitates).

S. B. ' Eh bien, elle s'appelle—— '

G. D. ' Elle s'appelle Lucie.'

S. B. ' Comment ? '

G. D. ' Oui, elle s'appelle Lucie.'

S. B. (joyfully). ' Oh, c'est Lucie Carnot ' (' t ' silent).

H. B. ' Moi, aussi, je connais Lucie Carnot.'

G. D. (brusquely). ' Comment ? Vous connaissez mon amie, Lucie Carnot ? '

NOTE.—The ' mon ' before ' amie ' where you would have expected ' ma.' ' Mon ' is used here to avoid the unmusical conjunction of two vowels ; there would otherwise be a jerky sound between the two words.)

H. B. (good-humouredly). ' Oh, oui, je connais aussi son père, sa mère, ses deux frères et ses trois sœurs.'

G. D. (relieved). ' Vraiment ? Et comment s'appellent-ils, ses deux frères ? '

H. B. ' Marcel et Jacques.'

(Pronounced ' Zhack,' the ' a ' being similar to ' a ' in ' art.')

G. D. ' Sont-ils grands ? ' (' s ' for the plural).

H. B. ' Non, au contraire, ils sont petits.'

(' Au contraire ' means ' on the contrary ' ; ' petit ' means ' small little ' ; note the ' s ' for the plural.)

G. D. ' Connaissez-vous les deux frères de mon amie, mademoiselle ? '

S. B. (thinking). ' Je connais Marcel, mais je ne connais pas son frère Jacques.'

G. D. (after a moment). ' Mademoiselle, dites-moi, comment vous appelez-vous ? '

S. B. ' Je m'appelle Suzanne.'

G. D.   ' Mon⌣amie vous connaît ' (knows you).

S. B.   ' Oui, je sais, et moi, je connais Lucie très bien.'

S. B.   (interrupting).   ' Monsieur Durand, donnez-moi une cigarette, s'il vous plaît.'   (' S'il vous plaît ' means ' if it pleases you,' or ' if you please.')

G. D.   (offering his case).   ' Voilà, monsieur.'

H. B.   ' Merci bien, monsieur.'

G. D.   (turning to S. B.).   ' Mademoiselle, une cigarette ? '

S. B.   (declining graciously).   ' Merci, monsieur.'

(One would have expected ' Non, merci, monsieur,' but let it be understood that ' Merci ' alone signifies a refusal.)

H. B.   ' Dites-moi, Monsieur Durand——'

G. D.   (expostulating).   ' Mais, je vous connais, et vous me connaissez, n'est-ce pas ?   Appelez-moi Georges, s'il vous plaît.'

H. B.   (pleasantly).   ' Bien.   Dites-moi, Georges, où est votre sœur ? '

G. D.   ' Elle est à présent dans sa chambre.'

H. B.   ' Comment s'appelle-t-elle ? '

G. D.   ' Ma sœur s'appelle Marie.'

S. B.   (whose thoughts have been temporarily distracted). ' Qui s'appelle Marie ?   Qui est dans sa chambre ? '

H. B.   ' La sœur de Georges.'

S. B.   (turning to G. D.).   ' Ah, vous⌣avez une sœur ? '

G. D.   ' Oui, mademoiselle.'

S. B.   ' Avez-vous des frères ? '

G. D.   ' Non, je n'ai pas de frères.'

S. B.   (to herself).   ' Ah, il n'a pas de frères.'

(The word ' des ' here signifies ' any,' and it also stands for ' of the ' in the plural, so that ' des frères ' might mean ' of the brothers.' The French for ' of the brother ' is ' du frère,' for ' of the sister,' ' de la sœur,' and for ' of the friend ' ' de l'ami.'   ' Pas de ' means ' no ' in the sense of ' not any ' ; do not say, ' pas un frère.'   ' No ' as a negative answer is, of course, ' non.')

H. B.   ' Dites, Georges, votre sœur, est-elle grande ? '

G. D.   ' Non, elle n'est pas grande ;   au contraire, mon⌣ami, elle est petite.'

S. B.   ' Est-ce que[1] je connais votre sœur ? '

---

[1] By prefixing ' est-ce que ' a statement becomes a question.   It is advisable to use ' est-ce que ' with the first person singular.

G. D. ' **Non, mademoiselle, vous ne connaissez pas ma sœur.** '

(The evening draws on, and they take their departure.)

S. B. (shaking hands). ' **Bonsoir, Monsieur Durand.** '
H. B. (shaking hands). ' **Bonsoir, Georges.** '
G. D. ' **Bonsoir, Henri ; bonsoir, mademoiselle.** '
(To himself) ' **Henri est charmant,**[1] **et sa sœur, Suzanne, elle est charmante aussi.** '

The above conversation must be read aloud over and over again by the student, and he must pay particular attention to the ' tone ' of each voice.

The notes and remarks in parentheses are of extreme importance to the beginner, and ought not, on any account, to be neglected by him.

The foregoing rules and present tenses of verbs must be known thoroughly before he proceeds to the next lesson.

---

[1] The ' t ' is silent in the masculine form ' charmant,' meaning ' charming,' but is pronounced in the feminine form, ' charmante.'

CHAPTER IV

LA DEUXIÈME LEÇON

LET me now introduce to you a few other verbs which resemble in their conjugation those given in the preceding lesson.

' Permettre ' (*to allow, permit*) resembles ' Mettre ' (irregular)
' Donner ' (*to give*) resembles ' Parler '
' Aimer ' (*to love, like*) resembles ' Parler '
' Acheter ' (*to buy*) resembles ' Parler '
' Montrer ' (*to show*) resembles ' Parler '
' Pardonner ' (*to pardon, excuse*) resembles ' Parler '
' Entrer ' (*to enter*) resembles ' Parler.'
' Fumer ' (*to smoke*) resembles ' Parler '
' Faire ' (*to do, make*) is irregular :

Je fais	(silent ' s ')
Tu fais	(silent ' s ')
Il (elle) fait	(silent ' t ')
Nous faisons	(' ai ' as ' e ' in her ; nasal ' on ' ; silent ' s ')
Vous faites	(silent ' s ')
Ils (elles) font	(nasal ' on ' ; silent ' t ')

' Fermer ' (*to shut, close*) resembles ' Parler '
' Ouvrir ' (*to open*) irregular :

J'ouvre
Tu ouvres
Il (elle) ouvre
Nous ouvrons
Vous ouvrez
Ils (elles) ouvrent

' Désirer ' (*to desire, want*) resembles ' Parler '
' Préférer ' (*to prefer*) resembles ' Parler '
' Expliquer ' (*to explain*) resembles ' Parler '
' Taquiner ' (*to tease*) resembles ' Parler '
' Penser ' (*to think*) resembles ' Parler '
' Assurer ' (*to assure*) resembles ' Parler '
' Demeurer ' (*to dwell*) resembles ' Parler '
' Jouer ' (*to play*) resembles ' Parler '
' Chanter ' (*to sing*) resembles ' Parler '
' Regarder ' (*to look at*) resembles ' Parler '
' Envoyer ' (*to send*) resembles ' Parler '
' Accompagner ' (*to accompany*) resembles ' Parler '

You have noticed, I presume, that there exist certain words in French which have not the same order in the sentence as they would have in English. The order of the pronouns will appear rather strange to you at first, but continual practice will soon overcome this difficulty.

When we are constantly referring to a certain thing we do not consider it necessary to repeat its name over and over again ; we refer to the thing as ' it ' ; if there are many we use ' they ' and ' them.'

Examine the following examples—

> The apple is ripe ; it is sweet ; I like it.
> The apples are ripe ; they are sweet ; I like them.

In the one case we have one word, ' it,' but in the second two, ' they ' and ' them.'

The first two sentences on each line show the same order of words as in French, but, ' I like it,' and ' I like them,' need your attention.

' It ' and ' them ' are not the subjects of those two sentences ; they are the objects.

They are found in French before the verb and not after it. Let us see how it is done.

> ' Je vois ' means ' I see ' (from ' voir ' *to see*)
> ' Je le vois ' means ' I see him,' or ' I see it.'
> ' Je la vois ' means ' I see her,' or ' I see it.'

Why have these sentences two meanings ?

Because ' le ' stands in place of anything that is masculine, and ' la ' in place of anything that is feminine.

' Je les vois ' means ' I see them ' (masculine or feminine).

The present tense of this verb ' voir ' (*to see*), which is irregular, is written thus—

Je vois	(silent ' s ')
Tu vois	(silent ' s ')
Il (elle) voit	(silent ' t ')
Nous voyons	(nasal ' on ' ; silent ' s ')
Vous voyez	(' ez ' as usual)
Ils (elles) voient	(' ent ' silent as usual)

You must remember when employing a pronoun that this pronoun must agree, in both gender and number, with the noun whose place it takes.

When referring to a cigarette, for instance, you may wish to say, ' It is good.'

Now, the word ' cigarette ' in French is feminine, ' la cigarette ' ; therefore your remark will be, ' Elle est bonne ' ; but if you are praising a certain wine, you will say, ' Il est bon,' because the word ' wine ' is masculine, hence, ' le vin.'

There is no neuter gender in French ; every word is either masculine or feminine, and their adjectives agree with them.

The expression, ' C'est,' meaning, ' It is,' is a very common one, and is an exception to the above rule when it is followed by an adjective. The masculine form of the adjective is always used with it. When speaking of wine or cigarettes or any other word, we must say, ' C'est bon.' If they do not suit your palate, say, ' C'est mauvais ' (' It's bad '), but add an ' e ' to the adjective if you wish specially to refer to some feminine word, ' Elle est mauvaise,' in which case ' c'est ' is not used.

You can always use ' c'est ' conveniently if in doubt as to the gender of a word.

I said in ' La première leçon ' that the plural of French nouns was formed by the addition of ' s ' to the singular.

There are, however, a few exceptions, which may be easily committed to memory, and are as follows—

(1) Nouns ending in ' au ' or ' eu ' add an ' x ' (except the plural of the adjective ' bleu,' blue, which becomes ' bleus ').

(2) Seven nouns ending in ' ou ' add an ' x,' all the others adding an ' s ' in the usual way. They are all masculine nouns.

Bijou	(*jewel*)	Caillou	(*pebble*)
Chou	(*cabbage*)	Genou	(*knee*)
Hibou	(*owl*)	Joujou	(*toy*)
Pou	(*louse*)		

(3) Most nouns ending in ' al ' change this syllable into ' aux,' as ' cheval ' (horse), ' chevaux.'

(4) Most nouns ending in ' ail ' add an ' s,' except ' travail ' (work), and a few less important words, which end in ' aux ' (travaux).

To form the feminine of an adjective one must add an unaccented ' e ' to it, in order that the final consonant should be sounded. This final consonant is usually silent in the masculine form of adjectives ; sometimes it is a nasal, as in ' bon.'

Adjectives which end in ' l,' ' n,' ' t,' in the final syllables ' el,' ' eil,' ' ul,' ' en,' ' et,' ' on,' ' ot,' and those which end in ' s,' double the last consonant before adding the ' e.'

Bon, bonne	(*good*)	Cruel, cruelle (*cruel*)	
Ancien, ancienne	(*ancient*)	Gras, grasse (*fat*)	
Sot, sotte	(*stupid*)		

The five following adjectives in common use are irregular—

Beau, belle	(*fine, handsome*)
Nouveau, nouvelle	(*new*)
Fou, folle	(*foolish*)
Mou, molle	(*soft*)
Vieux, vieille	(*old*)

Those ending in ' er ' change this into ' ère ' (note the accent).

Those ending in ' x ' change this into ' se.'

Premier, première	(*first*)
Léger, légère	(*light, not heavy*)
Régulier, régulière	(*regular*)
Heureux, heureuse	(*happy*)
Joyeux, joyeuse	(*joyful, happy*)
Jaloux, jalouse	(*jealous*)

Six adjectives ending in ' et ' do not double the final consonant—

Complet, complète	(*complete*)
Concret, concrète	(*concrete*)
Discret, discrète	(*discreet*)
Inquiet, inquiète	(*uneasy*)
Replet, replète	(*stout, fat*)
Secret, secrète	(*secret*)

These grammatical difficulties are so few that they can be mastered in a very short time without much trouble.

The adjectives ending in ' eur ' are probably the most tiresome to the beginner, for they form their feminine in four different ways, which had best be learned by practice.

Some follow the general rule and add ' e '; others change ' eur ' into ' euse ' or ' eresse,' and others change ' teur ' into ' trice.'

Meilleur, meilleure	(*better*)
Voleur, voleuse	(*thief*)
Vengeur, vengeresse	(*avenger*)
Conducteur, conductrice	(*conductor*)

Adjectives ending in ' f ' change this letter into ' ve '—

Neuf, neuve	*(new, unused)*
Bref, brève	*(brief)*

Let me call your attention to the following irregularities before we dismiss this subject—

Faux, fausse	*(false)*
Roux, rousse	*(reddish-brown, ruddy)*
Doux, douce	*(soft, sweet, gentle)*
Blanc, blanche	*(white)*
Franc, franche	*(frank)*
Sec, sèche	*(dry)*
Frais, fraîche	*(fresh)*
Turc, turque	*(Turkish)*
Public, publique	*(public)*
Grec, grecque	*(Grecian)*
Hébreu, hébraïque	*(Jewish)*
Long, longue	*(long)*
Oblong, oblongue	*(oblong)*
Malin, maligne	*(malicious, sly)* [1]
Favori, favorite	*(favourite)*
Coi, coite	*(quiet, still)*

The formation of the plural of adjectives is exceedingly simple. They add ordinarily an ' s.'

Those ending in ' eau ' add ' x,' and those in ' al ' change this syllable into ' aux.'

Those ending in ' eu ' and ' ou ' take an ' s ' as usual.

The adjective ' tout ' (all) is one quite apart—

Tout	(masculine singular)
Tous	(masculine plural)
Toute	(feminine singular)
Toutes	(feminine plural)

As in the case of adjectives, the feminine of nouns is formed by the addition of ' e.'

Note, however, the following variations—

' Er ' changes to	' ère '	(berger, bergère	=	*shepherd)*
' Eur ' changes to	' euse '	(chanteur, chanteuse	=	*singer)*
' Eur ' changes to	' ice '	(directeur, directrice	=	*director)*
' Eur ' changes to	' esse '	(docteur, doctoresse	=	*doctor)*

Do not omit to double an ' n ' or a ' t ' at the end of a noun, as in ' paysan, paysanne ' (peasant).

---

[1] Also used contemptuously as ' clever ' in such an expression as ' Il fait le malin '—' He's trying to be clever.'

There exist a few exceptions to the latter, which may be very easily remembered, such as—

Romain, romaine	=	*Roman*
Cousin, cousine	=	*cousin*
Faisan, faisane	=	*pheasant*

It will be necessary, at the commencement, to read over once or twice only the grammatical rules I have given, and then to turn immediately to the vocabulary and exercise.

Most of your time and attention should be given to the latter, because it will be from this that you will learn the language.

The remainder, having been perused a few times, may thenceforth be used for reference.

Now let us learn a brief set of words and phrases in preparation for our second attempt at conversation—

Pas du tout	=	*Not at all*
Tout de suite	=	*At once, immediately*
Bon marché	=	*Cheap.* (Le marché = *market*)
Cher, chère	=	*Dear*
Combien ?	=	*How many ? How much ?*
Il fait	=	*He, it makes* (sometimes used for our ' it is ')
Il ne fait pas	=	*He, it does not make*
Est-ce que ?	=	*Is it that ?*
Le temps	=	*The weather* (sometimes ' time ')
Beau, belle	=	*Fine*
Le beau temps	=	*The fine weather*
Mauvais, mauvaise	=	*Bad*
Le mauvais temps	=	*The bad weather*
Il fait beau temps	=	*It is fine weather*
Il fait mauvais temps	=	*It is bad weather*
Fait-il beau temps ?	=	*Is the weather fine ?*
Un oiseau	=	*A bird*
Sur	=	*On*
Une fleur	=	*A flower*
Si	=	*If*

Our words ' some ' and ' any ' are rendered in French by ' de ' (of), with the definite article, ' le, la, les ' (the) in the following manner—

Du (' de ' and ' le ' combined)	=	*of the* (m.), *some, any*
De la (not combined in one word)	=	*of the* (f.), *some, any*
Des (' de ' and ' les ' combined)	=	*of the* (pl.), *some, any*

I have already stated that ' no ' in the sense of ' not any ' is written ' pas de '; there are a few other words possessing a negative meaning with which this ' de ' is used.

Ne —— plus	=	*No more*, or *no longer*
Ne —— jamais	=	*Never*
Ne —— rien	=	*Nothing*
Je n'ai pas de chapeau	=	*I have no hat*
Il n'a plus de pain	=	*He has no more bread*
Vous n'avez jamais de beurre	=	*You never have any butter*
Je n'ai rien d'extraordinaire	=	*I have nothing extraordinary*
Il y a	=	*There is, there are.* (Pronounced Eel-Yard)
Il n'y a pas	=	*There is not, are not.* (Pronounced Eel-N'Yard Park)
Il n'y a pas de fleurs	=	*There are no flowers*
Y a-t-il ?	=	*Is there ? Are there ?* (Pronounced Yard-Teel)
N'y a-t-il pas ?	=	*Is there not ? Are there not ?*
N'y a-t-il pas d'arbres ?	=	*Are there no trees ?*
Est-ce que —— ?	=	*Is it that* ——*?* (Pronounced Esk) [1]

The latter is as common as it is useful, and may be used at the beginning of any question, as already mentioned, in this manner—

Est-ce que vous allez à Paris ?	=	*Are you going to Paris ?*
Est-ce que je connais votre sœur ?	=	*Do I know your sister ?*
Est-ce que vous fumez, monsieur ?	=	*Do you smoke, sir ?*

The ' e ' of ' que ' is omitted before a vowel, as follows—

Est-ce qu'il fait beau temps ?	=	*Is the weather fine ?*
Est-ce qu'il n'y a plus de pain ?	=	*Is there no more bread ?*
Est-ce qu'elle n'a pas de chapeau ?	=	*Has she no hat ?*

In English we frequently drop the word ' weather ' and say ' Is it fine ? ' ; so do the French occasionally, as shown in, ' Est-ce qu'il fait beau ? '

Qu'est-ce ?	=	*What is it ?* (Pronounced ' kess ')
Qu'est-ce qu'il y a ?	=	*What is there ? What is the matter ?*
Qu'est-ce que c'est ?	=	*What is that ?*
Qu'est-ce que c'est que ça ?	=	*What is that ?*

The latter is more definite than the preceding phrase.

Derrière	=	*Behind*	La chaise	=	*The chair*
L'eau	=	*The water* (**f.**)	Froid, froide	=	*Cold*
Le garçon	=	*The boy*	L'oiseau	=	*The bird* (plur. **x**)
Sombre	=	*Dark, gloomy*	Le soleil	=	*The sun*
Briller	=	*To shine*	Il brille	=	*It shines*

---

[1] Sound the ' s ' of ' Esk ' a trifle longer than usual.

Regarder	=	*To look at*	Regardez-moi	=	*Look at me*
Content	=	*Glad, content*			
Ce	=	*This* (before a masculine noun)			
Cet	=	*This* (before a masculine noun beginning with a vowel)			
Cette	=	*This* (before any feminine noun)			
Ces	=	*These* (before any plural noun)			
Le matin	=	*The morning*			

CONVERSATION

(Georges Durand springs out of bed and runs to the window.)

G. D. ' **Est-ce qu'il fait beau ce matin ? Oui, il fait très beau. Le soleil brille. Je suis content. Georges, mon garçon, tu es content. Pourquoi es-tu content ? Parce qu'il fait beau, mon ami. J'aime le beau temps. J'aime les fleurs. J'aime les oiseaux. J'aime aussi Lucie Carnot. Je l'aime. Elle est charmante. Est-ce qu'elle m'aime ?** (loves me). **Je ne sais pas. Oh oui, je sais qu'elle m'aime.**

(Returning to the window.) ' **Oh, qu'il fait beau.** (' Que ' used in the sense of ' how '—' How fine it is.') **Je suis content. Oh, que je suis content. Lucie aussi est contente. Oh, qu'elle est contente. Hourra ! Le soleil brille.**

(He proceeds to take his bath, and then dresses.)

' **Ah, voilà la baignoire** (bath)**, mais je ne vois pas l'éponge** (sponge)**. La voilà !** (There it is ! ' éponge ' is therefore feminine.) **Je ne vois pas le savon** (soap)**. Ah, le voilà ! L'eau est très froide ce matin. Oh, qu'elle est froide !** (How cold it is !) **Je n'aime pas l'eau froide. Où est la serviette ?** (towel). **Je ne la vois pas.** (' La ' stands for ' la serviette.' Note the order of words.) **Ah, la voilà, derrière la chaise** (behind the chair)**. Le soleil brille toujours** (' always ' ; in this case ' still ')**. Tout est calme. Il ne fait pas de vent** (masc. ' wind ' ; silent ' t ')**. Il n'y a pas de pluie** (fem. ' rain ')**. Il n'y a pas de neige** (fem. ' snow ' ; pronounce ' ei ' as ' a ' in ' fate ' quickly)**. Mais, où est ma chemise ? Ah, je la vois sur le lit** (bed)**. Mon pantalon** (trousers)**, mon gilet** (waistcoat)**, mon col** (collar)**, ma cravate** (tie)**, mes chaussettes** (fem. socks)**, mes bottines** (fem. boots)**, et mon habit—je les ai tous.**

(When this word ' tous,' meaning ' all,' is not attached to a noun, the ' s ' is sounded, ' tooss.' When several nouns, masculine and feminine, come together, the adjective which qualifies them must be masculine.)

' **J'ai faim** (hunger). **J'ai soif** (thirst ; the ' f ' is sounded) **aussi. Je désire une tasse de café** (cup of coffee). **Non, je préfère une tasse de thé** (tea).

(He goes downstairs and meets his sister in the dining-room.)

Marie. ' **Bonjour, Georges.**'

G. D. '**Bonjour, Marie. Oh, que j'ai soif.** (How thirsty I am.—What a thirst I have.) **Donne-moi une tasse de thé, s'il te plaît** ' (if it pleases thee).

M. D. ' **Mais, il n'y a pas de thé dans toute la maison.**'

G. D. ' **Bien.** (All right.) **Donne-moi une tasse de café bien chaud** ' (well hot).

M. D. ' **Voilà, Georges. Voilà ta tasse de café.**'

G. D. ' **Merci, Marie. As-tu le journal ? '** (newspaper).

M. D. (astonished). ' **Ne le vois-tu pas ? '** (Note the order of words.) ' **Le voilà, sur la table.**'

G. D. ' **Ah, oui, je le vois.**' (He picks it up.) ' **Mais, Marie, c'est un journal anglais.**' (English ; some adjectives precede the noun, others follow it ; it is only a matter of practice.)

M. D. ' **Comment, ce n'est pas un journal français ? '**

(At this juncture Henri Beaumont calls upon them.)

M. D. ' **Ah, bonjour, Henri. Voici un journal anglais. Lis-tu l'anglais ? '** (Note the familiar ' tu '.)

The verb ' lire ' (*to read*) is irregular, as follows :—

> Je lis
> Tu lis
> Il (elle) lit
> Nous lisons
> Vous lisez
> Ils (elles) lisent

The verb ' écrire ' is also irregular, and is conjugated in the present tense thus :—

> J'écris
> Tu écris
> Il (elle) écrit
> Nous écrivons
> Vous écrivez
> Ils (elles) écrivent

H. B. ' Oh, oui, Marie, je lis l'anglais.'

G. D. ' Parles-tu anglais ? ' (The article is not needed.)

H. B. ' Oui, je le parle aussi.'

M. D. ' Tu es bien instruit ' (instructed, learned).

H. B. ' J'aime l'anglais.   Je le parle. Je le lis. Je l'écris.'

M. D. ' Ah, tu l'écris aussi ? '

H. B. ' Certainement. Ne sais-tu pas que ma mère est anglaise ? ' (' Que ' signifies ' that ' in this case.)

M. D. ' Non, vraiment, Henri ; est-ce vrai ? '

H. B. ' Parfaitement ' (perfectly).

M. D. ' Je comprends (understand) maintenant (now) pourquoi (why) tu parles si bien (so well) l'anglais.'

The verb ' comprendre ' (*to understand*) is conjugated like ' prendre ' (*to take*), thus :—

Je prends	Je comprends
Tu prends	Tu comprends
Il (elle) prend	Il (elle) comprend
Nous prenons	Nous comprenons
Vous prenez	Vous comprenez
Ils (elles) prennent	Ils (elles) comprennent

G. D. ' Et moi, aussi, je comprends pourquoi tu parles si bien l' anglais. Mais, dis-moi, Henri, tu vas en Angleterre, n'est-ce pas ? '

H. B. ' Oui, oui, je vais en Angleterre.'

G. D. ' Quand ? ' (When ?)

H. B. ' Je vais en Angleterre ce soir.'   (Looking at his watch.) ' Je suis pressé (pressed, in a hurry). Au revoir, Georges. Au revoir, Mademoiselle Marie.' (Exit.)

G. D. (continuing his breakfast). ' C'est un bon type. (He's a good sort ; pronounce ' type ' as ' teep '). Passe-moi le sel, Marie, s'il te plaît. Où est le beurre ? Ah, le voilà. Passe-le moi. Merci bien. Il est très, très bon, ce beurre. Où l'achètes-tu ? '

M. D. ' Je l'achète chez Lombard dans la Rue de la Lampe ' (Street of the Lamp).

Note carefully the pronunciation of the present tense of ' acheter ' (*to buy*).

J'achète	(Zh-ash-et. ' E ' of ' et ' open)
Tu achètes	(As above, ' s ' silent)
Il (elle) achète	(As above)

Nous achetons	(Ash-taw. Strong nasal, ' s ' silent)
Vous achetez	(Ash-tay. Not too open)
Ils (elles) achètent	(as ' achète ')

The word ' chez ' means ' at the house of,' ' at the shop of,' or ' at So and so's.' Note the following :—

Chez moi	=	*At my place (home)*
Chez lui	=	*At his place (where he lives)*
Chez vous	=	*At your place (where you live)*
Chez Pelletier [1]	=	*At Pelletier's place (his home)*
Chez mon oncle	=	*At my uncle's*
Chez ma tante	=	*At my aunt's*
Chez mon voisin	=	*At my neighbour's (m.)*
Chez ma voisine	=	*At my neighbour's (f.)*
Chez votre ami	=	*At your friend's place (m.)*
Chez le boulanger	=	*At the baker's*
Chez le boucher	=	*At the butcher's*
Chez le coiffeur	=	*At the barber's*
Chez le marchand	=	*At the merchant's*

' Chez ' also signifies ' to ' each of these people, as well as ' at,' in answer to the question, ' Where have you been ? ' Où avez-vous été ?

G. D. ' Ah, tu vas chez Lombard ? '

M. D. ' Oui, c'est un bon type, ce vieux Lombard ' (that old Lombard).

G. D. ' Est-ce qu'il coûte cher ce beurre ? ' (Coûter, *to cost*, is conjugated like ' Parler.')

M. D. ' Non, il ne coûte pas cher. Je paie —— la livre.[2] Ce n'est pas cher.'

G. D. ' Ah, non, par exemple (for example), il n'est pas cher ; au contraire, il est très bon marché.'

M. D. ' Il ne coûte pas cher, mais la qualité est bonne. Ne le trouves-tu pas ? '

G. D. ' Je trouve que la qualité est excellente. Et le café ? Tu le paies cher, je suppose.' (Note the order of words. ' Supposer,' to suppose, is conjugated like ' Parler.')

M. D. ' Oui, tu as raison. Je le paie cher.'

The phrase, ' Tu as raison ' needs an explanation. Where the English employ the verb ' to be,' the French frequently make use of the verb ' to have,' as indicated in the following examples, which will be found in later conversations.

---

[1] Pronounced ' Pelt-Yale,' accented upon ' Ya.'

[2] Note that ' le livre ' signifies ' the book ' and that ' la livre ' signifies ' the pound.' The French always employ ' the ' in respect to the cost of things, where we should use ' a ' (a pound, a yard, a pint, etc.).

Avoir raison	=	*To be right*
Avoir tort	=	*To be wrong*
Avoir faim	=	*To be hungry*
Avoir soif	=	*To be thirsty*
Avoir sommeil	=	*To be sleepy*
Avoir chaud	=	*To be warm*
Avoir froid	=	*To be cold*

G. D. ' Et le lait ? (milk). Je suppose qu'il ne coûte pas cher.'

M. D. ' Ah, tu imagines qu'il‿est bon marché ? Dans ce cas (in this, that case) tu as tort.'

(The verb ' Imaginer,' *to imagine*, is conjugated like ' Parler.')

G. D. ' Eh bien, si j'imagine qu'il est bon marché, c'est évident que j'ai tort (' que ' signifies ' that '). Dis-moi combien tu le paies.'

M. D. ' D'habitude (usually, habitually) il me coûte —— le litre.'[1]

G. D. (astonished). ' C'est vrai ? Sapristi ! (an exclamation). C'est vraiment trop cher ' (too dear). (Rising from the table, he continues.) ' Qu'est-ce que tu vas faire ce matin, Marie ? '

M. D. ' Je reste à la maison ce matin. Et toi (thee), qu'est-ce que tu vas faire ? Il fait très, très beau.'

(' Rester,' *to stay*, resembles ' Parler ' in its conjugation.)

G. D. ' Moi, je ne reste pas à la maison. Ah, non, par exemple. Au contraire, je vais faire une petite promenade. (I am going to take [make] a little walk.) Il fait si (so) beau. Où est mon chapeau ? '

M. D. (bringing the hat). ' Le voici, mon cher.'

G. D. (going out). ' Au revoir, Marie.'

G. D. (returning suddenly). ' Où sont mes gants (gloves) et ma canne ? ' (stick).

M. D. (smiling). ' Mais, qu'est-ce que tu as ? (What is the matter with thee ?) Les voilà. Ne vois-tu pas tes gants sur la cheminée (mantelpiece) et ta canne dans le coin ? ' (corner).

G. D. (shrugging his shoulders). ' Ah, oui, merci. Je suis ou stupide ou ennuyé.'

(' Ou ' by itself means ' or '; when repeated, ' either —— or.' ' Ennuyé ' means ' worried.')

---

[1] A French measure which is equal to 1¾ pints or, more correctly, 1.76 pints.

M. D. ' Georges, tu n'es ni stupide ni ennuyé.'
G. D. (surprised). ' Comment ? '
M. D. ' Tu sais que tu n'es ni l'un ni l'autre.'

('Ni —— ni' means ' neither —— nor '; ' l'autre ' means ' the other.')

G. D. ' Comment ! Explique-toi ! ' (Explain thyself !)
M. D. ' Je dis que tu n'es ni l'un ni l'autre.   Tu le sais très bien.' (' Le ' means ' it.')
G. D. (mystified). ' Mais, sapristi, je ne comprends pas.'
M. D. (teasingly). ' Oh si, tu comprends aussi bien que moi.'

' Si ' = yes, after a contradicting negation.
' Aussi —— que ' means ' as —— as '; ' aussi grand que ' would signify ' as big as.'

G. D. ' Tu sais très bien que je ne comprends pas‿ aussi bien que toi.   Tu me taquines ' (teasest).
M. D. (soothingly).   ' Hé, bien, oui, je te taquine (tease).   Voilà, tu n'es ni stupide ni ennuyé ; tu es‿ amoureux.' (' Amoureux ' means ' in love.')
G. D. (laughing). ' Moi ? Amoureux ? Tu penses que je suis‿amoureux ? '
M. D. (knowingly). ' Je ne le pense pas—je le sais.'
G. D. (ceding). ' Bon, je suis‿amoureux.   Mais, de qui ? ' (' of whom,' meaning ' with whom ').
M. D. (confidently). ' Tu es‿amoureux de Lucie.'
G. D. (anxiously). ' Voilà mon secret qui n'est plus secret.' (There's my secret, which is no longer secret.)
M. D. ' Maintenant, tu es fâché ' (angry ; also ' sorry ').
G. D. ' Non, non, je ne suis pas fâché.   Pas du tout (not at all).   Je t'assure que je ne suis pas fâché.'
M. D. ' Tu n'es pas fâché contre moi ? ' (' Contre moi ' means ' against me '; we should say ' with me.')
G. D. (reassuringly). ' Pas du tout, Marie.'
M. D. (relieved).   ' Bon.   Maintenant, va faire ta promenade ' (go to take thy walk).
G. D. ' Au revoir, Marie.' (Exit.)
(Two gamins[1] notice him as he proceeds down the boulevard.)
First Gamin. ' Qui est ce monsieur-là ? '

---

[1] A ' gamin ' is a ' street-boy ' or, as we say ' street-arab.'

('Là' means 'there,' and is frequently used for clearness. 'Ce' precedes a noun, and 'là' follows it. 'Ce monsieur-là' therefore signifies, 'That gentleman there.' If we wished to indicate, 'This gentleman here,' we should say, 'Ce monsieur-ci.')

Second Gamin. '**Qui ? Ce monsieur-là ? Oh, je le connais. C'est un bon type.** Il s'appelle Georges **Durand et il demeure** (lives) **dans cette grande maison-là. Là, tu la vois ? Tu vois cette grande maison blanche ? Eh bien, c'est là qu'il demeure.'**

(Some adjectives follow the noun, and others precede it. This point will be explained in the next lesson.)

First Gamin. '**Il est donc riche ?**' (He is, then, rich?)
Second Gamin. '**Oui, il a beaucoup d'argent.**'

('Beaucoup' means 'much' or 'many,' and, being a quantity, it is followed by 'de,' even when the noun with which it is used is in the plural.)

First Gamin. '**Comment le sais-tu ?**' (How do you know it?)
Second Gamin. '**Je le sais. Voilà tout** (that's all). **Il me donne souvent de l'argent.**' (He often gives me some money.)

In French the noun is rarely used alone ; the article in some form usually accompanies it. Whenever you wish to use 'some' or 'any' in French, which will be more often than you imagine just now, employ 'du,' 'de l',' 'de la,' or 'des,' according to the gender and number of the noun to which it belongs. The bracketed words in the following sentences may be omitted in English, but they are essential in French :—

'Have you [any] pencils and [any] paper ?'
'I am fond of [the] oranges.'
'Do you sell [some] buttons ?'
'Where is [the] Colonel Jones ?'
'I don't think I have [the] time.'
'He lived on [some] bread and [some] water.'
'Don't give him [any] money.'
'There were [some] women and [some] children in the ship.'

The article is omitted in a few cases only, and it is not used before names of people except when they bear some such title as 'Captain,' 'Colonel,' 'General,' 'Count,' 'King,' 'Professor,' 'Duke,' etc.

First Gamin. '**Ah, il te donne souvent de l'argent. Tu as de la veine, toi.**'

('De la veine' signifies 'some luck' or simply 'luck.' The use of 'toi' meaning 'thee' or 'vous' ('you') at the end of such a remark is very common. We say in English, 'You're a lucky one, you are.'

The speaker might have said, ' Tu as de la chance, toi,' which means the same.)

Second Gamin. ' Oh, oui, ce monsieur-là, tu sais, il est très gentil ' (very kind).

First Gamin. ' Moi, je n'ai pas de chance.'

Second Gamin. ' Menteur (liar). Il te donne de l'argent, à toi, aussi.'

First Gamin. ' Comment le sais-tu ? '

Second Gamin. ' Je le sais, voilà tout.'

* * * * *

G. D. (strolling down the boulevard). ' Oh, qu'il fait beau ! Quel beau temps ! (What fine weather !) Quel beau ciel (sky) ! Quel beau soleil ! Quels beaux arbres[1] (trees) ! Quelles belles fleurs ! ' (He stops to admire a rose.) ' Oh, quelle belle rose ! C'est évident que j'aime le beau temps. C'est certain que tout le monde (all the world, meaning ' everybody ') aime le beau temps. Ce monsieur-là aime le beau temps. Cette dame l'aime aussi (likes it also). Cette demoiselle (young lady) l'aime aussi. Moi, je préfère le beau temps. Je n'aime pas du tout le mauvais temps. Le mauvais temps est dégoûtant (disgusting). Je suis sûr (sure) que j'ai raison. Oui, j'en suis sûr.

(' En ' before the verb is a word meaning ' of it ' ; hence, ' I'm sure of it.' It also means ' of them ' in such a sentence as, ' I have four of them,' which would be rendered in French by, ' J'en ai quatre.' You will soon become accustomed to these little words, which take their places in front of the verb.)

' Ce petit chien aime aussi le beau temps. Il joue (plays) avec les enfants (children). Il joue tout le temps. (Here, ' temps ' means ' time.') Ce chat (cat) aime aussi le beau temps et il joue tout le temps, mais il n'aime pas le petit chien. Il a peur (fear ; ' he has fear,' or ' he is afraid '). Oui, il a peur du petit chien. Il en a peur ! Mais, je suis certain que les petits enfants n'ont pas peur du petit chien. Les enfants l'appellent Jean (call him Jean). Voilà un cheval, un beau cheval (horse). Lui (him) aussi, il aime le beau temps, mais, pauvre animal (poor animal), il n'aime pas les mouches (flies). Quelle quantité de mouches ! On voit des

---

[1] The letters ' s ' and ' x ' when the liaison occurs are pronounced as ' z.'

mouches partout (one sees flies everywhere). **On voit aussi des chiens partout, mais les mouches sont plus nombreuses.**

(Feminine plural of 'nombreux,' meaning 'numerous,' agreeing with 'mouches,' which is also feminine plural. 'Plus' means 'more,' and 'moins' means 'less.')

'Oui, les chiens sont moins nombreux' (agreeing in this case with 'chiens,' masculine plural) **'que les mouches. On dit que** (' one says that,' or ' it is said that ') **les femmes sont plus nombreuses que les hommes. C'est possible. C'est même probable.'** (Même,' meaning ' same,' also means ' even,' as in this case. It's even probable.') **'Ah, voilà un autre petit chien. Mais non, c'est le même** (same), **et voilà les mêmes enfants. Voilà un oiseau qui chante** (which sings). **Un des enfants chante aussi. Il y a** (there are) **beaucoup d'enfants ici. Il y en a trop** (there are of them too many. Note carefully the position of each word). **Et le cheval, qu'est-ce qu'il pense des mouches ? Il pense qu'il y en a trop. Cela va sans dire.'** (Idiomatic expression, ' That goes without saying '— that goes without to say.) **'Oh, que je suis heureux** (happy) **! Je désire chanter. Je chante.'** (He sings joyfully.) **'Oh, les enfants me regardent** (are looking at me). **Tout le monde me regarde. Je suis embarrassé** (embarrassed). **Mais cela m'est égal** (it's all the same to me ; I don't care). **Qui est ce monsieur-là ? C'est quelqu'un que je connais.** (' Quelque ' means ' some '; ' quelqu'un ' means ' someone.') **'Oui, je suis sûr que c'est quelqu'un que je connais. Ah, il paraît** (seems, appears) **qu'il me connaît aussi. Il s'approche de moi.'** (He approaches himself of me.)

Paraître = to seem	*S'approcher = to approach*
Je parais	Je m'approche
Tu parais	Tu t'approches
Il paraît	Il s'approche
Nous paraissons	Nous nous approchons
Vous paraissez	Vous vous approchez
Ils paraissent	Ils s'approchent

Maurice Orange. **'Bonjour, Monsieur Durand ; comment allez-vous ?'**

G. D. **' Très bien, monsieur, je vous remercie, mais je ne suis pas sûr si je vous connais ou non.'**

M. O. ' Oh, oui, **vous** me **connaissez très bien. Je m'appelle Maurice Orange.**'

G. D. ' Ah, **maintenant je vous connais. Vous êtes un de mes anciens amis. Vous avez un frère,** si **je me rappelle bien ?** (if I remember rightly). **Un grand, n'est-ce pas ?** '

M. O. ' **Parfaitement.** (Perfectly, or ' that's so.') **Il est en Allemagne à présent.**'

G. D. ' **Comment, est-ce qu'il est donc** (then) **prisonnier ? '**[1]

M. O. ' **Oui, monsieur, malheureusement** (unfortunately) **il est prisonnier depuis six mois** ' (since six months).

G. D. ' **Depuis six mois ! Oh, que c'est triste** (sad) **! Mais vous recevez** (receive) **de ses lettres, sans doute ? '** (' of his letters,' meaning ' letters from him ').

M. O. ' **Oh, oui, nous recevons de ses nouvelles** (of his news, news of him) **de temps en temps** ' (from time to time).

G. D. (changing the subject). ' **Voulez-vous faire une petite promenade avec moi, monsieur ? '**

(**Voulez-vous** means ' Will you ? Would you like ? Do you care ? ')

M. O. ' **Avec plaisir, monsieur** (with pleasure). **Où allons-nous ? '**

G. D. ' **Je désire acheter des cigarettes. Je vais en ville** (to town). **Venez-vous ?** (Come you ?) **Je préfère acheter mes cigarettes chez Madame Leblanc, parce qu'elles sont bonnes.**' (' **Parce que** ' means ' because '; before a vowel it drops the ' e ' of ' que.')

M. O. ' **Oui, je vous accompagne** (accompany) **avec plaisir. Vous ne fumez pas la pipe ? '**

G. D. ' **Jamais de la vie** (never in the life). **Comme** (as) **je vous dis, je préfère les cigarettes. Et vous, qu'est-ce que vous fumez d'habitude ? '** (usually, as a rule).

M. O. ' **Je ne fume pas du tout. Je ne fume jamais. Mon frère ne fume pas non plus.**'

---

[1] This is one of the cases where the article need not be used ; neither need it be used before names of professions and trades, as ' Il est soldat ' (*He is a soldier*) ; ' Il est professeur de chimie ' (*He is a teacher of chemistry*).

('Non plus' is a common expression, which means 'either' or 'neither,' but only at the end of such a sentence as this one, 'My brother doesn't smoke either.' It really signifies 'no more' in 'no more than I do.')

G. D. 'Ah, toute une famille qui ne fume pas.'

'Toute une famille' would be, 'All a family,' if translated literally. It means, however, 'A whole family.')

M. O. 'Oui, toute une famille, mais ce n'est pas étonnant (astonishing). Je connais beaucoup de personnes[1] qui ne fument pas.'

G. D. 'Oh, oui, moi aussi (so do I). Voilà le magasin (shop) de Madame Leblanc. Entrez, Monsieur Orange.'

M. O. 'Après vous, je vous prie' (after you, I beg you).

G. D. (entering the shop). 'Merci. Bonjour Madame Leblanc. Je désire acheter de vos bonne cigarettes.'

Madame L. 'Très bien, monsieur. A quel prix, monsieur ?' (at what price ?)

G. D. '—— le paquet' (packet).

Madame L. 'Voilà, monsieur.'

M. O. 'Donnez-moi un petit paquet de tabac, s'il vous plaît, madame.'

G. D. (surprised). 'Mais, mon ami, vous ne fumez pas.'

M. O. (laughing). 'Oh, ce n'est pas pour (for) moi, c'est pour mon oncle (uncle). Il fume beaucoup.'

(Note that the word 'ce' ('this') is, in French, frequently substituted for the word 'il' ('he' or 'it'). You must endeavour to memorise all these subtle peculiarities as we proceed from lesson to lesson.)

Madame L. 'Vous désirez autre chose, messieurs ?'

('Autre chose,' meaning 'other thing,' signifies here 'anything else.' 'Messieurs' is the plural of 'Monsieur.')

G. D. 'Oui, madame, j'ai besoin d'une boîte d'allumettes.'

('Avoir besoin de' means 'to be in want of'; 'une boîte' means 'a box,' and 'une allumette' means 'a match.')

---

[1] The word 'personne' is feminine, whether it refers to a man or woman.

M. O. (wandering round the shop). ' **Je vois que vous vendez des crayons et des porte-plume, madame. Combien coûte ce crayon-ci ?** '

Madame L. ' ——, **monsieur.** '

M. O. ' **Et combien coûte ce porte-plume ?** '

Madame L. ' **C'est un porte-plume en ᴗor.** (' Or ' means ' gold.') **A présent, vous savez, l'or** (masculine) **est très cher.** '

G. D. (laughing). ' **Oui, je le sais** ' (I know it).

M. O. ' **Combien coûte ce porte-plume en ᴗargent ?** ' (silver).

Madame L. ' **Il ne coûte que —— francs.** '

Ne —— que ' with the verb between the two words, signifies ' only ' or ' but ' in such a sentence as this : ' It costs only (or but) five francs.'
Here are a few other examples :—

Je n'ai que vingt francs	=	*I've only twenty francs*
Nous n'avons qu'une chambre	=	*We've only one room*
Il ne demande que —— francs la livre	=	*He only asks —— francs a pound*
Ce n'est qu'un petit chien	=	*It's only a little dog*
Vous n'avez qu'une demi heure	=	*You've only half an hour*

M. O. ' **C'est cher quand même, madame.** '

' Quand même ' is an expression which signifies ' all the same.' Remember that adjectives which follow ' c'est ' have always the masculine form.)

Madame L. ' **Mais non, ce n'est pas cher, monsieur. On me dit que monsieur est très riche. Je suis sûre** (feminine) **que monsieur est vraiment riche.** '

M. O. ' **Dans ce cas, madame, vous vous trompez.** '

(' Se tromper ' is another reflexive verb, and is conjugated like ' s'approcher ' ; it means ' to deceive oneself ' or ' to be mistaken ' ; hence ' you deceive yourself.')

G. D. (tired of waiting). ' **Partons, Monsieur Orange !** ' (Let us leave : Let us go.)

M. O. ' **Oui, partons. Bonjour, madame.** '

G. D. ' **Oh, que j'ai faim ! Monsieur, je vais chez moi. Je suis déjà en retard pour le dîner.** ' (I am already late for dinner. ' En retard ' means ' late ' or ' behind-hand.')

M. O. ' **Au revoir, Monsieur Durand. Au revoir.** '

G. D. (strolling home). ' **Il est aimable, ce Maurice Orange. Ah, voilà quelqu'un d'autre** (' of other,' mean-

ing ' some other one ' or ' someone else ') **que je connais,
mais je suis ͜en retard.** (He dodges down a side-street.)
Et quelqu'un d'autre que je connais. (He evades the
newcomer by taking another turning.) **Tout le monde est
dehors aujourd'hui.** (' Dehors ' signifies ' out ' or ' outside.') **C'est parce qu'il fait beau. Quand il fait mauvais
temps tout le monde reste à la maison.** (' Rester,'
to stay, remain, resembles ' Parler.') **Moi, je préfère
rester à la maison quand il pleut** (' il pleut ' means
' it rains ' or ' it is raining '), **mais je préfère sortir (to
go out) quand il fait beau, comme** (' as ' or ' like ')
**aujourd'hui, par exemple. Je n'aime pas sortir pen-
dant la nuit** (during the night). **Pendant la nuit il fait
trop froid. Je déteste le froid.** (' Le froid ' means ' the
cold,' or ' coldness ' when referring to the weather ; ' il fait
trop chaud ' would be, ' it is too warm.') **Je n'aime ni
l'automne** (autumn ; masculine and feminine) **ni l'hiver**
(winter, masculine) ; **je préfère le printemps** (spring)
et l'été (summer, masculine). **L'été est la plus belle
saison de l'année** (the most beautiful season of the year).
Ah, me voici chez moi, enfin ! ' (' Me voici ' signifies
' here I am ' ; ' enfin ' means ' at last.')

CHAPTER V

LA TROISIÈME LEÇON

Up to this point we have only had occasion to employ the present tense of the verb.

We shall now deal with the Past Participle and the Future. The former is that part of the verb which, with an auxiliary (*to have* or *to be*), indicates that an action has taken place in the past, such as : ' J'ai été (I have been), ' Je suis allé ' (I have gone), ' Je suis parti ' (I have departed), ' J'ai parlé ' (I have spoken).

Note particularly that the French sometimes make use of the auxiliary verb ' to be ' where we should employ ' to have.'

The Future explains itself—

The Future Tense

Parler	*Finir*	*Recevoir*	*Vendre*
Je parlerai	Je finirai	Je recevrai	Je vendrai
(*I shall speak*)	(*I shall finish*)	(*I shall receive*)	(*I shall sell*)
Tu parleras	Tu finiras	Tu recevras	Tu vendras
Il parlera	Il finira	Il recevra	Il vendra
Nous parlerons	Nous finirons	Nous recevrons	Nous vendrons
Vous parlerez	Vous finirez	Vous recevrez	Vous vendrez
Ils parleront	Ils finiront	Ils recevront	Ils vendront

It will be seen that all the endings of each example are identical, and that the ' r ' of the infinitive is found throughout. This ' r ' constitutes the difference between the present and past tenses, on the one hand, and the future and conditional tenses on the other ; the latter retain the ' r,' the former do not.

The exceptions may be easily recognised by means of the ' r ' (in some cases ' rr '), which begins the final syllable, as in the case of ' envoyer ' (to send).

Present	*Future*
J'envoie	J'enverrai
Tu envoies	Tu enverras
Il envoie	Il enverra
Nous envoyons	Nous enverrons
Vous envoyez	Vous enverrez
Ils envoient	Ils enverront

This verb is, of course, irregular—so called because it does not follow the regular form of conjugation.

Other examples are as follows—

Future

Avoir (to have)

J'aurai, tu auras, il aura ; nous aurons, vous aurez, ils auront.

Être (to be)

Je serai, tu seras, il sera ; nous serons, vous serez, ils seront.

Aller (to go)

J'irai, tu iras, il ira ; nous irons, vous irez, ils iront.

Connaître (to know)

Je connaîtrai, tu connaîtras, il connaîtra : nous connaîtrons, vous connaîtrez, ils connaîtront.

Faire (to do)

Je ferai, tu feras, il fera ; nous ferons, vous ferez, ils feront.

Savoir (to know)

Je saurai, tu sauras, il saura ; nous saurons, vous saurez, ils sauront.

Sortir (to go out)

Je sortirai, tu sortiras, il sortira ; nous sortirons, vous sortirez, ils sortiront.

Voir (to see)

Je verrai, tu verras, il verra ; nous verrons, vous verrez, ils verront.

Now, at this point, we might make the acquaintance of a few more of the most used irregular verbs, for by treating several at a time we are enabled to distinguish certain similarities and dissimilarities between one and another, thereby impressing them permanently on the memory. Constant practice in their use will soon make the student familiar with them.

Dormir (to sleep)

Present

Je dors, tu dors, il dort ; nous dormons, vous dormez, ils dorment.

Future

Je dormirai, tu dormiras, il dormira ; nous dormirons, vous dormirez, ils dormiront.

Tenir (to hold)

Present

Je tiens, tu tiens, il tient ; nous tenons, vous tenez, ils tiennent.

Future

Je tiendrai, tu tiendras, il tiendra ; nous tiendrons, vous tiendrez, ils tiendront.

Courir (to run)

Present

Je cours, tu cours, il court ; nous courons, vous courez, ils courent.

Future

Je courrai, tu courras, il courra ; nous courrons, vous courrez, ils courront.

Mourir (to *die*)

Present

Je meurs, tu meurs, il meurt ; nous mourons, vous mourez, ils meurent

Future

Je mourrai, tu mourras, il mourra ; nous mourrons, vous mourrez, ils mourront.

Sentir (to feel)

Present

Je sens, tu sens, il sent ; nous sentons, vous sentez, ils sentent.

Future

Je sentirai, tu sentiras, il sentira ; nous sentirons, vous sentirez, ils sentiront.

Partir (to set out, leave, start)

Present

Je pars, tu pars, il part ; nous partons, vous partez, ils partent.

Future

Je partirai, tu partiras, il partira, ; nous partirons, vous partirez, ils partiront.

Servir (to serve)

Present

Je sers, tu sers, il sert ; nous servons, vous servez, ils servent.

Future

Je servirai, tu serviras, il servira ; nous servirons, vous servirez, ils serviront.

Ouvrir (to open)

Present

J'ouvre, tu ouvres, il ouvre ; nous ouvrons, vous ouvrez, ils ouvrent.

Future

J'ouvrirai, tu ouvriras, il ouvrira ; nous ouvrirons, vous ouvrirez, ils ouvriront.

Asseoir (to sit)[1]

Present

Je m'assieds, tu t'assieds, il s'assied ; nous nous asseyons, vous vous asseyez, ils s'asseyent.

---

[1] ' Asseoir ' used reflexively has the meaning of ' to sit,' or ' to sit down ' ; hence, ' Je m'assieds ' (*I sit down*), etc. The imperative is ' Asseyez-vous ! ' (*sit down !*)

Future

Je m'assiérai, tu t'assiéras, il s'assiéra ; nous nous assiérons, vous vous assiérez, ils s'assiéront.

Valoir (to be worth)

Present

Je vaux (*I am worth*), tu vaux, il vaut ; nous valons, vous valez, ils valent.

Future

Je vaudrai, tu vaudras, il vaudra ; nous vaudrons, vous vaudrez, ils vaudront.

Vouloir (to be willing)

Present

Je veux, tu veux, il veut ; nous voulons, vous voulez, ils veulent.

Future

Je voudrai, tu voudras, il voudra ; nous voudrons, vous voudrez, ils voudront.

Pouvoir (to be able)

Present

Je puis (*or* peux), tu peux, il peut ; nous pouvons, vous pouvez, ils peuvent.

Future

Je pourrai, tu pourras, il pourra ; nous pourrons, vous pourrez, ils pourront.

Boire (to drink)

Present

Je bois, tu bois, il boit ; nous buvons, vous buvez, ils boivent.

Future

Je boirai, tu boiras, il boira ; nous boirons, vous boirez, ils boiront.

Croire (to believe)

Present

Je crois, tu crois, il croit ; nous croyons, vous croyez, ils croient.

Future

Je croirai, tu croiras, il croira ; nous croirons, vous croirez, ils croiront.

Rompre (to break)

Present

Je romps (' ps ' silent), tu romps (' ps ' silent), il rompt (' pt ' silent) ; nous rompons, vous rompez, ils rompent.

Future

Je romprai, tu rompras, il rompra ; nous romprons, vous romprez, ils rompront.

Plaire (*to please*)

Present

Je plais, tu plais, il plaît ; nous plaisons, vous plaisez, ils plaisent.

Future

Je plairai, tu plairas, il plaira ; nous plairons, vous plairez, ils plairont

Dire (*to say*)

Present

Je dis, tu dis, il dit ; nous disons, vous dites, ils disent.

Future

Je dirai, tu diras, il dira ; nous dirons, vous direz, ils diront.

Lire (*to read*)

Present

Je lis, tu lis, il lit ; nous lisons, vous lisez, ils lisent.

Future

Je lirai, tu liras, il lira ; nous lirons, vous lirez, ils liront.

Rire (*to laugh*)

Present

Je ris, tu ris, il rit ; nous rions, vous riez, ils rient.

Future

Je rirai, tu riras, il rira ; nous rirons, vous rirez, ils riront.

Écrire (*to write*)

Present

J'écris, tu écris, il écrit ; nous écrivons, vous écrivez, ils écrivent.

Future

J'écrirai, tu écriras, il écrira ; nous écrirons, vous écrirez, ils écriront.

Conduire (*to conduct*)

Present

Je conduis, tu conduis, il conduit ; nous conduisons, vous conduisez, ils conduisent.

Future

Je conduirai, tu conduiras, il conduira ; nous conduirons, vous conduirez, ils conduiront.

Joindre (*to join*)

Present

Je joins, tu joins, il joint ; nous joignons, vous joignez, ils joignent.

Future

Je joindrai, tu joindras, il joindra ; nous joindrons, vous joindrez, ils joindront.

Prendre (to take)

Present

Je prends, tu prends, il prend ; nous prenons, **vous prenez**, ils prennent.

Future

Je prendrai, tu prendras, il prendra ; **nous prendrons, vous prendrez**, ils prendront.

Mettre (to put)

Present

Je mets, tu mets, il met ; nous mettons, **vous mettez, ils mettent**.

Future

Je mettrai, **tu mettras**, il mettra ; nous mettrons, vous mettrez, ils mettront.

Vivre (to live)

Present

Je vis, **tu vis**, il vit ; nous vivons, vous vivez, ils vivent.

Future

Je vivrai, tu vivras, il vivra ; nous vivrons, vous vivrez, ils vivront.

Suivre (to follow)

Present

Je suis, tu suis, il suit ; nous suivons, etc.

The *Future* is regular.

I do not intend that the above tenses should be committed to memory, but rather that they should serve to show the student what changes to expect in the form of any verb.

In conversation we may require to use some of them but once in a year, but we shall meet with them often enough in our reading at a later period, when we turn to newspapers, books, and other publications.

Now, with regard to the Past Participles already mentioned, let us consider the regular forms first—

Infinitive	*Past Participle*
Parler (*to speak*)	Parlé (*spoken*)
Finir (*to finish*)	Fini (*finished*)
Recevoir (*to receive*)	Reçu (*received*)
Vendre (*to sell*)	Vendu (*sold*)

Remember that these Past Participles can only be used in conjunction with an auxiliary verb, as, ' J'ai parlé ' (I have spoken) ; we cannot say, ' I spoken.'

The most important irregular forms are as follows—

Infinitive	*Past Participle*
Avoir (*to have*)	Eu (*had*)
Être (*to be*)	Été (*been*)
Aller (*to go*)	Allé (*gone*)
Envoyer (*to send*)	Envoyé (*sent*)
Acquérir (*to acquire*)	Acquis (*acquired*)
Bouillir (*to boil*)	Bouilli (*boiled*)
Cueillir (*to gather*)	Cueilli (*gathered*)
Dormir (*to sleep*)	Dormi (*slept*)
Tenir (*to hold*)	Tenu (*held*)
Courir (*to run*)	Couru (*run*)
Mourir (*to die*)	Mort (*dead*)
Sentir (*to feel*)	Senti (*felt*)
Sortir (*to go out*)	Sorti (*gone out*)
Partir (*to depart*)	Parti (*departed*)
Vêtir (*to clothe*)	Vêtu (*clothed*)
Servir (*to serve*)	Servi (*served*)
Ouvrir (*to open*)	Ouvert (*opened*)
Asseoir (*to seat*)	Assis (*seated*)
Valoir (*to be worth*)	Valu (*worth*)
Vouloir (*to be willing*)	Voulu (*willed, wished*)
Voir (*to see*)	Vu (*seen*)
Savoir (*to know*)	Su (*known*)
Pouvoir (*to be able*)	Pu (*been able*)
Boire (*to drink*)	Bu (*drunk*)
Croire (*to believe*)	Cru (*believed*)
Rompre (*to break*)	Rompu (*broken*)
Faire (*to do, make*)	Fait (*done*)
Plaire (*to please*)	Plu (*pleased*)
Dire (*to say*)	Dit (*said*)
Lire (*to read*)	Lu (*read*)
Rire (*to laugh*)	Ri (*laughed*)
Conduire (*to conduct*)	Conduit (*conducted*)
Absoudre (*to absolve*)	Absous (*absolved*)
Coudre (*to sew*)	Cousu (*sewn*)
Joindre (*to join*)	Joint (*joined*)
Prendre (*to take*)	Pris (*taken*)
Connaître (*to know*)	Connu (*known*)
Paraître (*to appear*)	Paru (*appeared*)
Mettre (*to put*)	Mis (*put*)
Battre (*to beat*)	Battu (*beaten*)
Vaincre (*to overcome*)	Vaincu (*overcome*)
Suivre (*to follow*)	Suivi (*followed*)
Vivre (*to live*)	Vécu (*lived*)

Let it be understood that all words—no matter to which part of speech they belong—are most easily memorised when they are embodied in some useful sentence for sentences are of far greater value than words. We must accustom ourselves to notice the position of the words in the sentences we meet, for in changing the position we sometimes alter the meaning, especially when dealing with certain adjectives, such as ' grand ' (tall; great); ' brave ' (brave; good sort), etc.

Adjectives, as a general rule, follow the noun, though some may precede or follow it according to their signification.

A few examples will suffice, since the majority may be learned by practice—

Un grand homme	=	*A great man (noteworthy)*
Un homme grand	=	*A tall man*
Un brave homme	=	*A good man*
Un homme brave	=	*A brave man*
Un pauvre homme	=	*A poor (to be pitied) man*
Un homme pauvre	=	*A poor man*
Une femme sage	=	*A prudent woman*
Une sage-femme	=	*A midwife*
Un écrivain méchant	=	*A wicked author*
Un méchant écrivain	=	*A mediocre writer*
Une voix commune	=	*An ordinary voice (common)*
Une commune voix	=	*A common voice (unanimous)*

When we wish—in English—to make a comparison between two things, we either employ the words ' more ' and ' most,' or we add the suffixes ' er ' and ' est ' to the qualifying adjective, in this manner—

(Positive)	**The good** man	**The** beautiful woman
(Comparative)	**The better** man	**The** more beautiful woman
(Superlative)	**The best** man	**The** most beautiful woman

(Positive)	**The long** way	**The** tiresome one
(Comparative)	**The long**er way	**The** less tiresome one
(Superlative)	**The long**est way	**The** least tiresome one

The French form such comparisons with the words ' plus ' (more), and ' moins ' (less).

This road is long	—	Ce chemin est long
This road is longer	—	Ce chemin est plus long
This road is the longest	—	Ce chemin est le plus long

The word ' que ' is equivalent to ' than ' when the thing with which the comparison is made is mentioned. ' This road is longer than that road,' would be, ' Ce chemin-ci est plus long que ce chemin-là.' Similarly, ' This flower is not so fine as that flower,' would be, ' Cette fleur-ci est moins (less) belle que cette fleur-là.' Instead of ' moins belle ' we could say equally well, ' n'est pas si belle que ' (not so fine as).

In these examples it is not necessary to repeat the subject as I have done.

In English we should have used the words ' this one ' and ' that one ' in the singular, and ' these (ones) ' and ' those (ones) ' in the plural.

The French also have words which correspond to these forms, as follows—

Celui-ci	=	*This one*	(if the subject or object is masc. sing.)
Ceux-ci	=	*These*	(if the subject or object is masc. plural)
Celle-ci	=	*This one*	(if the subject or object is fem. sing.)
Celles-ci	=	*These*	(if the subject or object is fem. plural)

If we substitute ' là ' for ' ci ' in each case we obtain the equivalents for ' that one ' and ' those,' as in the sentence, ' J'aime celui-ci, mais je préfère celui-là.'

As in English, so in French, there exist certain irregularities, of which the following are the most common—

Positive		Comparative		Superlative	
Bon	(*good*) [1]	Meilleur	(*better*)	Le meilleur	(*best*)
Beaucoup	(*much*)	Plus	(*more*)	Le plus	(*most*)
Petit	(*small*)	Moindre	(*smaller*)	Le moindre	(*smallest*)
Mauvais	(*bad*)	Pire	(*worse*)	Le pire	(*worst*)

The two latter adjectives are occasionally used with ' plus.'

Before we embark on our ' Troisième Leçon de Conversation ' I must call the student's attention to the two little words ' y ' and ' en ' which occur so frequently.

' Y ' may be called the complement of the preposition ' à,' and ' en ' the complement of the preposition ' de '; which is to say that when we do not wish to repeat the prepositions and the nouns they accompany we must employ these pronouns in their stead.

> ' Y ' signifies ' there ' and ' to it.'
> ' En ' signifies ' some,' ' any,' and ' of it,' ' of them.'

The following examples will demonstrate this more clearly—

> ' A-t-il été en France ? ' ' Oui, il y a été.'

In the reply the ' y ' means ' there.'

---

[1] The word ' bon ' in the expression ' bon marché ' (*cheap*) is also subject to this change.

'**Avez**-vous été à l'église ? ' (*church*). ' Oui, j'y ai été.'

In this reply the ' y ' means ' to it.'

' A-t-elle du pain ? ' ' Non, elle n'en a pas.'

In the reply, ' en ' means ' any.' (*She has not any*.)

Note the position of ' ne —— pas ' here.

' **Combien** de livres (*books*) avez-vous ? ' ' J'en ai cinq.'

In this reply, ' en ' means ' of them.' (*I've five of them*.)

' **Combien** de fromage (*cheese*) avez-vous ? ' ' J'en ai beaucoup.'

In this reply, ' en ' means ' of it.' (*I have much of it*.)

' **Je** désire acheter des crayons. En avez-vous ? ' ' J'en ai.' (*Have you any ? Yes, I have some*.)

In English we might almost always omit the word ' some ' in the last reply, but the French are most careful to use it.

In the first example with ' y ' we might often omit the words ' been there ' in the reply, and say simply, ' Yes, he has.' But this would mean nothing to the French people.

The pronoun ' en ' is also found with verbs, such as ' aller ' (*to go*) to form ' s'en aller ' (*to go away, to go off to, to get out, to clear off*, etc.).[1]

> Je m'en vais
> Tu t'en vas
> Il s'en va
> Nous nous en allons
> Vous vous en allez
> Ils s'en vont.

' Je m'en vais ' is greatly used also, where, in some cases, we should not expect it—

' Je vais chez moi.' *I'm going home.*

' Je m'en vais chez moi ! ' *I'm going to clear off home !*

' Je m'en vais acheter des cigares.' *I'm just going off to buy some cigars.*

' Je m'en vais vous expliquer.' *I'll just explain to you.*

VOCABULARY

Non = *No* (as an answer)

Oui = *Yes* (as an answer, except when the negative is used in the question)

Si = *Yes* (as an answer, when the negative is used in the question)

> ' Avez-vous été à Paris ? ' ' Oui.'
> ' N'avez-vous pas été à Paris ? ' ' Si.'

---

[1] From this we have the brusque, almost rude, order, ' Allez vous en ! ' (' Go away ! Clear off ! ')

Vingt et un = *Twenty-one* (' et ' is used with the tens plus one)
Vingt-deux = *Twenty-two*
Trente et un = *Thirty-one*
Trente-neuf = *Thirty-nine*
Quarante et un = *Forty-one*
Cinquante = *Fifty*
Soixante = *Sixty*
Soixante-dix = *Seventy*
Soixante et onze = *Seventy-one*
Soixante dix-neuf = *Seventy-nine*
Quatre-vingts = *Eighty* (*four twenties*)
Quatre vingt un = *Eighty-one* (no ' et ' and no ' s ')
Quatre vingt dix-neuf = *Ninety-nine*
Cent = *One hundred*
Mille = *One thousand* (may be written ' mil ' in dates A.D.)

    William the Conqueror landed ' **en** (in) **mille** (or **mil**) **soixante six** '

Lundi	=	*Monday*	Janvier	=	*January*
Mardi	=	*Tuesday*	Février	=	*February*
Mercredi	=	*Wednesday*	Mars	=	*March*
Jeudi	=	*Thursday*	Avril	=	*April*
Vendredi	=	*Friday*	Mai	=	*May*
Samedi	=	*Saturday*	Juin	=	*June*
Dimanche	=	*Sunday*	Juillet	=	*July*
La semaine	=	*The week*	Août	=	*August*
Le printemps	=	*Spring*	Septembre	=	*September*
L'été	=	*Summer*	Octobre	=	*October*
L'automne	=	*Autumn*	Novembre	=	*November*
L'hiver	=	*Winter*	Décembre	=	*December*
Une saison	=	*A season*	Le mois	=	*The month*

Le premier janvier   =   *The 1st of January*
Le deux mars   =   *The 2nd of March*
Le vingt et un juin   =   *The 21st of June*
Le trente septembre   =   *The 30th of September*

    Note that beyond the first of the month the cardinal numbers are used.

Une heure = *An, one hour.* Also, ' one o'clock '
Une heure cinq = *Five minutes past one*
Une heure moins cinq = *Five minutes to one* (moins = *less*)
Une heure et quart = *A quarter past one*
Une heure moins le quart = *A quarter to one*
Une heure et demie = *Half-past one*
Deux heures = *Two hours.* Also ' two o'clock '
Onze heures vingt-cinq = *Twenty-five past eleven*
Midi = *Midday*, or *noon*
Midi moins dix = *Ten to twelve*
Midi vingt = *Twenty past twelve*
Minuit = *Midnight*
Quel, quelle, quels, quelles ? = *What ?* (*What sort of ?*)
Là-bas = *Over there, yonder*
En haut = *Up above, upstairs*
En bas = *Down below, downstairs*
L'an, l'année = *The year* (m., f.)

L'âge = *The age* (of a person, etc.)
Quel âge avez-vous ? = *What age have you ?* (*How old are you ?*)
J'ai trente ans = *I am thirty years old*
Quel âge a-t-il ? = *How old is he ?*
Il a soixante-deux ans = *He is sixty-two*
Quelle heure est-il ? = *What hour (time) is it ?*
S'habiller = *to dress* (oneself). **Se déshabiller** = *To undress*
Toujours = *Always*
Pendant = *During*
Se lever = *To get up, rise*
Entendre = *To hear*
Apporter = *To bring*
Travailler = *To work*
Oser = *To dare*
Commencer = *To begin, commence*
Cesser = *To cease, stop*
Continuer = *To continue, keep on*
Après tout = *After all*
Avant tout = *Before all, before everything*
L'après-midi = *The afternoon*
Je me suis dit = *I said (have said) to myself*
Essayer = *To try*
Se coucher = *To go to bed, to lie down*
Pour = *For*
Se rappeler = *To remember*
Pleurer = *To weep*
Le malheur = *The misfortune*
Le bonheur = *The good fortune*
Raconter = *To relate*

Whenever it is necessary to use a verb reflexively with an auxiliary, this auxiliary must be the verb ' être.'

Couper = *To cut.* (**Se couper** = *To cut oneself*)
Je me suis coupé = *I have cut myself*

In every case of a reflexive verb where in English we use ' to have,' the French use ' to be.'

Un œil	=	*An eye.* Les yeux = *The eyes*
Avant	=	*Before* (speaking of time)
Devant	=	*Before* (speaking of place)
Avant six heures	=	*Before six o'clock*
Devant la maison	=	*Before (in front of) the house*
Devant mes yeux	=	*In front of my eyes*
Garder	=	*To keep*
Le nez	=	*The nose*

The plural of ' le nez ' is ' les nez,' for nouns which end in ' s,' ' x,' and ' z ' do not change their forms in the plural.

Cependant	= *However*	Hier	= *Yesterday*
Aujourd'hui	= *Today*	Demain	= *Tomorrow*
La brosse	= *Brush*	La brosse à dents	= *Tooth-brush*
La dent	= *Tooth*	Les dents	= *Teeth*

Le domestique	= *Man-servant*	La domestique	= *Maid-servant*
Frapper	= *To knock,*	Sonner	= *To ring*
	strike	Il appartient à	= *It belongs to*
Appartenir	= *To belong*	Descendre	= *To descend,*
Reconnaître	= *To recognise*		*go down*

CONVERSATION

G. D. (waking and yawning a few mornings later).
‘ **Ah-h-h-h-h** !   Quelle heure est-il ?   Où est ma
montre ? (watch). Ah, la voilà !   **Six heures et demie** !
Quel temps fait-il ? Ah, **le soleil brille très fort** (strong),
mais je vois qu'il est tombé de la pluie (rain) **pendant
la nuit. N'importe, il fait beau à présent** !

(‘ N'importe ’ is an abbreviation of ‘ Il n'importe pas,’ which means
‘ It does not matter.’ ‘ No matter.’)

‘ **Je m'en vais m'habiller et, après cela, je m'en
vais faire une promenade quelque part.** (‘ Quelque
part ’ signifies ‘ somewhere.’)   Ouf, **il fait trop chaud ici
dans ma chambre. Si j'ouvre ma fenêtre toute grande**
(quite wide) **il ne fera pas** (will not make, be : *Future*)
si chaud.’ (He looks out and sees a neighbour in the garden
adjoining.) ‘ **Hé, là-bas** ! (Hi, yonder !) **Bonjour** ! **Comment, vous êtes déjà debout** ? (up). **Vous vous levez
de bonne heure** ! (in good time, early). **Que faites-vous** ? ’
(What are you doing ?)

The neighbour (laughing). ‘ **Je travaille, parbleu** !
(an exclamation).   **Pendant que vous dormez, je travaille** ! **Paresseux que vous êtes** (lazy that you are),
habillez-vous (dress yourself), **et venez travailler un
peu au jardin** ! ’ (come to work a little in the garden ;
to, at the garden).

G. D. (enjoying the banter). ‘ **Ah non, mon vieux** !
(my old one ; rather familiar). **Une fois habillé** (once
dressed ; ‘ fois ’ means time in counting), **je m'en vais
faire un tour sur la plage. Pendant que vous travaillez, je me promène** ! **Travaillez, monsieur, travaillez toujours** (work still, keep on working). **On dit
que le travail** (work ; the noun) **est très bon pour la
santé** ! (for the health). **Vous avez toujours bonne
mine** (good, healthy appearance). **Je suis sûr que c'est
parce que vous travaillez tant** ’ (so much).

The neighbour (shouting). ' **Taisez-vous, paresseux !** '
(' Taisez ' from ' taire,' ' to be silent ' ; ' Be quiet, lazy ! ')
G. D. (bantering). '**Ah non, par exemple ! C'est
vous qui avez commencé !** (who have begun). **Mais
vous ⌣avez cessé de travailler !** (ceased to work ; some
verbs have ' de ' after them, others have ' **à**,' and some have
no preposition at all ; this is acquired by practice). **Continuez, monsieur, continuez ! Faites ce que je vous
dis !** (Do that which I tell you; or what I tell you.) **Continuez à travailler ! Quel homme !** (What a man !)
**Il sait que le travail est bon pour la santé, mais il ne
travaille pas ! Vous n'aurez pas de roses cette année,
mon vieux, si vous ne travaillez pas ! Vous n'aurez
pas d'œillets !** (pinks, carnations). **Vous n'aurez pas
de pensées** (pansies ; also ' thoughts ') **non plus** (either).
**Oh, mon Dieu, quelle paresse ! Savez-vous, mon vieux,
que la paresse est ⌣un grand défaut ?** (that laziness is
a great fault, failing). **C'est bien vrai, quand même**
(all the same). **Moi, je ne suis pas paresseux ; au contraire, je suis extrêmement diligent. Vous le
savez très bien !** (' le ' means ' it '). **Au revoir ! Travaillez toujours !** '
The neighbour (amused). ' **Au revoir, espèce de paresseux !** ' (kind, sort, species, specimen of a lazy one.
' Espèce de ' is quite a common expression of playful teasing,
and is often used contemptuously).
G. D. (dressing). ' **Oui, c'est quand même vrai ; il
faut travailler** (' il faut ' means ' it is necessary ') **pour
gagner sa vie** (to gain one's life, to be able to live). **La
vie est brève, après tout !** (life is short, or brief, after
all ; ' brève ' is feminine, agreeing with ' vie ' ; the masculine is ' bref '). **Où est mon rasoir ?** (razor). **Ah, le
voilà devant mes yeux ! Je ne trouve pas le savon**
(soap). **Où est-il ? Mais où diable a-t-on mis le
savon ?** (But where the devil has one put the soap ? This
expression is not quite so forceful as in English.) **Ah, le
voici, dans le tiroir !** (drawer). **Je m'en vais le garder
dans ce tiroir-ci. Comme ça** (like that, in this way)
je ne le perdrai pas (future of ' perdre,' to lose). (He glances
at himself in the mirror.) **Tiens, j'ai le nez rouge** (red
nose), **ce matin ! Je n'ai bu hier que de l'eau, cependant !** (I have drunk yesterday only water, however.
Note the position of ' ne —— que,' meaning only.') **N'im-**

porte ! Mais où diable a-t-on mis ma brosse à dents ?
(tooth-brush). **Notre domestique n'est pas ̮intelligente**
(feminine). **Ou elle est stupide, ou elle est ̮amoureuse**
(feminine). **Mais, où est cette maudite** (confounded)
brosse à dents ? Ah, je l'ai trouvée !

(Note the participle here which agrees with ' brosse ' understood ;
this point will be considered fully in our next lesson.)

'**La voilà sous le lit ! C'est extraordinaire, ça !**
(This word ' ça ' an abbreviated form of ' cela,' meaning
' that,' is often repeated in an emotional way, much as we
should say in English, ' That's strange, that is ! ') **Qui
l'a mise là ? C'est toujours la domestique, j'en suis
sûr** (' en ' means ' of it ' as usual ; note the order.) **Peut-
être le peigne s'y trouve aussi !** (the comb ; ' se trouve '
means ' finds itself ' ; ' s'y trouve ' means ' finds itself
there '). **Mais non, le voilà à sa propre place !** (' propre '
means ' clean,' and also ' proper ' or ' own '—in this case
the latter). **Ah ! On sonne !** (someone is ringing). **Qui
est-ce qui sonne à sept heures du matin ? C'est
peut-être le laitier** (milkman) **ou le boulanger** (baker).
Je suis certain que ce n'est pas le boucher (butcher).
Non, ce n'est pas lui (him) **puisqu'il ne vient qu'à
neuf heures.** (' Puisque ' means ' since ' in the sense of
' for ' and ' because ' ; note the position of ' ne —— que,'
meaning ' only.') **Je suis curieux de savoir qui c'est.**
(' Je suis curieux de savoir ' means ' I am curious to know ' ;
this is one of the French equivalents for ' I wonder.'[1])
**Peut-être c'est le petit garçon qui apporte les journaux
tous les matins.** (' Tous les matins ' means ' every morning,'
' all mornings.') **J'entends des voix !** (I hear voices).
**Une des voix est celle de la domestique, mais l'autre
—je ne reconnais pas l'autre ! Non, je ne la reconnais
pas ! Je ne la reconnais point !** (' point ' is a little more
emphatic than ' pas'). **C'est évidemment la voix d'un
homme.**

(The adverb ' évidemment ' is formed from the adjective ' évident,'
changing ' ent ' into ' emment.')

'**Ah, on frappe** (knocks) **à la porte !** ' (He opens the
door and sees the servant.) '**Qu'est-ce que vous voulez ?** '
(what is it that you wish ?)

---

[1] Another rendering is ' Je me demande ' (*I ask myself*).

The Servant. 'Pardon, monsieur, **il y a quelqu'un en bas qui désire parler à monsieur.'** (French people often refer to you as 'monsieur,' or, as the case may be, 'madame' or 'mademoiselle.')

G. D. '**Qui est-ce ?**'

The Servant. '**Je ne le connais pas, monsieur.**'

G. D. '**Ce n'est pas⌣un de mes amis, alors ?**'

The Servant. '**Oh, non, monsieur. Monsieur n'a pas d'amis aussi pauvres que ça !**' (as poor as that).

G. D. '**Comment, il est donc pauvre ?**' ('Donc' means 'then.')

The Servant. '**Je le crois, du moins**' (at least).

G. D. '**Où est-ce qu'il est ?**'

The Servant. '**Dans le salon, monsieur**' (drawing-room).

G. D. '**Bien, je descendrai** (*Future*) **dans cinq minutes !**'

The Servant. '**Très bien, monsieur, je le lui dirai**' (Future).

G. D. (to himself). '**Ca doit⌣être un mendiant !**

('Doit' is a part of 'devoir,' which means 'to owe,' but it is also equivalent to our verb 'to have to,' which in certain tenses changes to 'must'; 'ça doit être' means 'that must be'; 'mendiant' means 'beggar.')

Je m'en vais descendre pour le voir' (for to see him).

* * * * *

G. D. (entering the salon). '**Bonjour ! La domestique m'a dit que vous désirez me voir.**'

The Beggar (humbly). '**C'est à dire** (that is to say)**, je désire vous demander, monsieur——**'

G. D. (impatiently). '**Oui, oui, vous désirez me demander—quoi ?**' (what ?)

The Beggar. '**Monsieur, je suis pauvre——**'

G. D. '**Vous⌣en avez l'air**' (You have the appearance of it.)

The Beggar. '**——et puis** (then)**, j'ai perdu mon fils** (son) **à la guerre. Lui, mon fils unique** ('unique' means, in this case, 'sole' or 'only'). **Il est mort—il est mort pour la patrie** (fatherland). **Maintenant, monsieur, je suis seul au monde** (alone in the world). **Je suis désolé** (distressed). **Je n'ai pas d'amis ; je n'ai pas de relations. Et pire encore** (and worse still)

**je n'ai pas d'argent. Mon pauvre fils a travaillé pour
tous les deux.** (' Tous les deux ' means ' both.') **Je ne
sais que faire !** (I don't know what to do !)

(With the verb ' savoir,' *to know,* ' oser,' *to dare,* and a few others,
it is allowed to omit the ' pas ' and use ' ne ' alone as the negative.)

**Je vous ̮assure, monsieur, que je n'aime pas men-
dier** (to beg)**, mais je suis forcé** (forced) **de demander
un peu d'argent à ceux que je connais** (to those that I
know) **pour pouvoir vivre '** (for, in order to be able to
live).

G. D. (moved). **' Pauvre homme ! Mais vous dites
que vous êtes forcé de demander de l'argent à ceux
que vous connaissez ! Vous me connaissez donc ! '**

The Beggar (eagerly). **' Mais oui, monsieur ! Mon
fils, avant d'aller** (before of to go ; before going) **à la
guerre, a été** (has been) **à votre service '** (in your service,
employ).

G. D. (mystified). **' Comment ! Vous dites que votre
fils, avant de partir pour le front** (before departing for
the front) **a été à mon service ? '**

The Beggar. **' Parfaitement, monsieur. Il a travaillé dans votre jardin. Pendant deux semaines
votre jardinier a été malade** (ill)**, et c'est mon fils qui
l'a remplacé '** (who has replaced him ; taken his place).

G. D. (thinking). **' Je me rappelle bien** (remember
well) **que mon jardinier a été malade pendant deux
semaines, et je me rappelle aussi qu'un jeune homme
est venu travailler à sa place.**

(' Est venu ' means ' has come ' ; with verbs which indicate some kind
of motion, such as coming and going, the French use ' être ' as the
auxiliary, and not ' avoir.')

Le jeune homme dont je parle (' dont ' means ' of whom '
or ' of which ') **a très bien travaillé ! Vous ̮êtes ̮
évidemment le père de ce jeune homme dont je parle.'**

The Beggar. **' Oui, monsieur, je le suis.'** (' I am he,'
or simply ' I am ' ; in French the ' le ' must be used.)

G. D. **' Êtes-vous jardinier ? '**

The Beggar. **' Oui, monsieur ! Je sais tout ce qu'il
faut savoir de ce métier-là !** (I know all that it is necessary to know of that trade. ' Métier ' means ' trade.')
Je connais les noms (names) **de toutes les fleurs, de
tous les ̮arbres** (trees, masculine)**, et de toutes les**

mauvaises herbes.' ('Une mauvaise herbe' means 'a bad grass,' or, as we should say, 'a weed.')

G. D. (jovial). **'Alors, vous êtes un véritable savant!'** (a veritable wise man).

The Beggar (sadly). **'Non, monsieur. Un simple jardinier** (just a gardener), **voilà tout!'** (that's all).

G. D. (kindly). **'Dites** (say), **voulez-vous accepter la place de jardinier chez moi ? L'autre est parti il y a un mois.'** (The other has departed a month ago; 'il y a' means, in this case, 'ago.')

The Beggar (overcome). **'Monsieur est trop aimable!** (too kind). **J'accepte avec plaisir, monsieur! Je ne sais pas comment vous remercier!'** (I don't know how to thank you.)

G. D. (opening the door). **'Eh bien, c'est entendu!** (it's understood). **Vous allez venir travailler au jardin** (you are going to come to work in the garden) **à partir de demain'** (to depart from tomorrow; starting from to-morrow).

The Beggar (going out). **'Très bien, monsieur! C'est entendu! Je vous remercie de tout mon cœur, Monsieur Durand!** (with all my heart, Mr. Durand). **Au revoir, monsieur!'**

G. D. (closing the door). **'Pauvre diable! Quel malheur!** (What misfortune!) **J'ai presque**[1] (nearly) **pleuré** (cried, wept) **quand il m'a raconté** (when he has related to me) **son histoire** (his story; remember that 'histoire,' though feminine, takes 'son' instead of 'sa' on account of the liaison). **Pauvre vieux!** (poor old one!) **Maintenant je m'en vais faire une petite promenade sur la plage. Ça fait du bien!** (That does one good!) **Heureusement** (fortunately, happily) **la mer** (sea) **n'est pas loin d'ici** (far from here). **Il a fait très beau temps pendant ces derniers jours** (during these last days). **Cela** (ça) **me plaît beaucoup quand il fait beau temps! Aujourd'hui je porterai** ('porter' meaning *to carry*, here signifies *to wear*; 'I shall wear') **ma casquette** (cap) **au lieu de** (in lieu of, instead of) **mon chapeau. Il ne me** (to me) **faut pas prendre un parapluie** (take an umbrella) **puisqu'il fait si beau!** (so fine). **Où est cette domestique ? Georgette! Georgette! Ah, vous voilà! Dites à ma**

---

[1] Pronounced 'presk,' the 'r' being sounded clearly.

sœur que je reviendrai dans une heure. Je m'en vais
sortir un peu pour prendre l'air ' (to take the air).

The Servant. ' Très bien, monsieur, je le lui dirai.'

*   *   *   *   *

G. D. (by the sea). ' La mer est très calme ! Il ne
fait presque pas de vent, ce matin. Je ne vois pas de
bateaux. Ah oui, en voilà un ! (of them there is one ; there's
one). En voilà un autre ! Ça fait deux seulement
(only). Ordinairement, il y en a beaucoup ! (' Il y en
a ' means ' there is, are, some.'[1]) Voilà des mouettes !
(sea-gulls, feminine). Une, deux, trois, quatre, cinq, six,
sept, huit—je ne peux pas les compter (cannot count
them). Il y en a trop ! Mais qu'est-ce que c'est que
ça ? Qu'est-ce que je vois là-bas, à l'horizon ? C'est
de la fumée ! (some smoke). Il y a sûrement un bateau
à vapeur (steam-boat) là-bas, mais très, très loin. Je
ne peux pas encore le voir, mais je le verrai (*Future*)
bientôt peut-être ! Quel tas de cailloux ! (what a heap
of pebbles !) Je préfère voir du sable (sand) partout
(everywhere) sur la plage. Les cailloux me font (make)
mal aux pieds ! (make harm to my feet, hurt my feet.
' Ça me fait mal ! ' means ' It hurts me ! ') Voici un poisson
mort ! Voilà des coquillages ! (shells). On les voit
partout ! À Boulogne, à Dieppe, on les voit aussi !
En Angleterre, c'est toujours la même chose (same
thing). À Brighton, à Newhaven, à Folkestone on
voit partout des coquillages ! Au fond (bottom) de la
mer il y en a beaucoup aussi que l'on ne voit pas (that
one doesn't see). C'est impossible de les voir à cause
de la profondeur (depth) de la mer. (' À cause de '
means ' on account of ' or ' because of.') Elle est extrêmement profonde, la mer ! L'endroit (spot, place,
masculine) le plus profond ne se trouve pas toujours
(not always) au milieu (middle) des océans (masculine).
La mer est souvent très profonde à peu de distance
de la côte ! Voilà ce qui est dangereux ! (that's what
is dangerous). À cet endroit-ci il n'y a pas de danger
pour ceux qui savent nager (know to swim ; we say

---

[1] Voilà signifies ' there is ' when the object is in view and one can
point to it, but ' il y a ' is used when we are speaking of things in a
general sense, as, ' There is discontent in China,' or, ' There are lions
in Africa.'

'know how to swim'). **J'aime bien nager** (to swim),
mais je préfère ramer (to row), **surtout** (above all,
especially) **quand la mer est calme, comme aujourd'hui.
Ah, voilà une jeune fille** (young girl) **qui aime aussi
nager ! Je m'en vais la regarder** (look at). **Ah, elle
va plonger !** (to dive). **Voilà une jeune fille qui nage
bien ! Elle nage tout comme un homme** ('tout comme'
means 'just like'). **Elle sait plonger aussi bien que moi.
C'est vraiment épatant, ce qu'elle fait !** (It's really
stunning, what she does!) **C'est une véritable sirène !**
(mermaid). **Mais—mais—qu'est-ce qu'elle a ? Ah,
elle crie " Au secours ! Au secours ! "** ('to the help!'
we say simply 'help!'). **Je suis sûr qu'elle est prise
d'une crampe** (taken with a cramp). **La voilà qui crie
de nouveau !** (There she is who cries again ; 'de nouveau'
means 'another time' or simply 'again'). **J'y cours !**
(I run there.) **C'est moi qui la sauverai !** ('Sauver'
means *to save*.)

*   *   *   *   *

G. D. (successfully applying artificial respiration). '**Ça
va bien ! Ça va bien ! Oh, c'est extraordinaire !
Quelle coïncidence ! C'est merveilleux !** (marvellous).
**Lucie Çarnot ! Lucie ! Mon Dieu, quelle coïncidence !
Je suis trempé** (dipped, wet) **jusqu'aux ̮os** (the bones ;
we say, 'to the skin'; 'jusque' means 'until,' 'up to').
Mais ça ne fait rien. ('Ne —— rien' means 'nothing,'
hence 'that makes nothing,' meaning 'that doesn't matter.')
**Non, ça ne fait rien ! Mais comment est-ce qu'il
arrive** (happen, arrive) **qu'elle est venue** (feminine)
se baigner toute seule ? (she 'is'—not 'has'—come to
bathe, 'se baigner,' all alone). **Je ne comprends pas cela !
Ah, ça va bien ! N'ayez pas peur, mademoiselle !**
('Ayez' is the imperative form of 'avoir'; 'have no
fear.') **Ça va bien ! Oui, je sais, je sais ! Vous ̮avez ̮
été prise** (feminine) **d'une crampe ! Vous pouvez vous
lever** (get up) **maintenant ! Comment ? Moi ? Brave ?
Ah non, par exemple ! J'ai entendu vos cris** (cries),
oui ! Voici votre cabine, je crois (here is your bathing-
machine, I believe ; 'cabine' or 'voiture de bains'; 'crois'
comes from 'croire,' *to believe*). **Habillez-vous vite !**
(dress yourself quickly). **Non, non, pas de remercîments,**[1]

---

[1] Or 'remerciements,' meaning 'thanks.'

s'il vous plaît ! Je n'ai rien fait, d'ailleurs ! (besides,
I've done nothing. 'D'ailleurs' means 'besides,' and in
French is often found at the end of such a sentence).
Habillez-vous vite, pour ne pas‿attraper froid !' (for not
to catch cold ; 'attraper' means *to catch*, and is also used when
catching with the hands, or catching a train, is intended).

L. C. (dressing). 'Oh, quel malheur ! (misfortune).
J'ai eu (had) peur ! Oui, je l'admets (admit it). J'ai
eu terriblement peur ! (The ending 'ment' of adverbs
is equivalent to 'ly' in English.) Oh, qu'il est brave,
ce Georges ! Je l'aime ! Georges, je vous aime !
Moi, je n'ai que dix-neuf‿ans ! Lui, il en a trente-
deux. Mais, ça ne fait rien ! Je l'aime ! Oui, je l'aime
de tout mon cœur ! (with all my heart). Il m'a vue en
costume de bain ! Mais qu'est-ce que ça fait ? Il
n'y a pas de mal à ça ! (There's nothing wrong in that !)
C'est‿un‿accident, voilà tout ! Il m'a sauvé la vie.
(He has saved my life.) Oh, que je suis reconnaissante !
(grateful, feminine). C'est‿un héros, ce Georges !
Mais, j'ai encore peur ! Je tremble. (I tremble.) Je
tremble ! C'est stupide de trembler comme ça ;
c'est idiot (idiotic). Ce n'est pas ma faute ; je ne peux
pas m'empêcher de trembler ! (It isn't my fault ; I
cannot prevent myself from trembling ; 's'empêcher'
means 'to prevent oneself'). Là, j'ai cassé le lacet de
mon soulier ! (broken my shoelace ; 'casser' means *to
break*). Ça ne fait rien, puisqu'il en reste assez pour
faire le nœud (there remains enough to make the knot).
Maintenant, je suis prête ! (feminine). Ah, vous voilà,
monsieur ! Je vous‿ai fait attendre (made you wait),
n'est-ce pas, un peu trop longtemps ? (too long).
J'espère que vous m'excuserez ! (Future). Regardez
mes mains, comme elles tremblent ! (Look at my
hands (feminine), how they tremble.) J'ai presque pleuré !
Je ferai plus‿attention (I'll take more care, pay more
attention) la prochaine fois ! (next time). La dernière
fois (last time) je suis allée (feminine) plus loin qu'aujourd'hui, mais je n'ai pas‿été prise d'une crampe.
Monsieur, je vois que vos habits (clothes) sont tout à
fait (quite) mouillés (wet, plural). Allez tout de suite
(immediately) chez vous ! Courez ! Courez !' (run).

G. D. (pleasantly). 'Mais non ! mais non ! Permettez-moi de vous‿accompagner jusque chez vous !

Vous ne voulez pas qu'on nous voie ensemble ? ' (one may see us together).

L. C. (smiling). ' Non, ce n'est pas ça.'

G. D. (chaffing). ' Peut-être vous avez peur de lire dans les journaux : "Hier, à huit heures du matin, Mademoiselle Carnot, accompagnée d'un homme trempé jusqu'aux os——" '

L. C. (laughing). ' Oh, non, par exemple ! '

G. D. ' Alors, vous avez peur de votre père ! Il vous dira : "Lucie, qui est ce monsieur qui vous a accompagnée ? " '

L. C. ' Mon père ne dira rien ! '

G. D. ' Donc, c'est votre mère ! Elle vous dira : "Hum, Lucie, où avez-vous rencontré le monsieur qui vous a accompagnée jusqu'à la porte ? " (door). Ah, vous ne dites rien ! Donc, j'ai raison ! C'est votre mère qui vous interrogera ! (will interrogate, question you). Qu'est-ce que vous allez lui dire ? ' (' Lui ' means either ' to him ' or ' to her.')

L. C. ' Je lui dirai la vérité ! ' (truth).

G. D. ' Ah oui, il faut toujours dire la vérité ! '

L. C. ' Je lui dirai que le monsieur dont (of whom) elle parle s'appelle Monsieur Georges Durand, qu'il a trente-deux ans, qu'il parle l'anglais, l'italien, l'espagnol (Spanish), l'allemand (German), et le hollandais (Dutch), qu'il a beaucoup voyagé (travelled), qu'il désire aller au front (to the front), qu'il attend une lettre du ministre de la guerre (minister or secretary for war), qu'il a envie (has envy, is anxious) de se battre contre l'ennemi (to fight against the enemy ; ' se battre ' means ' to fight '), et qu'il s'est jeté (has thrown himself) tout habillé (quite dressed) dans la mer pour me sauver d'une mort affreuse ! ' (in order to save me from an awful death).

G. D. (surprised). ' Mais, vous m'étonnez ! (astonish me). Où avez-vous appris tout ça ? '

L. C. ' Quelqu'un (someone) me l'a dit ! ' (has told me it ; note the order of words).

G. D. ' Quelqu'un, oui ! Mais, qui ? '

L. C. ' Je ne me rappelle plus ! Voici où je demeure (reside). Je vous remercie, monsieur, de tout mon cœur, pour tout ce que vous avez fait ! Voulez-vous entrer un instant pour voir maman ? ' (to see mamma).

G. D. (horrified). ' Oh, non, pas comme ça ! (not like this). Mais, un autre jour, si vous permettez ! '

L. C. ' Mais oui ! Ne pouvez-vous pas venir ce soir ? '

G. D. ' Je serai enchanté ! ' (I shall be delighted).

L. C. ' Très bien ! C'est entendu ! (it's understood). Venez ce soir à sept heures, n'est-ce pas ? ' (Come at seven this evening, will you ?)

(Note that ' n'est-ce pas ' means many things, among others ' Isn't it ? ' ' Won't you ? ' Don't they ? ' ' Couldn't she ? ' ' Will you ? ' ' Can we ? ' In fact, every such repetition that one finds at the end of similar questions.)

G. D. ' C'est entendu ! Je viendrai (*Future*; I'll come) à sept heures précises ! ' (seven exactly).

L. C. ' Je vous présenterai (will introduce, will present) à maman. Au revoir, monsieur ! Allez chez vous tout de suite ! Allez changer d'habits ! Vite ! Vite ! '

G. D. (hurrying away). ' Elle a de jolis yeux ! Quelle jolie petite bouche ! (pretty little mouth). Elle a des dents (teeth, feminine) parfaites ! Elles sont blanches (feminine, plural) comme la neige ! (snow). Oh, quels jolis yeux ! Ils sont bleus comme le ciel ! (blue like the sky). Ou est-ce qu'ils sont gris ? (grey). Je ne me rappelle pas à présent, mais je crois (I believe) qu'ils sont gris ! Oui, c'est ça ! (that's it). Et ses cheveux ? (hair ; plural in French). Elle a des cheveux châtains ! (chestnut-coloured). Moi, j'ai des cheveux bruns. Jusqu'ici (up to here, until now) j'ai toujours préféré les cheveux bruns, mais maintenant je pense autrement ! J'irai ce soir voir sa maman ! C'est la maman qui m'intéresse ! Le père, je n'ai pas peur de lui ! Ah non, par exemple ! Me voici chez moi. J'ai faim ! Voilà ma sœur ! Bonjour, Marie ! '

M. D. ' Bonjour, Georges, as-tu fait une belle promenade ? Mais, tu es tout mouillé ! (quite wet). Qu'est-ce que tu as fait ? '

G. D. ' J'ai eu une aventure ! (I've had an adventure). Je te raconterai (will relate) tout ce qui (all that which) s'est passé (has happened, has passed). Mais, je m'en vais changer d'habits, d'abord ' (at first, at once).

M. D. (to herself). ' Il a eu une aventure ! Quelle espèce d'aventure ? Il est trempé jusqu'aux os ! Il est tombé dans l'eau, c'est évident ! (He has fallen in the water, it's evident.) Ce n'est pas une aventure.

ça ! (it's not an adventure, that isn't !) **Mon frère cherche toujours des aventures !** (' Chercher ' means ' to look for, to seek.') **Au front** (at the front), **il aura beaucoup d'aventures ! Il en aura trop, peut-être !** (He'll have too many, perhaps.) **Nous allons voir !** (we shall see). **Ah, oui ! Maintenant, raconte-moi tout ce qui s'est passé !** '

G. D. (at breakfast). ' **Eh bien ! Je suis allé faire une promenade de bonne heure. Je suis allé me promener sur la plage comme d'habitude. Tout d'un coup** (all of a sudden ; or ' tout à coup '), **j'entends des cris. J'y cours ! Je vois Lucie qui est prise d'une crampe ! Je me jette** (throw myself) **dans l'eau, et je la sauve** (I save her). **Après, je l'accompagne chez elle !**[1] **Voilà tout ce qui s'est passé ! Rien de plus !** ' (nothing more).

M. D. ' **Tu as de la veine !** (some luck). **Mais comment est-ce qu'il arrive qu'elle se baigne toute seule comme ça ? C'est dangereux ! C'est ridicule !** (ridiculous). **Moi, je préfère me baigner quand il y a du monde !** (' Monde ' in this case, means ' people.') **C'est moins dangereux, d'ailleurs !** ' (It's less dangerous, too.)

(Notice how certain words adopt various meanings according to the humour of the speaker ; ' d'ailleurs ' generally means ' however,' but here ' too ' or ' anyway.')

G. D. ' **Oui, tu as raison, comme toujours ! Dis, as-tu vu le journal ce matin ? Y a-t-il des nouvelles du front ?** '

M. D. ' **Le voici, Georges. Non, je ne l'ai pas encore lu** ' (read).

G. D. ' **Donne-moi, s'il te plaît, une bonne tasse de thé. Oui, deux morceaux de sucre, comme d'habitude** (two lumps of suger, as usual). **Pas beaucoup de lait** (milk). **Oui, comme ça ! Merci ! Tiens, c'est bien ça !** (hold on, that's all right, that is). **Regarde !** (look). **C'est le dernier communiqué officiel** (latest official information). **Ils sont épatants, ces Anglais !** '

M. D. (reading aloud). ' '' **Communiqué officiel britannique ! La nuit dernière, à Saint-Eloi, nos troupes** (troops) **ont attaqué** (' attaquer ' means ' to

---

[1] Notice that, in the excitement of the moment, he resorts to the present tense. This is quite common in relating experiences.

attack ') **le cratère de mine** (mine-crater) **qui était depuis** (since) **cinq jours entre les mains** (between the hands, in the hands) **des Allemands** (Germans), **et s'y sont établis** (have established themselves there ; s'établir means ' to establish oneself '). **Par une nouvelle attaque, elles ont** (feminine, referring to the word ' troupes ') **réussi** (' réussir ' means ' to succeed ') **à s'établir dans les tranchées allemandes** (German trenches) **au sud-ouest** (at the south-west) **de ce cratère ! ''** **Ce sont de très bons soldats, ces Anglais !** **Veux-tu manger un œuf ? '** (egg).

G. D.   ' **Oui, un œuf à la coque !** ('À la coque ' means ' boiled,' ' in the shell.') **Qu'est-ce que c'est que ça ? '**

M. D. (pointing).   ' **Ça ? '**

G. D.   ' **Non, là, à droite '** (to the right).[1]

M. D.   ' **C'est de la confiture de framboises.'** (It's jam of raspberries.)

G. D.   ' **J'en prendrai plus tard.** (I'll take some later.) **Ça doit être bon !** (That must, ought to, be good.) **As-tu des gâteaux ? '** (any cakes).

M. D.   ' **Oui, j'en ai !** **En veux-tu ?** **Il n'en reste pas beaucoup, parce que papa en a beaucoup mangé hier ! '**

G. D.   ' **Comment, il aime les gâteaux à son âge ? '** (at his age).

M. D.   ' **Papa aime tout ce qui est bon !** (everything that's good). **À quelle heure est-ce que tu rentres pour le déjeuner ? '**[2] (' Rentrer ' means ' to re-enter ' or ' come back.')

G. D. (thinking).   ' **À midi, je pense** (I think). **Tu me donneras une côtelette** (cutlet, chop), **des pommes de terre frites** (fried, feminine, plural), **et des légumes** (vegetables, masculine plural). **Tu sais que je n'aime pas du tout la viande froide !** **As-tu des fruits à la maison ? '**

M. D.   ' **Beaucoup !** **Je m'en vais te donner une liste de tous les fruits que nous avons.** **Des pommes** (apples, feminine), **des abricots** (apricots, masculine), **des bananes** (bananas, feminine), **des mûres sauvages**

---

[1] ' To the left ' is ' **À gauche**,' and ' In the middle ' is ' **Au milieu**.'
[2] ' **Le petit déjeuner** ' is ' breakfast,' and ' **le déjeuner** ' is ' lunch.' The evening meal is ' **le dîner**.'

(blackberries, feminine, or 'mûres noires'), **des cerises** (cherries, feminine), **des groseilles** (currants, feminine), **des dattes** (dates, feminine), **des figues** (figs, feminine), **des groseilles vertes** (gooseberries, feminine), **du raisin** (grapes, masculine) ; **voici une bonne grappe de raisin, par exemple !** (bunch of grapes) ; **des oranges** (feminine), **des pêches** (peaches, feminine), **des poires** (pears, feminine), **des prunes** ' (plums, feminine)——

G. D. (interrupting). '**Mais est-ce que tu vas bientôt finir ?** ' (soon finish).

M. D. (continuing). '**Des framboises** (raspberries, feminine), **des fraises** (strawberries, feminine), **et puis, il y a un ananas, si papa ne l'a pas déjà mangé !** '

G. D. '**J'ai envie de prendre** (take) **un peu de tout !** (a little of everything). **J'aurai faim peut-être à midi, et dans ce cas** (in that case), **je mangerai beaucoup ! Nous allons voir ! Je m'en vais m'asseoir** (seat myself) **sur un banc** (seat) **en face de** (in front of) **la mer.** '

M. D. '**Pour quoi faire ?** ' (In order to do what ?)

G. D. '**Je prendrai avec moi ma grammaire allemande** (German grammar) **et j'étudierai** ('étudier' means 'to study') **la langue.** '

M. D. '**Prends garde** (take care) **de t'asseoir à l'ombre !** (not to seat thyself in the shade). **Assieds-toi au soleil.** (Seat thyself in the sun.)[1] **Il ne fait pas chaud ce matin.** '

G. D. (joking). '**Merci, ma petite sœur, je suivrai** (shall follow) **tes conseils** (thy advices, masculine). **Je m'assiérai au soleil pour te faire plaisir !** (in order to do pleasure to thee ; to please thee). **Veux-tu que je porte** (wear) **aussi mon pardessus ?** ' (overcoat).

M. D. (pouting). '**Tu plaisantes !** (Thou art making fun.) **Va-t'en !** (Go along !) **Dis, Georges, as-tu de la monnaie ?** ' (change, not money).

G. D. '**Pourquoi ?** '

M. D. '**Je dois** (owe) **de l'argent** (money) **au boulanger, mais je n'ai pas de petite monnaie** ' (small change).

G. D. (searching in his pockets). '**Je ne sais pas !**

---

[1] Do not say ' dans le soleil ' (' inside the sun '). So many people make this mistake.

(I don't know).   **Ah oui, voilà un billet** (bank-note). **Tu me le rendras** (will render, will give back) **cette après-midi** (afternoon). **Je m'en vais ! Au revoir !** '

M. D. (calling after him).   ' **N'oublie pas ce que tu as à faire** (what thou hast to do) **ce soir !** '

G. D. (calling back).   ' **Ah non, par exemple !** '

M. D. (to herself).   ' **Je sais** (know) **depuis longtemps** (since long, for a long time) **qu'il aime Lucie !** '

     *   *   *   *

G. D. (strolling along).   ' **Les femmes** (women), **elles voient tout !** (see everything). **Elles sont si** (so) **intelligentes ! On dit que les femmes sont plus intelligentes que les hommes !** (men). **En France les femmes travaillent** (work) **autant que** (as much as) **les hommes. Mais, ça ne veut pas dire** (does not mean to say) **qu'elles sont plus intelligentes ! Ah, voilà mon voisin** (neighbour). **Bonjour, Monsieur Girard !** '

M. G.   ' **Bonjour, Monsieur Durand ! Où allez-vous, si ce n'est pas une indiscrétion ?** '[1]

G. D.   ' **J'ai l'intention d'aller jusqu'à la plage.** '

M. G.   ' **Pour quoi faire ?** '

G. D.   ' **Pour lire un peu d'allemand.** '

M. G.   ' **Comment, vous lisez** (read) **l'allemand ?** '

G. D.   ' **Un peu, oui, mais pas beaucoup ! Je suis en train de l'apprendre** (in the act of learning it). **Une bonne connaissance** (knowledge, feminine) **de la langue allemande me** (to me) **sera** (will be) **très utile au front.** '

M. G.   ' **Quand irez-vous au front ?** '

G. D. (shrugging his shoulders).   ' **Je n'ai aucune idée !** (no idea ; ' ne — aucune ' means ' no — whatever '). **J'attends toujours une lettre du ministère de la guerre** (from the War Office). **Elle** (the letter) **arrivera** (*Future*) **un jour** (some, one day) **sans doute ! Mais je n'aime pas rester tout le temps** (all the time) **sans nouvelles** (without news). **C'est ennuyeux !** ' (tiring, tiresome).

M. G.   ' **Oui, ça doit l'être !** (that must be it, so). **Mais, vous n'avez pas besoin d'étudier l'allemand ce matin !** (' avoir besoin de ' means ' to have want, need of ' ; ' you have no need to study German this morning !') **Allons au café pour causer un peu !** ' (' Causer ' means ' to chat.')

---

[1] ' **Une** ' may be used after ' pas ' here, because it does not signify ' some ' or ' any.'

G. D. 'D'habitude je préfère étudier que d'aller aux cafés (plural), mais pour vous faire plaisir, je vous accompagnerai cette fois (I'll come with you this time). Allons ! ' (let's go !).

M. G. ' J'ai travaillé au jardin jusqu'à huit heures et demie. Ça fait du bien ! '

G. D. ' Étudiez-vous la botanique ? '

M. G. ' Oui, je l'étudie. C'est une des sciences qui m'intéressent ! Oui, la botanique m'intéresse plus que toutes les autres sciences ! '

G. D. ' Connaissez-vous les noms latins (latin names) de toutes les fleurs qui existent ? '

M. G. ' Ah non, par exemple ! Personne ne connaît tous les noms latins de toutes les fleurs du monde (of the world ; ' ne —— personne ' means ' nobody ' ; when it is the subject of a sentence the word ' personne ' precedes ' ne ' as above). Une telle connaissance (such a knowledge ; ' tel,' ' tels,' ' telle,' ' telles ' means ' such ') n'a aucune utilité. Je connais les noms français de toutes les plantes qui poussent dans mon jardin. J'en connais aussi les noms latins, mais de quelques-unes, pas plus ' (not more).

G. D. ' Vous avez des fleurs de toutes les couleurs ' (colours).

M. G. ' Oh oui, j'en ai des blanches (white, feminine plural of ' blanc '), des rouges (red), des bleues (blue), des jaunes (yellow), et des roses (pink). À la fin (end) de l'année (year) j'aurai de jolis (lovely) chrysan-thèmes.'

G. D. ' À la fin de l'année ? '

M. G. ' C'est à dire (that's to say), au mois de sep-tembre ' (in the month of September).

G. D. ' Oh, oui, je me rappelle (' se rappeler ' means ' to remember ') que j'ai vu des chrysanthèmes dans votre jardin au mois de septembre de l'année passée ' (of the past year).

M. G. ' J'ai un beau-frère au Japon (Japan ; ' beau-frère ' means ' brother-in-law,' and we have ' belle-sœur,' ' beau-père,' and ' belle-mère '). Il m'envoie souvent des graines (seeds). C'est pourquoi j'ai de si jolis chrysan-thèmes. Quelle fleur préférez-vous ? '

G. D. ' Moi, je préfère l'œillet (pink, carnation) avant toute autre ' (before all others, before any other).

M. G.   ' Bon !   Je vous‿en donnerai un bouquet
demain matin.'

G. D. (pleased).   ' C'est bien gentil (kind) de votre
part (on your part, feminine), monsieur. Je vous suis fort
reconnaissant (strongly obliged to you). Voilà un café ! '

M. G.   ' Où ça ? ' (Where that ? Whereabout ?)

G. D. (pointing).   ' Vous ne le voyez pas ?   Là-bas
(yonder), vis-à-vis du théâtre.'

M. G.   ' Ah oui, je le vois. Allons-y ! ' (Let's go there.)

G. D. (sitting down at a marble-topped table outside).
' Nous‿allons nous‿asseoir dehors (outside), n'est-ce
pas ? Il fait trop chaud là-dedans ! (there inside, inside
there). Garçon ! ' (Waiter !)

The Waiter (calling, but attending to another customer).
' Tout de suite, monsieur ! ' (At once, sir !)

M. G. (turning to G. D.).   ' Qu'est-ce que vous prenez ? ' (What are you taking ?)

G. D.   ' Je prendrai du vin ordinaire.' (' Vin ordinaire '
is the ordinary cheap wine of France.)

M. G.   ' Bon !   Du vin ordinaire pour mon ami, et
moi, je prendrai un petit verre (glass) de Vermouth.'

The Waiter.   ' Très bien, monsieur.'

G. D.   ' Savez-vous, mon ami, qu'il n'y a pas de
cafés comme ça en Angleterre ? '

M. G.   ' C'est vrai ? Ça doit être ennuyeux.'

G. D.   ' Il y a ce qu'on appelle (what one calls) des
" public-houses," mais ce n'est pas la même chose.
Quand‿on veut quelque chose de mieux (something
of better), il faut chercher (it is necessary to seek, look for)
un hôtel. Il y a aussi des " clubs," mais ils ne sont
pas‿ouverts au public ' (to the general public).

M. G.   ' Je comprends ! (understand). Tous les
" clubs " ont‿un certain nombre de membres (members) et si l'on n'est pas membre, c'est défendu (for-
bidden) d'y entrer ' (to enter there).

G. D.   ' Justement ! ' (just so ! that's it !)

M. G.   ' Garçon ! '

The Waiter.   ' Tout de suite, monsieur ! '

M. G. (to the waiter).   ' Vous avez le journal ? '

The Waiter.   ' Oui, monsieur, nous‿avons celui (the
one, this one) d'aujourd'hui.'

M. G.   ' Apportez-le-moi ' (bring it me, to me).

The Waiter.   ' Le voici, monsieur ! '

M. G. ' Merci bien ! Tiens ! ' (He reads aloud.) '' La bataille de l'air ! Trois fokkers abattus (three ' fokkers ' —German aeroplanes—brought down). Officiel. Dans la journée (daytime) du 3 avril, un de nos pilotes (pilots) a abattu (brought down), dans la région de Verdun, au cours d'un combat aérien (in the course of an aerial combat), un fokker qui est tombé (which is, has fallen) dans nos lignes (in our lines), près d'Esnes (near to Esnes). Dans la journée du 9 (of April), un autre fokker a été abattu (has been brought down) par les tirs (firings) de nos canons spéciaux (by our special guns). L'appareil (apparatus) est tombé dans les lignes allemandes (German lines). Un troisième fokker a atterri (grounded, from ' terre,' meaning ' earth ') dans nos lignes en Champagne. L'appareil est intact ; le pilote a été fait prisonnier. Cet après-midi,[1] un avion allemand (German plane) a survolé Nancy (' survolé ' means ' to overfly,' from ' sur ' meaning ' on, over,' and ' voler,' meaning ' to fly ') et a lancé (thrown, pitched, dropped) deux bombes (feminine) qui n'ont causé que (which have only caused) des dégâts matériels (material damage, devastation) peu importants '' ' (of little importance).

G. D. (shouting). ' Vive la France ! (Long live France !) C'est très bien, ça ! Nos aviateurs sont magnifiques ! (our airmen are magnificent). Mais il est onze heures et demie. Je dois m'en aller ! (I must clear off). J'ai des visites à faire (calls to pay) cet après-midi, et j'ai un rendez-vous (meeting, engagement) ce soir.'

M. G. (rising). ' Moi aussi, je dois m'en aller. Monsieur Gautier donne une conférence (lecture) cet aprèsmidi à trois heures à l'université.'

G. D. ' Ah oui. Vous allez y assister ? '

(The verb ' assister ' does not mean to ' assist ' in our sense of the word ; it signifies ' to be present ' ; hence ' you are going ? ' or ' you are going to be present there ? ')

M. G. ' Oui, oui. Il paraît qu'il est très calé ' (popular expression meaning ' learned, clever ').

G. D. ' Je vous crois ! ' (I believe you ; equivalent to our expressions ' Rather ! ' ' You Bet ! ' ' You may be sure ! ')

M. G. ' Eh bien, mon vieux, au revoir ! '

---

[1] ' Afternoon ' is either masculine or feminine.

G. D. ' **Au revoir ! N'oubliez pas** (don't forget) **le pourboire pour le garçon** ' (' pourboire ' means ' tip ').

M. G. ' **Zut !** (an exclamation). **Je l'ai complètement oublié !** (forgotten). **Au revoir !** '

G. D. (turning away). ' **Au revoir ! Midi moins le quart déjà. Je serai** (shall be) **en retard** (late) **si je ne me dépêche pas !** (' se dépêcher ' means ' to hurry,' ' to hurry oneself '). **Tant pis pour moi !** (so much the worse for me !) **Si je marche vite** (' marcher ' means ' to march, progress, go ') **j'arriverai à temps** (I shall arrive in time). **J'ai encore cinq minutes. C'est assez ! C'est trop même.** ' (It's even too much.)

CHAPTER VI

La Quatrième Leçon

By this time the student will have discovered for himself many things. He will have seen that the order of words in the French sentence is at times identical with the English order, and at other times very different. He will probably have been puzzled by the fact that one English word has seemed to him to possess more than one French equivalent.

He will also have asked himself the question why a French word has a certain signification when placed in a certain position, and why the meaning should be changed with the position ?

Let me suggest to him at this point that the beginner must necessarily accept many things without seeking an explanation. Perfect understanding will come all in good time.

The delights of language-study dawn on one gradually, and are certainly not confined to a brief space of time. As one progresses one experiences the birth and growth of a pleasant sense of mastery.

The student, if he has worked carefully on the system I have advocated, ought now to be able to explain what he is doing, what he has done, and what he intends to do, by means of the present and future tenses and the past participle of the verb.

But he must be able to accomplish more than that, for he will be called upon to state what he did at some definite moment ; what he was doing over a certain period of time ; what he should do or would have done under given circumstances, and so on. All this is a matter of tense.

You can learn as many nouns and adjectives as you wish by means of your dictionary, but this invaluable aid will not give you the necessary practice in the tenses of verbs.

It is advisable that we should complete the remaining forms of the verb—with the exception of the tenses of the Subjunctive Mood—in this lesson.

The Conditional Mood (with ' should ' and ' would '), is easily mastered, for we have but to take the future tense of any verb, regular or irregular, and substitute '-ais,' '-ais,' '-ait,' '-ions,' '-iez,' and '-aient' for the usual future suffixes, thus—

CONDITIONAL

Je parlerais (*I should speak*)	Je finirais
Tu parlerais	Tu finirais
Il parlerait	Il finirait
Nous parlerions	Nous finirions
Vous parleriez	Vous finiriez
Ils parleraient	Ils finiraient

Je recevrais	Je vendrais
Tu recevrais	Tu vendrais
Il recevrait	Il vendrait
Nous recevrions	Nous vendrions
Vous recevriez	Vous vendriez
Ils recevraient	Ils vendraient

Now, by cutting out the 'er,' 'ir,' or 'r' of the Conditional, we obtain the Imperfect. ('Je donnais' means 'I was giving, or I used to give,' and sometimes 'I gave.') Note that in the regular conjugation which follows, the verb ending in 'ir' takes an additional syllable 'iss,' which is not found, however, in the irregular forms of 'ir' verbs.

IMPERFECT

Je parlais (*I was speaking*)	Je finissais (*I was finishing*)
Tu parlais	Tu finissais
Il parlait	Il finissait
Nous parlions	Nous finissions
Vous parliez	Vous finissiez
Ils parlaient	Ils finissaient

Je recevais (*I was receiving*)	Je vendais (*I was selling*)
Tu recevais	Tu vendais
Il recevait	Il vendait
Nous recevions	Nous vendions
Vous receviez	Vous vendiez
Ils recevaient	Ils vendaient

No irregular forms of either the Imperfect or Conditional will be given, since the above remarks will suffice for all verbs.

The Imperfect and Conditional of 'Avoir' and 'Être' are as follows —

Avoir

Imperfect	Conditional
J'avais (*I had, I was having,* *I used to have*)	J'aurais (*I should have*)
Tu avais	Tu aurais
Il avait	Il aurait
Nous avions	Nous aurions
Vous aviez	Vous auriez
Ils avaient	Ils auraient

Être

J'étais (*I was, I was being,* *I used to be*)	Je serais (*I should be*)
Tu étais	Tu serais
Il était	Il serait
Nous étions	Nous serions
Vous étiez	Vous seriez
Ils étaient	Ils seraient

The Present Participle ends in '-ant ' without exception.

Infinitive	Present Participle
Avoir	Ayant (*Having*)
Être	Étant (*Being*)
Parler	Parlant (*Speaking*)
Finir	Finissant (*Finishing*)
Recevoir	Recevant (*Receiving*)
Vendre	Vendant (*Selling*)

We come now to the Past Definite or Preterite.

PAST DEFINITE

Parler

Je parlai (*I spoke*), tu parlas, il parla ; nous parlâmes, vous parlâtes, ils parlèrent.

Finir

Je finis (*I finished*), tu finis, il finit ; nous finîmes, vous finîtes, ils finirent.

Recevoir

Je reçus (*I received*), tu reçus, il reçut ; nous reçûmes, vous reçûtes, ils reçurent.

Vendre

Je vendis (*I sold*), tu vendis, il vendit ; nous vendîmes, vous vendîtes, ils vendirent.

Avoir

J'eus (*I had*), tu eus, il eut ; nous eûmes, vous eûtes, ils eurent.

Être

Je fus (*I was*), tu fus, il fut ; nous fûmes, vous fûtes, ils furent.

You may ask where the difference lies exactly between the Imperfect and the Past Definite.

It is rather a difficult question to answer, but you will note that the former is more used than the latter.

Actually, the Imperfect should be employed when some past action is known to have been of a certain duration of time, as, ' I was reading ' (Je lisais), and the Past Definite when the action is known to have lasted but a few moments, as, ' He entered ' (Il entra). Here is an example of both—

' Quand il entra, je lisais.'
(*When he entered I was reading.*)

The action of entering endures only a few seconds, but the action of reading may have begun long before ' he entered,' may have lasted while ' he entered,' and may have continued long after ' he entered.'

In relating events which are past, the French frequently employ the verb ' avoir ' (or ' être ') with the Past Participle, as, 'J'ai parlé à votre frère ' (I spoke to your brother—I have spoken to your brother). Continuous reading and speaking will quickly accustom the student to these forms. The Past Definite of the irregular verbs will not be found to differ to any great degree from the regular examples already given. The principal ones[1] are—

Aller (*to go*)

J'allai, tu allas, il alla ; nous allâmes, vous allâtes, ils allèrent.

Envoyer (*to send*)

J'envoyai, tu envoyas, il envoya ; nous envoyâmes, vous envoyâtes, ils envoyèrent.

Acquérir (*to acquire*)

J'acquis, tu acquis, il acquit ; nous acquîmes, vous acquîtes, ils acquirent.

Cueillir (*to gather*)

Je cueillis, tu cueillis, il cueillit ; nous cueillîmes, vous cueillîtes, ils cueillirent.

---

[1] The student should read the whole of these examples aloud ; the resemblances between them will then be made apparent.

Dormir (*to sleep*)

Je dormis, tu dormis, il dormit ; nous dormîmes, vous dormîtes, ils dormirent.

Tenir (*to hold*)

Je tins, tu tins, il tint ; nous tînmes, vous tîntes, ils tinrent.

Courir (*to run*)

Je courus, tu courus, il courut ; nous courûmes, vous courûtes, ils coururent.

Mourir (*to die*)

Je mourus, tu mourus, il mourut ; nous mourûmes, vous mourûtes, ils moururent.

Sentir (*to feel*)

Je sentis, tu sentis, il sentit ; nous sentîmes, vous sentîtes, ils sentirent.

Servir (*to serve*)

Je servis, tu servis, il servit ; nous servîmes, vous servîtes, ils servirent.

Ouvrir (*to open*)

J'ouvris, tu ouvris, il ouvrit ; nous ouvrîmes, vous ouvrîtes, ils ouvrirent.

Asseoir (*to seat*)

Je m'assis, tu t'assis, il s'assit ; nous nous assîmes, vous vous assîtes, ils s'assirent.

Vouloir (*to be willing*)

Je voulus, tu voulus, il voulut ; nous voulûmes, vous voulûtes, ils voulurent.

Voir (*to see*)

Je vis, tu vis, il vit ; nous vîmes, vous vîtes, ils virent.

Savoir (*to know*)

Je sus, tu sus, il sut ; nous sûmes, vous sûtes, ils surent.

Pouvoir (*to be able*)

Je pus, tu pus, il put ; nous pûmes, vous pûtes, ils purent.

Boire (*to drink*)

Je bus, tu bus, il but ; nous bûmes, vous bûtes, ils burent.

Croire (*to believe*)

Je crus, tu crus, il crut ; nous crûmes, vous crûtes, ils crurent.

Rompre (*to break*)

Je rompis, tu rompis, il rompit ; nous rompîmes, vous rompîtes, ils rompirent.

Faire (*to do, make*)

Je fis, tu fis, il fit ; nous fîmes, vous fîtes, ils firent.

Plaire (*to please*)

Je plus, tu plus, il plut ; nous plûmes, vous plûtes, ils plurent.

Dire (*to say*)

Je dis, tu dis, il dit ; nous dîmes, vous dîtes, ils dirent.

Lire (*to read*)

Je lus, tu lus, il lut ; nous lûmes, vous lûtes, ils lurent.

Écrire (*to write*)

J'écrivis, tu écrivis, il écrivit ; nous écrivîmes, vous écrivîtes, ils écrivirent.

Conduire (*to conduct*)

Je conduisis, tu conduisis, il conduisit; nous conduisîmes, vous conduisîtes, ils conduisirent.

Joindre (*to join*)

Je joignis, tu joignis, il joignit ; nous joignîmes, vous joignîtes, ils joignirent.

Prendre (*to take*)

Je pris, tu pris, il prit ; nous prîmes, vous prîtes, ils prirent.

Connaître (*to know*)

Je connus, tu connus, il connut ; nous connûmes, vous connûtes, ils connurent.

Mettre (*to put*)

Je mis, tu mis, il mit ; nous mîmes, vous mîtes, ils mirent.

Vaincre (*to overcome*)

Je vainquis, tu vainquis, il vainquit ; nous vainquîmes, vous vainquîtes, ils vainquirent.

Vivre (*to live*)

Je vécus, tu vécus, il vécut ; nous vécûmes, vous vécûtes, ils vécurent.

In the past lessons the reader will have remarked that some Past Participles have been used with ' avoir ' (J'ai parlé) and some with ' être ' (Je suis allé), where, in English, we always employ the auxiliary ' to have.'

The explanation is that participles which indicate some kind of motion, such as ' gone,' ' departed,' ' come,' ' descended,' ' ascended,' and so forth, are combined with ' être ' to form compounds, and all others with ' avoir,' excepting verbs used reflexively.

Whenever a verb is used reflexively (Je me suis promené, *I have walked*), the auxiliary ' être ' is always employed.

The French pronouns seem to be a source of worry to some students, who find it by no means simple to distinguish between the subject and the direct and indirect object.

Here is a list of the personal pronouns in use—

	Singular	*Plural*
1st Person	Je, me, moi	Nous
2nd Person	Tu, te, toi	Vous
3rd Person	Il, elle, lui, le, la, se, soi, en, y	Ils, elles, eux, se, les, leur

These may be either Conjunctive, Disjunctive, or both.

A conjunctive Pronoun is one which can only be used as the subject or object, direct or indirect, of the verb.

A Disjunctive Pronoun is one which is used apart from the verb or after a preposition.

Conjunctive	*Disjunctive*	*Conjunctive or Disjunctive*
Je, me	Moi	Nous
Tu, te	Toi	Vous
Il, se	Soi	Elle
Ils, se	Eux	Elles
Leur		**Lui**
Le, les		
La, les		

EXAMPLES

Je donne	=	*I give*
Tu chantes	=	*Thou singest*
Il grimpe	=	*He climbs*
Ils tombent	=	*They fall*
Elle saute	=	*She jumps*
C'est à elle	=	*It is hers (to her)*
Nous courons	=	*We run*
C'est à nous	=	*It is ours*
Vous plongez	=	*You dive*
Est-il à vous ?	=	*Is it yours ?*
Elles boivent	=	*They drink*
Ils ne sont pas à elles	=	*They are not theirs (f.)*
Il me donne des cadeaux	=	*He gives me presents*
Je te présente à ma mère	=	*I introduce thee to my mother*
Il se donne de la peine	=	*He gives himself trouble*
Elle se demande pourquoi	=	*She asks herself why*
Ils se promènent	=	*They walk about*
Elles s'étonnent	=	*They (f.) are astonished*

(It will be noticed that some verbs are reflexive in French though not in English.)

Je le donnerai à mon frère	=	*I shall give it to my brother*
Je la donnerai à ma sœur	=	*I shall give it to my sister*

' Le ' and ' la ' stand for ' it,' in the first place when the article under discussion is rendered by a masculine word, such as ' le livre ' (*book*) ; in the second place when this word is feminine, such as ' la bouteille ' (*bottle*). Your thoughts must always be settled upon what you are saying.

Il les donnera à sa belle-sœur	=	*He will give them to his sister-in-law*
Nour leur donnons de l'argent	=	*We give them* (m. or f.) *money*
Quand on n'a pas d'argent sur soi	=	*When one has no money on one (about one)*
Cette lettre est pour moi	=	*This letter is for me*
Cette chambre est à toi	=	*This room is thine*
Je lui ai donné ma place	=	*I have given him* (or *her*) *my place.*

(' Lui ' therefore signifies ' to him ' or ' to her.')

Ces canifs sont à eux	=	*These penknives are theirs* (m.)
Ces bagues sont à elles	=	*These rings* (*finger*) *are theirs* (f.)

The word ' même ' (*self*) may be joined to the following—

Moi-même	=	*Myself*	Toi-même	=	*Thyself*
Lui-même	=	*Himself, itself*	Elle-même	=	*Herself, itself*
Nous-mêmes	=	*Ourselves*	Vous-mêmes	=	*Yourselves*
Eux-mêmes	=	*Themselves* (m.)	Elles-mêmes	=	*Themselves* (f.)

Note that the word ' leur ' as given above is a pronoun, and as such does not alter in form ; it means ' to them.' There is also an adjective 'leur,' which is possessive and does change, adding an ' s ' to form the plural if it is employed with a noun in the plural, as ' leurs chapeaux ' (*their hats*).

Let us go farther and learn what to do when we wish to employ a direct and an indirect object together, as in, ' I shall give it to him.'

' Le,' ' la,' and ' les ' are direct objects. They must be placed after the pronouns ' je,' ' te,' ' me,' ' nous ' and ' vous,' and before the pronouns ' lui ' and ' leur.'

Je me le donne	=	*I give it* (m.) *to myself*
Je te la donne	=	*I give it* (f.) *to thee*
Je vous les donne	=	*I give them* (m. or f.) *to you*
Il me le donne	=	*He gives it to me*
Elle te la donne	=	*She gives it to thee*
Elle vous les donne	=	*She gives them to you*
Vous le lui donnez	=	*You give it to him* (or *her*)
Je les leur donne	=	*I give them to them* (m. or f.)
Il nous les donne	=	*He gives them to us*
Vous me le donnerez	=	*You will give it to me*
Je les lui donnerai	=	*I shall give them to him* (or *her*)
Il me les donnera	=	*He will give them to me*
Elles nous la donne	=	*She gives it* (f.) *to us*

When the imperative is used the direct object precedes the indirect object, as follows—

Donne-le-moi	=	*Give (thou) it to me*
Donnez-les-moi	=	*Give (you) them to me*

Whenever ' en ' or ' y ' follows ' moi ' or ' toi ' the diphthong ' oi ' is elided, and ' en ' and ' y ' are placed last.

' Donne-m'en '	=	*(Give me some)*
' Mets-t'y '	=	*(Place thyself there)*

The following examples should also be carefully studied—

' Qui est Monsieur Paul ? '	' Je le suis '	*(I am)*
' Madame, êtes-vous la malade ? '[1]	' Je la suis '	*(I am)*

The masculine form is always used when such adjectives are used as adjectives, and not as nouns.

' Madame, êtes-vous malade ? '	' Je le suis '

We have already made acquaintance with the possessive adjectives, ' mon,' ' ton,' ' son,' ' notre,' ' votre,' and ' leur ' in their feminine and plural forms.

Mon, ma, mes	=	*My*
Ton, ta, tes	=	*Thy*
Son, sa, ses	=	*His, her, **its***
Notre, notre, nos	=	*Our*
Votre, votre, vos	=	*Your*
Leur, leur, leurs	=	*Their*

These are placed always before a noun to denote individual possession.

Sometimes the noun is not mentioned, and we use a pronoun in its stead.

Possessive Pronouns (Singular)

Masculine	*Feminine*	*English*
Le mien	La mienne	Mine
Le tien	La tienne	Thine
Le sien	La sienne	His, hers
Le nôtre	La nôtre	Ours
Le vôtre	La vôtre	Yours
Le leur	La leur	Theirs

---

[1] ' Malade ' as an adjective means ' ill ' ; as a noun it signifies ' the ill one, the patient,' with ' le ' or ' la ' according to gender.

Possessive Pronouns (*Plural*)

Les miens	Les miennes	Mine
Les tiens	Les tiennes	Thine
Les siens	Les siennes	His, hers
Les nôtres	Les nôtres	Ours
Les vôtres	Les vôtres	Yours
Les leurs	Les leurs	Theirs

EXAMPLES

Mes livres
(*My books*

Ces livres sont les miens
These books are mine)

Mes plumes
(*My pens*

Ces plumes sont les miennes
These pens are mine)

Nos brosses
(*Our brushes*

Ces brosses sont les nôtres
These brushes are ours)

Ses tasses
(*His [her] cups*

Ces tasses sont les siennes
These cups are his [hers])

Leur chambre
(*Their room*

Cette chambre est la leur
This room is theirs)

Ton crayon
(*Thy pencil*

Ce crayon est le tien
This pencil is thine)

A qui est ce chapeau ?
(*Whose [to whom] is this hat ?*

C'est le mien
It is mine)

A qui sont ces cols ?
(*Whose are these collars ?*

Ils sont les vôtres
They are yours)

Est-ce le tien ?
(*Is it thine ?*

Non, c'est le sien
No, it is his [hers])

Le mien est plus grand que le sien
(*Mine is bigger than his [hers]*)

Les vôtres sont plus larges que les leurs
(*Yours are wider than theirs*)

La nôtre n'est pas ici
(*Ours is not here*)

Do not, on any account, confuse the word ' votre ' with ' vôtre ' (bearing a circumflex accent).

We have already studied the pronouns ' celui ' and ' celle ' with their respective changes, but we have not yet become acquainted with ' ceci ' and ' cela.'

The former is used for something which is about to be explained, the latter for something which has just been explained, as the following examples will show—

' Retenez bien ceci : le travail est un trésor.'

Here the explanation is given afterwards.

Retain this well : work is a treasure.

The imperative form, 'retenez' comes from 'retenir,' to retain. Note the compulsory use of 'le' before 'travail' where it is superfluous in English.

'Secourez votre prochain ; n'oubliez pas cela.'

Here the explanation is given first.

Help (succour) your neighbour (next) : do not forget that.

The verb 'secourir' means 'to help, to succour'; hence the cry for aid, 'Au secours!' (Help!)

'Celui,' 'celle,' 'ceci,' and 'cela' are called Demonstrative Pronouns.

The Relative Pronouns (que, qui, lequel, etc.), will not give the student much trouble.

'L'homme qui a un cœur pur est heureux.'
(*The man who has a pure heart is happy*)

'C'est un homme que je crois riche'
(*He's a man that I believe [to be] rich*)

These pronouns may also be used interrogatively, and become Interrogative Pronouns.

'Qui est venu?'   (*Who has come ?*)
'Que voulez-vous?'   (*What do you wish, want ?*)

'Qui' may be used in conjunction with prepositions, either relatively or interrogatively, in which case it is equivalent to the English 'whom' (Objective Case).

'A qui avez-vous parlé?'   (*To whom have you spoken ?*)
'De qui vient cette lettre?'   (*From whom comes this letter ?*)
'Pour qui est cette lettre?'   (*For whom is this letter ?*)
'Sur qui est-il tombé?'   (*On whom has he fallen ?*)

'Qui est-ce qui?' instead of, 'qui' for the subject, and 'qui est-ce que?' for the object may be used.

'Qui est-ce qui est venu?'   (*Who has come ?*)
'Qui est-ce que vous demandez?'   (*Whom are you asking for ?*)

The interrogative " que?' must not be used as subject; it must be replaced by, 'qu'est-ce qui?' It may be used as object, or be replaced by, 'qu'est-ce que?'

'Qu'est-ce qui vous arrive?'   (*What is happening to you ?*)
'Qu'est-ce que vous faites?'   (*What are you doing ?*)

In the first sentence ' what ? ' is the subject ; in the second it is the object.

Do not confuse the Relative Pronoun ' que ' with the conjunction ' que.'

> ' Voici un homme que je connais.'   (Relative Pronoun)
> ' Je crois que vous avez raison.'   (Conjunction)

' Lequel ' is another Relative Pronoun which may be used also as an Interrogative Pronoun.

It undergoes certain changes in form due to number and gender, and may, in certain cases, interchange with ' qui ' or ' que ' to avoid ambiguity.

> ' Tous les voyageurs parlent de la fertilité de ce pays, laquelle est vraiment extraordinaire.'

Here, if we had used ' qui ' instead of ' laquelle ' either the ' fertility ' or the ' country ' might have been extraordinary. ' Lequel ' changes its form as follows—

Lequel   Lesquels
Laquelle   Lesquelles

It may also be combined with the prepositions ' de ' (of) and ' à ' (to).

Duquel, desquels	=	*Of which* (m.)
De laquelle, desquelles	=	*Of which* (f.)
Auquel, auxquels	=	*To which* (m.)
À laquelle, auxquelles	=	*To which* (f.)

Here are some examples—

' Lequel de ces livres désirez-vous ? '   (*Which one of . . .*)
' Laquelle de ces pommes désirez-vous ? '   (*Which one of . . .*)
' Lesquels (lesquelles) voulez-vous ? '   (*Which ones . . .*)
' Nous n'admirons pas les choses auxquelles nous sommes accoutumés.'
(*We do not admire the things to which we are accustomed.*)

('Auxquelles ' agrees in number and gender with ' choses,' which is plural and feminine.)

' L'or est un talisman au moyen duquel toutes les portes s'ouvrent.'
(*Gold is a talisman by means* [*to the means*] *of which all doors open* [*open themselves*].)

' Au moyen de ' means ' by means of ' ; it joins up with ' lequel,' making ' au moyen duquel.'

' L'Inde est un pays auquel nous devons la canne à sucre.'
(*India is a country to which we owe the suger-cane,* ' canne à sucre.')

'Dont' (Relative) is also employed for 'of whom, of which.'

> 'L'homme dont vous parlez est très pauvre.'
> (*The man of whom you speak is very poor.*)

'D'où' signifies 'whence' or 'from where.'

> 'D'où venez-vous ?'   (*Where do you come from ?*)
> 'La ville d'où je viens'   (*The town from where I come*)

'Quiconque' means 'whoever.'

> 'Quiconque est riche doit assister les pauvres.'
> (*Whoever is rich ought to assist the poor.*)

This sentence might also commence by 'celui qui' (the one who). 'Celui qui est riche doit assister les pauvres.'
'Tel' means 'such,' or 'such a one,' or simply 'the one.'

> 'Tel qui rit vendredi, dimanche pleurera.'
> (*The one who laughs on Friday will weep on Sunday.*)

The pronoun 'on' means 'one' (one says, one knows). It becomes 'l'on' after the words 'et,' 'si,' 'ou,' and 'où' ('and,' 'if,' 'or,' and 'where'), in order to avoid the unmusical hesitation or hiatus.

Let these few notes suffice, for the remaining pronouns can best be learned during the conversation exercises.

'Quel ?' ('what ?') an interrogative adjective, has the following changes in form—

> Quel, quels
> Quelle, quelles

> 'Quel livre préférez-vous ?'
> 'Quels crayons apportez-vous ?'
> 'Quelle fleur aimez-vous ?'
> 'Quelles plumes voulez-vous ?'

Now, let us interview the past participle, which is not always employed correctly, even by some French people. In truth, it needs no small amount of care.

When it is used with the auxiliary 'être' it must agree in both gender and number with the subject of the verb, as : 'L'Amérique a été découverte par Christophe Colomb.' (The past participle 'découverte' is in accord with 'Amérique,' which is a feminine word.)

When it is conjugated with 'avoir' it agrees with the direct object only when this direct object precedes the verb, as : ' Je me rappelle l'histoire que j'ai lue.' (The word ' lue ' agrees with ' histoire ' in this case.) It does not change if the object follows it, as :

' **Nous avons** lu une histoire.' (*We have read a story.*)

With intransitive verbs, which are those that have no direct object, the past participle remains unchanged, as :

' **Ces histoires nous ont** plu.' (*These stories have pleased us.*)

The verb ' plaire,' to please, has no direct object. ' Il lui plaît ' means ' It pleases to him,' and ' to him ' is an indirect object. ' Elle l'aime ' means ' She likes him ' ; here ' him ' is a direct object.

Here are a few sentences which have already occurred in the conversation exercises—

' Qui l'a mise là ? ' (' Mis ' meaning ' put ' takes the feminine form, ' mise,' because it is conjugated with ' avoir ' and the direct object ' la ' precedes it.)

' Il m'a vue.' (A woman is speaking, therefore the word ' vu ' takes the feminine form ' vue ' because ' me,' indicating a female, precedes it.)

' Il m'a sauvé la vie.' (A woman is still speaking, but no change is made in ' sauvé,' because the direct object ' la vie ' cannot precede the verb, for the sense runs, 'Il a sauvé la vie à moi.')

' Qui est ce monsieur qui vous a accompagnée ? ' (The sense runs, ' Qui a accompagné vous.' ' Vous ' is the direct object ; therefore as it precedes ' a,' which is part of ' avoir,' the past participle must agree with it.)

All these points, as I have said before, are best learned by continual practice and by continuous conversation, but it is advisable that the adult student should know the why and the wherefore of the various changes in the form of words with which he meets, for, being critical, he usually wants to know the reason of things.

Impersonal Verbs are those which are employed only in the third person singular, with ' il.'

The most common are—

Neiger (to snow)

Il neige	=	*It snows*
Il neigeait	=	*It was snowing*
Il neigea	=	*It snowed*
Il neigera	=	*It will snow*
Il neigerait	=	*It would snow*
Il a neigé	=	*It has snowed*

Pleuvoir (to rain)

Il pleut	=	It rains
Il pleuvait	=	It was raining
Il plut	=	It rained
Il pleuvra	=	It will rain
Il pleuvrait	=	It would rain
Il a plu	=	It has rained

Arriver (to happen)

Il arrive	=	It happens
Il arrivait	=	It was happening
Il arriva	=	It happened
Il arrivera	=	It will happen
Il arriverait	=	It would happen
Il est arrivé	=	It has happened

Falloir (to be necessary)

Il faut	=	It is necessary, it necessitates
Il fallait	=	It was (being) necessary
Il fallut	=	It was necessary, it necessitated
Il faudra	=	It will be necessary, will necessitate
Il faudrait	=	It would be necessary, etc.
Il a fallu	=	It has been necessary, etc.

S'agir de (to be a question of)

Il s'agit de	=	It is a question of
Il s'agissait de	=	It was a question of (The question was)
Il s'agit de	=	It was a question of (The question was)
Il s'agira de	=	It will be a question of, etc.
Il s'agirait de	=	It would be a question of, etc.

Y avoir (There to be)

Il y a	=	There is, are
Il y avait	=	There was, were
Il y eut	=	There was, were
Il y aura	=	There will be
Il y aurait	=	There would be
Il y a eu	=	There has been

VOCABULARY

Nerveux, nerveuse	= Nervous	Remercier	= To thank
La vue	= Sight	Enchanté	= Delighted
De vue	= By sight	Hors de danger	= Out of danger
Attendre	= To wait, expect	Ignorer	= Not to know
La vache	= The cow	Je l'ignore	= I don't know
Le taureau	= The bull	Le saumon	= Salmon
Jeter	= To throw	Détester	= To detest
Marin, marine	= Marine (adj.)	Vouloir dire	= To mean
Le marin	= The sailor	Je veux dire	= I mean
Apercevoir	= To perceive	À votre santé	= Your health

Penser	= To think
Dessus	= Upper part (noun)
Dessous	= Under part (noun)
Au dessus	= Above
Au dessous	= Below
La terre	= The earth, ground
La peur	= Fear
Avoir peur	= To be afraid
Presque	= Nearly
Chercher	= To seek
Annoncer	= To announce
Charmé	= Charmed
Tirer	= To pull, draw
Craindre	= To fear
Goûter	= To taste
Tuer	= To kill
Offrir	= To offer
Tellement	= So, to such a degree
L'univers	= The universe (m.)
Vivre	= To live (be alive)
Demeurer	= To live (dwell)
Une étoile	= A star
Bâiller	= To yawn
Éteindre	= To put out (of fire)
Éclairer	= To light up, illuminate
Une allumette	= A match
Drôle	= Odd, funny
Plein	= Full
La bougie	= Candle
L'armoire	= Cupboard (f.)
Le tire-bouchon	= Corkscrew (pull-cork)
La poussière	= Dust
Tacher	= To stain
La tache	= Stain [1]
Avoir sommeil	= To be sleepy
Se contenter de	= To be satisfied with
Le vers	= Verse, line (of poetry)
Bas	= Low (Stocking; noun)
Haut	= High
La strophe	= Verse (of poetry)
Malgré	= In spite of
Se coucher	= To go to bed, to lie down
Allumer	= To light, set light to
Volontiers	= Willingly
Une boîte	= A box
Partout	= Everywhere
Vide	= Empty
La bouteille	= Bottle
Le bouchon	= Stopper, cork
Sale	= Dirty
Couvrir	= To cover
Le génie	= Genius
Chauffer	= To warm
Le couplet	= Verse (of a song)
La patrie	= Fatherland
La tyrannie	= Tyranny
Mugir	= To bellow
Le pays	= Country
La campagne	= Country (fields)
Égorger	= To cut the throat
Le bataillon	= Battalion
Abreuver	= To water
Le refrain	= Chorus
Un coup de pied	= A kick
('Un coup' means 'a blow'; 'le pied' means 'the foot.')	
Jouer	= To play
Un coup de poing	= A punch
Un coup de soleil	= Sun-stroke
Un coup de bâton	= A hit (with a stick)
Le bâton	= Stick
Pardessus le marché	= Into the bargain
L'escalier	= Staircase (m.)
Remonter	= To wind up (clock, watch); to go up again
Ensuite	= Afterwards
Infiniment	= Infinitely
La gloire	= Glory
L'étendard	= Standard (flag)

---

[1] Not to be confused with 'la tâche,' the task, and 'tâcher' to endeavour.

Lever	= To raise, lift		Afin de	= So as to, in order to
Le citoyen	= Citizen			
Le sang	= Blood		Le départ	= The departure
Le sillon	= Furrow (of fields)		Les gens	= People
			La banque	= Bank
L'air	= The tune (m.)		Gronder	= To scold
Le poing	= Fist		Cependant	= However
Le soleil	= Sun		La valise	= Portmanteau
Le marché	= Market		Les vacances	= Holidays (f.)
Monter	= To go up		Le tableau	= Picture
Se coucher	= To lie down, go to bed		Le cadre	= Frame (of picture)
La peine	= Trouble		Réparer	= To repair
Merveilleux	= Marvellous		Jurer	= To swear
Car	= For (conj.)		Se fâcher	= To become angry
La gare	= Station (railway)			
			Choisir	= To choose
Le train	= The train		La bataille	= Battle
Procurer	= To procure		Le gosse	= Youngster, urchin, brat
Appartenir	= To belong			
Plutôt	= Rather		Entier	= Entire
Enlever	= To take away		Entièrement	= Entirely
Une grimace	= A grimace, face		Depuis	= Since, from
Faire des grimaces	= To make faces		La fin	= The end
			La faute	= Fault, error
Le mouchoir	= Handkerchief		La voiture	= Car, carriage
Presque toujours	= Nearly always		La bonté	= Kindness
			Conduire	= To conduct
La poudre dentifrice	= Toothpowder		Tâcher	= To endeavour
			Nouveau	= New (not seen before)
Emballer	= To pack, pack up			
			Neuf	= New (unused)
Briser	= To break, smash		La larme	= Tear (tear-drop)
Casser	= To break		L'avis	= Opinion, advice
Le tapis	= Carpet		La moitié	= Half (noun)
Tordre	= To twist		Essayer	= To try, attempt
À la fin	= After all, in the end		Féliciter	= To congratulate
			Le billet	= Ticket, note
Abîmer	= To spoil		Aussitôt que	= As soon as
Gâter	= To spoil		Payer	= To pay
Devenir	= To become		Aller	= To go (also to suit)
La poésie	= Poetry			
Par cœur	= By heart (m.)		Quitter	= To leave
			Regretter	= To regret

CONVERSATION

G. D. (leaving home). ' Je suis un peu nerveux. C'est parce que j'ai peur de sa maman. Courage,

mon vieux, courage ! Qu'est-ce qu'elle me dira ?
Je ne la connais pas de vue. Je ne connais pas son
père, non plus. Nous‿allons voir. Quelle heure est-il ?
Il est sept heures moins vingt‿à ma montre (by my
watch). J'arriverai de bonne heure (in good time, early).
Il ne faut jamais‿être en retard (late). Si j'étais en
retard je serais furieux (if I were late I should be furious).
Tiens, voilà le facteur ! (postman). Je suis certain
qu'il a une lettre pour moi. Il me fait des signes (signs,
masculine). Bonsoir, monsieur le facteur. Vous avez‿
une lettre pour moi ? Merci. Ah, ça vient du ministre
de la guerre. Peut-être qu'il me faut partir tout de
suite. (Perhaps I must depart at once.) Oui, c'est ça. Je
dois (must) partir après-demain (the day after tomorrow).
C'est bien, ça. Moi, je pars. Je pars pour le front,
comme interprète (as interpreter). Est-ce qu'elle sera
triste (sad) quand je serai parti ? (when I shall have
departed.—A really future idea must be explained by the
future tense). C'est‿un peu difficile à dire (difficult to
say) puisque (since) je ne la connais pas‿assez (not
enough). Si je savais, je serais plus content. (If I knew
I should be more satisfied.) Si j'avais l'occasion, je le
lui demanderais. (If I had the chance, I should ask her it.)
Mais, je ne sais pas si j'aurai (*Future*) l'occasion.
C'est‿à voir (it remains to be seen). En tout cas (in any
case, at all events) je suis presque (nearly) sûr qu'elle
m'aime. Je voudrais bien savoir (I'd very much like
to know) ce que va me dire sa maman (what her mamma
is going to say to me.—Study carefully this construction).
Demain, c'est le dernier jour. Demain, je pourrai dire
(I'll be able to say) "Demain, je pars." Je pars pour
le front ; je suis soldat. Il n'y a pas à dire ; je suis
soldat (there's nothing to be said, there's no gainsaying it).
Si j'avais le temps, j'irais boire un petit verre à ma
santé. Ah, voilà mon voisin, Girard. Bonsoir ! Non,
je ne peux pas, je suis pressé (pressed, in a hurry).
Comment ? '

M. Girard. ' Je voudrais vous poser une petite question, seulement. C'est‿un calembour (pun). Savez-
vous pourquoi les marins (sailors) ont jeté (thrown)
tant de (so many) sous à la mer ? '

G. D. 'Non, je ne peux pas vous le dire.'

M. G. ' C'est pour faire des sous-marins. Bonsoir ! '

(' Un sous-marin' is a ' submarine boat ' ; ' des sous-marins ' might
also signify ' marine half-pennies ' : hence the riddle.)

G. D.   ' C'est qu'il est‿amusant, ce bon Girard.
Mais, voici la maison que je cherche. Je m'en vais
frapper à la porte. Non, je m'en vais sonner. Oh, ça
sonne trop fort. J'aperçois la domestique à travers
les vitres (through the panes). Elle est jeune et jolie.
Bonsoir. Mademoiselle Lucie m'attend, je crois.'

The Servant.   ' Oui, monsieur. Je vous‿annoncerai
tout de suite, monsieur.'

L. C. (appearing with her parents).   ' Bonsoir, Monsieur
Durand. Permettez-moi de vous présenter à ma mère
et à mon père.'

G. D. (bowing and shaking hands).   ' Je suis charmé.'
(I'm delighted.)

Madame Carnot.   ' Je suis‿enchantée de faire votre
connaissance, Monsieur Durand.'

G. D. (to himself).   ' Ah, ça va bien ' (that's all right).

M. Carnot.   ' Je ne sais comment vous remercier,
Monsieur Durand. Ma fille m'a raconté——'

L. C.   ' Oui, j'ai tout dit à papa ' (I've told papa all).

Madame Carnot (clasping her hands).   ' Et vous vous‿
êtes jeté, complètement habillé, dans l'eau. Que
vous‿êtes courageux ! '

G. D. (to himself).   ' Je fais du progrès.' (I'm making
progress.)

M. Carnot.   ' Je vous suis très reconnaissant, Monsieur Durand.'

G. D. (pleased).   ' Dieu sait (God knows), monsieur,
que je suis bien content d'avoir pu (been able) tirer
mademoiselle votre fille hors de danger.'

Madame Carnot (beaming).   ' Oh, que vous‿êtes
courageux ! '

M. Carnot.   ' J'ai faim. Allons nous mettre à table.
Asseyez-vous là, Monsieur Durand.'

G. D. (to himself).   ' À côté d'elle. (By her side.) Je
n'ai rien à craindre (to fear). C'est la maman qui
m'intéresse. Elle est très‿aimable à présent. Est-ce
que ça va continuer comme ça ? Je l'ignore.' (I don't
know.)

Madame Carnot.   ' Un peu de saumon, Monsieur
Durand ? '

M. Carnot.   ' Goûtez-moi ce vin, Monsieur Durand.'

('Goûtez-moi' means 'Taste.' The presence of 'moi' is quite common in French, and has no equivalent in English. 'Moi' in such cases would suggest and might be rendered by 'and let me have your opinion of it, tell me what you think of it.')

G. D. (overcome). 'Oui, s'il vous plaît, madame. Il est très bon, ce vin. Il doit être très vieux' (old).

Madame Carnot. 'Ma fille m'a dit que vous iriez bientôt au front.'

L. C. 'Oui, maman. Il attend une lettre du ministre de la guerre.'

G. D. 'Je l'ai reçue ce soir.'

L. C. (agitated). 'Ce soir ? Vous allez partir ? '

G. D. (quietly). 'Je pars après-demain.'

L. C., M. and Madame Carnot. 'Après-demain ? '

G. D. 'Oui. En venant (in, whilst coming) ici ce soir, j'ai rencontré le facteur qui avait une lettre pour moi. Il me l'a donnée. Je l'ai lue. Je pars après-demain. Je partirai sans regrets ; c'est mon devoir. Mon père, ma mère, et ma sœur seront contents. Mes amis aussi seront contents. Au commencement de la guerre, j'ai voulu (wished) partir, mais ce n'était pas possible. Je veux me battre contre ces Allemands. Je suis interprète. Les interprètes ne se battent pas, n'est-ce pas ? Mais moi, je veux faire ce que font (I want to do what) les autres. J'ai envie (I have envy to, I'd like to) de tuer (kill) un Allemand ; surtout (especially) après ce qu'ils ont fait en Belgique (after what they've done in Belgium). Je les déteste. Les prisonniers français et anglais souffrent beaucoup en Allemagne. Les Allemands sont furieux contre les Anglais parce qu'ils croyaient que l'Angleterre resterait neutre (would remain neutral). Ils crient tout le temps (all the time), " Gott strafe England," ce qui veut dire (means) en français, "Dieu punisse[1] l'Angleterre." Mais, il me semble (it seems to me) que ce sont eux que Dieu punit. Qu'en dites-vous ? '

L. C. 'Moi, je pense comme vous. Quand on tue des enfants et des femmes, on mérite une punition sévère' (a severe punishment).

M. Carnot (lifting his glass). 'À votre santé, Monsieur Durand.'

---

[1] 'Qu'il punisse' is the Imperative form, 'May he punish,' and the Present Subjunctive 'That he may punish.'

Madame Carnot.   'Ils ne sont pas peut-être tous cruels. Il y a vingt ans (twenty years ago) à peu près (about), j'ai connu une famille allemande, dont les enfants étaient vraiment charmants. Le père était professeur de géographie à Heidelberg, si je me rappelle bien. La mère était très aimable. Elle m'a prêté son parapluie un jour qu'il pleuvait. Sans ça, j'aurais été (should have been) trempée jusqu' aux os. Je me le rappelle comme si c'était hier (as if it were yesterday). Lucie, passe le pain à monsieur ; permettez-moi de vous offrir un peu de ce fromage (cheese). Vous me direz ce que vous en pensez.'

M. Carnot.   'Mais Monsieur Durand n'a pas encore fini de manger le jambon (ham) que vous lui avez donné tout à l'heure ' (just now).

L. C. (smiling).   ' On ne peut pas parler et manger en même temps ' (at the same time).

M. Carnot.   'En effet ' (in effect, meaning ' of course not ').

G. D. (pleasantly).   'Votre jambon est excellent, madame. Vous voyez (you see), j'ai tout mangé. D'habitude je ne mange pas de fromage, mais ça semble tellement bon (that seems—to such a degree— good) que j'en prendrai (*Future*) pour vous donner mon avis là-dessus ' (thereupon, upon it).

M. Carnot.   'Lisez-vous beaucoup, Monsieur Durand ? '

G. D.   ' Oh, oui. À présent je suis en train d'étudier la langue allemande.'

M. Carnot.   'Avez-vous lu (read) " Thaïs " par (by) Anatole France ? '

G. D.   ' Non, pas encore (not yet). Je ne lis pas beaucoup de romans (novels, masculine). Je préfère les livres instructifs. L'électricité m'intéresse. J'étudie aussi la physique (physics), et l'astronomie.'

L. C. (interested).   'Moi aussi, j'aime bien regarder les étoiles (stars, feminine) quand il fait nuit. Je me demande souvent, en regardant une planète, si, par hasard (by chance), elle possède des habitants (inhabitants) comme nous.'

M. Carnot.   'Ah, non, par exemple. Il n'y a qu'une terre (' ne —— que ' meaning ' only ') dans tout l'univers. Ça, c'est certain ; on ne pourrait (would not be able)

pas vivre sur une planète, par exemple. C'est trop petit.
Toutes les étoiles sont trop petites. On ne pourrait
pas vivre sur la lune, non plus ; ni sur le soleil, qui
n'a, après tout, que les mêmes dimensions que la
lune. L'être humain (the human being) ne se trouve
que sur la terre.'

G. D. (amused, to himself). ' Voilà un type qui prétend
aspires) tout savoir (to know everything), mais qui ne
sait absolument rien. Quelle ignorance ! '

M. Carnot (continuing). ' Moi aussi, j'ai étudié l'astronomie. On dit que la terre est toute ronde. Ceux qui
disent ça (those who say that) sont vraiment bêtes.
('Bête' is a feminine noun meaning ' beast ' ; as an adjective it signifies ' stupid.') La terre est plate (flat) comme
cette table. Si elle n'était pas plate, toute l'eau des
océans disparaîtrait (would disappear). C'est tout naturel
(quite natural). Qu'en pensez-vous, Monsieur Dur-
and ? '

G. D. (calmly). ' Je le regrette infiniment, Monsieur
Carnot, mais je ne suis pas de votre avis ' (of your
opinion).

Madame Carnot. ' Mon mari (husband) étudie l'astronomie depuis plus de cinq ans (more than five years).
Il en sait tout ce qu'il y a à savoir ' (all there is to know).

M. Carnot. ' Ma femme (wife) a tout-à-fait raison.
Voilà plus de cinq ans que je l'étudie.'

L. C. ' Oh, oui. Papa connaît les noms et les positions
de toutes les grandes étoiles. Il est vraiment merveilleux.'

G. D. (to himself). Oh, oui, il est merveilleux, il
n'y a pas à dire.'

M. Carnot. ' L'année passée j'ai écrit un article qui
avait pour sujet, " La température du soleil," et je
l'ai envoyé au Professeur Marceau. Savez-vous ce
qu'il m'a répondu ? ' (what he replied to me ? ' Répondre,' to reply).

G. D. (bored). ' Non.'

M. Carnot. ' Il m'a écrit une courte (short) lettre
dans laquelle il m'a dit que c'était bien évident que
j'en savais beaucoup plus que lui. Admettez donc
qu'après tant d'études (so many studies) je devrais
(should, ought) en savoir quelque chose ' (something).

G. D. (politely). ' Ayant étudié l'astronomie à

fond (to the bottom, profoundly), je suis forcé, monsieur, malgré moi (in spite of myself), de vous dire que vos‿ études (studies) vous‿ont été peu profitables (have not been very profitable to you). D'abord (firstly), la terre est ronde comme une orange.'

M. Carnot (annoyed). ' Mais non, mais non. Elle est plate, je vous dis.'

Madame Carnot. ' Mon mari possède au moins (at least) dix livres qui traitent de (which treat of) l'astronomie.'

L. C. ' Il en‿a douze en tout, maman ' (twelve in all, mamma).

G. D. (politely). ' Le soleil et la lune ne sont pas tous les deux (both) de la même grandeur (size). Le soleil est, au contraire, bien plus grand que la lune.'

M. Carnot (very annoyed). ' Pas du tout. On voit bien qu'il n'y a pas de différence.'

G. D. (continuing). ' Toutes les étoiles—je ne parle pas des planètes—sont plus grandes encore que le soleil.'

M. Carnot (exploding). ' Quelle bêtise ! (foolishness, stupidity). Quelle ignorance ! Vous n'en savez rien, jeune homme (young man). Je suis beaucoup plus‿ âgé que vous. J'ai étudié les sciences pendant des années et des années, comprenez-vous ? Je sais que j'ai raison. Bah, vous n'en savez rien ' (you know nothing of it, about it).

G. D. (dignified). ' Je vous remercie, monsieur.'

Madame Carnot. ' Mon mari a toujours raison.'

L. C. ' Oh, oui, papa a toujours raison. On voit bien que la terre est plate, par exemple. Il n'y a pas à dire.'

G. D. (rising to leave). ' Je suis forcé de vous quitter, maintenant. J'ai tant (so many) de choses à faire. Bonsoir, et merci.'

The Carnot family (coldly). ' Bonsoir, Monsieur Durand.'

G. D. (walking home). ' Quel tas d'idiots ! (what a lot of idiots). J'en‿ai eu assez (I've had enough of them). Je croyais (thought) que Lucie était plus intelligente que ça. Elle n'a pas d'intelligence du tout. Mais, c'est le père qui est le moins intelligent. Il est évident que Lucie ne m'aime pas du tout. Je n'irai jamais plus

(never more) chez elle. Ah non, par exemple. Je suis
fatigué. Je m'en vais me coucher (go to bed) tout de
suite. Je bâille. (I am yawning.) J'ai perdu la clef[1] de
la porte. Ah, la voici dans ma poche (pocket). Si
j'avais (had) perdu la clef, j'aurais été obligé de frapper
à la porte pendant une demi-heure. Tout le monde
(everybody) est au lit (in bed). Moi aussi, je m'en vais
me mettre au lit (to put myself in bed). Mais, d'abord,
si je peux me trouver un verre je boirai (will drink)
de la bière. Oui, je boirai volontiers (willingly) un
verre de bière. En Angleterre la bière est plus forte
qu'en France. Là-bas, on devient ivre après quatre
ou cinq verres, mais ici, c'est tout autre chose (quite
another thing). Il fait froid ici ; c'est parce que le feu
(fire) est éteint (gone out, extinguished). Je vais éclairer
(light up) la chambre un peu si je trouve des allumettes
(matches). Mais c'est très drôle, ça. J'avais deux
boîtes d'allumettes dans ma poche quand je suis sorti
(I went out) ce soir, et maintenant je n'en ai point
(none at all). Quelqu'un me les a volées, c'est évident
(someone has stolen them from me. Note carefully the
order of words). Il faut en chercher partout (it is necessary, I must seek some everywhere). Ah, en voilà une boîte
toute pleine (a box quite full). En voilà une autre, mais
celle-ci (this one) est vide (empty). Maintenant, il
faut trouver la bougie (candle). Ah, bon ! La voilà sur
la cheminée. La bouteille de bière doit être dans l'armoire (cupboard) si je me rappelle bien. La voilà, en
effet. Le tire-bouchon (corkscrew) y est aussi. Oh, mais
non, je ne veux pas me servir d'un verre aussi sale
(dirty) que celui-ci. Il est couvert (covered) de poussière
(dust) et de taches (stains). C'est dégoûtant (disgusting).
Heureusement (happily) il y en a d'autres ' (there are
others, of them).

* * * * *

G. D. (an hour later). ' C'est extraordinaire, c'est
étrange (strange), c'est merveilleux (marvellous). Je
suis arrivé à la quatrième bouteille mais je n'ai pas
encore sommeil. Quand je suis entré j'avais sommeil,
j'avais envie de dormir (to sleep), de me mettre au lit.
J'aime bien regarder cette statue de Napoléon premier.

---

[1] ' La clef ' or ' la clé ' means ' the key.'

Quel homme, ce Napoléon ! Quel génie ! (genius). Je m'en vais boire un verre à sa santé (to his health). À la vôtre, sire ! Si j'avais de vraiment bon vin à la maison j'en boirais à votre santé, mais, comme (as) je n'en ai point, il faut me contenter de la bière (it is necessary to content myself with beer). Encore un petit verre. Ça me réchauffe (warms me). J'ai envie de chanter (sing) un peu. J'ai envie de réciter des vers (lines). Si je parle à haute voix (aloud) on m'entendra (will hear), mais si je parle à voix basse on ne m'entendra pas. Seulement, j'ai grande envie de chanter. Pourquoi pas ? Oui, je m'en vais chanter le premier couplet (verse) de " La Marseillaise " :

" Allons, enfants de la patrie,
Le jour de gloire est arrivé ;
Contre nous de la tyrannie
L'étendard sanglant est levé,
L'étendard sanglant est levé.
Entendez-vous, dans nos campagnes
Mugir ces féroces soldats ;
Ils viennent jusque dans nos bras,
Égorger nos fils, nos compagnes ;

(*Refrain*) Aux armes, citoyens ;
Formez vos bataillons,
Marchons, marchons, qu'un sang impur,
Abreuve nos sillons."[1]

' Je voudrais bien donner quelques (a few) coups de pied au Kronprinz. Ça me ferait plaisir (would give me pleasure). Oui, ça ferait plaisir à tout le monde. Je n'ai pas joué (played) au " football " depuis longtemps (since, for a long time). Je voudrais lui donner aussi quelques bons coups de poing (fist blows, punches)

---

[1] Let us go, children of the fatherland,
The day of glory has arrived ;
Against us of tyranny
The bloody standard is raised (held up),
The bloody standard is raised.
Hear ye, in our country-lands,
Bellow those ferocious soldiers ;
They come, to within our arms,
To throttle (cut the throats of) our sons, our partners (*f.*)

To arms, citizens ;
Form your battalions,
Let us march, let us march, that an impure blood,
(May) Water (soak into) our furrows.

par-dessus le marché (into the bargain). **Ah-h-h-h-h!**
Je suis fatigué. Enfin (at last)**, j'ai sommeil. Je m'en**
vais dormir tout tranquillement (quite quietly). **Per-**
sonne ne m'entendra monter l'escalier (nobody will
hear me go up the staircase)—**si je le trouve** (if I find it).
Doucement! Doucement! (Softly! Softly!) **Ah, me**
voici enfin (at last) **dans ma chambre à coucher** (bed-
room). **J'ai laissé** (left) **mon chapeau dans la salle à**
manger (dining-room). **Mais, ça ne fait rien. La nuit**
passée j'ai oublié de remonter ma montre (to wind
my watch). **Je l'avais laissée en bas. J'ai dû** (had to)
redescendre pour la chercher et remonter dans ma
chambre ensuite (afterwards). **Je me suis donné de la**
peine (I gave myself some trouble). **Ah-h-h-h-h! Oh,**
que je suis fatigué! J'ai mal à la tête (headache). **J'en**
ai plein le dos.[1] (I'm fed up.) **J'ai trop bu** (drunk too
much). **Où est l'oreiller?** (pillow, masculine). **Le voilà**
sur le plancher (on the floor). **Je ne sais pas comment il**
est tombé par terre (on the ground). **Ce n'est pas moi qui**
l'ai mis là (who have put it there). **C'est quelqu'un**
d'autre (somebody else). **À présent, il s'agit de me mettre**
au lit (it's a question of putting myself to bed). **Demain,**
il s'agira d'arranger mes affaires (of arranging my
affairs, business) **avant de partir pour le front. Ah-h-**
h-h-h! Je bâille (I yawn). **Je bâille. Oh, que je suis—**
fatigué! Je vais—dormir—tout de suite.'

* * * * *

G. D. (next morning). **'Huit heures déjà? C'est**
stupide, ce que j'ai fait hier soir. Heureusement, ça
ne m'a pas fait de mal, car (for) **j'ai tant** (so many) **de**
choses à faire aujourd'hui afin de (so as to) **pouvoir**
partir de bonne heure (early) **demain matin. Il me**
faut aller à la gare (station) **au moins une demi-heure**
avant le départ du train pour prendre mon billet
(ticket) **et pour me procurer une place en première**
(a seat, first-class; the word 'classe' is understood).
Je préfère voyager toujours en première; ça coûte
un peu cher, mais c'est très commode (comfortable,
convenient). **La première classe est destinée** (destined)

---

[1] This expression, if translated literally, conveys no meaning to the
English. It is colloquial and slightly slangy, though by no means
vulgar.

aux gens (people) qui sont riches, la troisième aux
gens qui sont pauvres, et la seconde[1] aux gens qui ne
sont ni riches ni pauvres. Moi, j'appartiens à la
première catégorie (category) puisque je suis riche.
Tout mon argent est à la banque (bank). Si je n'étais
pas riche je ne voyagerais pas (wouldn't travel) en
première ! Si les pauvres étaient riches, ils voyager-
aient toujours en seconde ou en première. Quand on
a beaucoup d'argent, on peut faire ce qu'on veut (one
can do what one likes). J'entends ma sœur qui descend.
Elle, aussi, est en retard. Peut-être elle a mal dormi
(slept badly). Ou, elle a trop dormi plutôt (rather).
Quand elle me demandera ce que j'ai fait hier soir,
je ne pourrai pas (shall not be able) m'arrêter de rire
(to stop laughing). Elle verra (will see) toutes ces bouteilles vides, et elle me grondera (will scold me) sans
doute. Peut-être la domestique les aura enlevées
(will have taken them away). Dans ce cas, ma sœur
n'en saura rien (will not know anything of it). Ce qui est
certain, c'est que si elle savait que j'ai bu tant de
bière, elle me gronderait. Il faut me dépêcher, car je
suis déjà une demi-heure en retard pour le petit
déjeuner. Quel mauvais exemple ! Ma sœur ne me
dira pas grand' chose, cependant (however ; ' Pas
grand' chose ' signifies ' not much '), puisqu'elle est aussi
en retard. Si elle ne l'avait pas été, elle m'aurait fait
des grimaces (would have made faces at me) en me
disant (in, while telling me) que je suis l'homme le plus
paresseux du monde (the most lazy man in the world).
Ah, il me faut un mouchoir propre (a clean hand-
kerchief). Voilà une bonne idée. J'en mettrai (shall
put) quelques-uns (a few) dans ma valise (portmanteau).
Quand je voyage j'oublie presque toujours d'en prendre
avec moi. Quand je suis parti en vacances (on holidays) au mois de juin de l'année passée, j'ai oublié
de mettre dans ma valise non seulement (not only)
des mouchoirs mais aussi de la poudre dentifrice
(tooth-powder). Après le petit déjeuner je m'en vais
emballer mes affaires (pack). Je n'aurai pas beaucoup de temps (not much time) ce soir, j'en suis sûr.

---

[1] The ' c ' of ' second ' and ' seconde ' is pronounced like the ' g ' of
' gone.'

Maintenant, je suis prêt. Je m'en vais descendre tout de suite. Tiens ! Voilà un tableau (picture) qui est tombé pendant la nuit. Je n'ai rien entendu, cependant. Le verre est brisé (smashed). On voit des morceaux partout sur le tapis (carpet). Le cadre (frame) est tellement tordu (twisted) qu'il sera impossible de le réparer. Oh, quel malheur ! ' (misfortune).

M. D. (calling). ' Est-ce que tu vas descendre à la fin ? (after all). Voilà une demi-heure que je t'attends.'

G. D. ' Dis-moi, Marie, as-tu vu ce tableau qui est tombé pendant la nuit ? '

M. D. ' Non. Qu'est-ce que ça fait ? (What does that matter ?) Ton déjeuner sera tout gâté ' (spoiled).

G. D. ' Ça ne fait rien. Le tableau est tout abîmé ' (spoiled, done for).

M. D. ' C'est toi qui l'as fait, peut-être.'

G. D. ' Je te jure que non.' (I swear not.)

M. D. ' Je pense que oui.' (I think yes, so.)

G. D. ' Comment ! Tu ne veux pas me croire ? ' (Thou dost not wish to believe me ?)

M. D. ' Tu le jures ? '

G. D. ' Je te jure que ce n'est pas moi qui ai fait tomber (made fall) ce tableau.'

M. D. ' Bon, je te crois. Mais je suis bien curieuse de savoir ce qu'est devenue toute la bière qu'il y avait dans l'armoire hier soir.'

G. D. ' Je sais ce qu'elle est devenue.'

M. D. ' Ah, c'est justement (justly, rightly) ce que je pensais.'

G. D. (at table). ' Je l'ai donnée à un pauvre diable qui avait terriblement soif.'

M. D. (smiling). ' Et ce pauvre diable, c'était toi.'

G. D. (laughing). ' Tu as raison. Mais il ne faut pas te fâcher à cause de ça (it is not necessary to anger thyself because of that). J'ai quelque chose à te dire. Je pars pour le front demain matin.'

M. D. (opening her eyes). ' Non ! Demain ? '

G. D. ' Oui, c'est vrai. Voici la lettre que j'ai reçue hier soir. J'ai rencontré le facteur en route et il me l'a donnée. Ça t'étonne ? Moi, j'étais tellement étonné que, pendant quelques instants, je ne pouvais pas le croire. Mais c'est vrai tout de même. Je pars d'ici demain matin.'

M. D. ' Je ne peux pas le croire. Je viendrai cette **après-midi faire une promenade avec toi.** Tu sais, **j'ai un chapeau neuf** (new, unused ; the word ' nouveau ' means ' new ' as used in the phrase, ' a new friend ').

G. D. ' **Oui, je sais. Je l'ai déjà vu. Il te va très bien.** (' Va ' means ' suits ' here.) **Quel livre as-tu là ? '**

M. D. (picking up the book). ' **C'est de la poésie** (poetry). **Ce sont des morceaux choisis** (chosen pieces) **de Victor Hugo. Je suis en train d'apprendre par cœur** (by heart) **un certain poème qui a attiré mon attention** (which has drawn my attention) **immédiatement au moment où j'ai ouvert le livre '** (at the moment where, when, I opened the book).

G. D. (interested). ' **Comment s'appelle-t-il ? '**

M. D. ' **Il s'appelle " Après la bataille." '**

G. D. ' **Je le connais très bien. Quand j'étais gosse** (youngster, urchin) **je pouvais le réciter par cœur.'**

M. D. ' **Tout entier ? '** (All through.)

G. D. ' **Oui, depuis le commencement jusqu'à la fin. Je vais en réciter la moitié** (the half) :

> " Mon père, ce héros au sourire si doux,
>   Suivi d'un seul housard qu'il aimait entre tous
>   Pour sa grande bravoure et pour sa haute taille,
>   Parcourait à cheval, le soir d'une bataille,
>   Le champ couvert de morts sur qui tombait la nuit.
>   Il lui sembla dans l'ombre entendre un faible bruit.
>   C'était un Espagnol de l'armée en déroute
>   Qui se traînait sanglant sur le bord de la route,
>   Râlant, brisé, livide, et mort plus qu'à moitié,
>   Et qui disait : À boire, à boire par pitié." ' [1]

M. D. ' **C'est très bien. Ne peux-tu pas continuer jusqu'à la fin ? '**

G. D. ' **Je m'en vais essayer** (to try). **Oui, je crois que je pourrai continuer jusqu'à la fin. Voyons !'** (Let us see !)

M. D. (assisting).

> ' Mon père, ému——'

G. D. ' **Ah, oui !**

---

[1] For translation see p. 120.

" Mon père, ému, tendit à son housard fidèle
Une gourde de rhum qui pendait à sa selle,
Et dit : Tiens, donne à boire à ce pauvre **blessé.**
Tout à coup, au moment où le housard baissé
Se penchait vers lui, l'homme, une espèce de **maure**
Saisit un pistolet qu'il étreignait encore,
Et vise au front mon père en criant : Caramba !
Le coup passa si près que le chapeau tomba
Et que le cheval fit un écart en arrière.
Donne-lui tout de même à boire, dit mon père." ' ²

M. D. ' **Tu l'as récité sans faute** (without fault).
Je te félicite ! ' (congratulate).

G. D. ' **Il me faudra un taxi, n'est-ce pas, pour aller
d'ici** (from here) **à la gare ?** '

M. D. ' **Oh, oui ! Tu auras ta valise, ton pardessus,
ton épée** (sword)**, et beaucoup d'autres choses ͜aussi.
Oui, il t'en faudra un pour te conduire à la gare—
Voilà maman et papa qui descendent. Tu ne leur ͜as
pas ͜encore dit, Georges ?** '

G. D. ' **Non, pas encore. Je m'en vais leur dire
tout de suite. Pauvre maman ! Pauvre papa ! Je
n'aime pas les quitter comme ça, mais il le faut. Oh
que je les aime, que je les aime. Bonjour, maman !
Bonjour, papa !** '

The Mother. ' **Mais qu'est-ce que tu as, Georges ?**

---

¹ My father, that hero with so gentle a smile,
Followed by a single hussar, whom he loved among all
For his great bravery and for his tall form,
Was scouring, on horseback, the evening of a battle,
The field covered with dead on whom the night was falling.
He seemed in the shadow to hear a feeble noise.
It was a Spaniard of the army in flight (retreat)
Who was dragging himself, bleeding, along the border of the way,
Gasping, broken, livid and more than half dead,
And who was saying : ' (Give me) To drink, to drink, for pity's sake.'

² My father, moved, held out to his faithful hussar
A gourd of rum which was hanging at his saddle,
And said : ' Here, give (something) to drink to this poor **wounded**
(one).'
Suddenly, at the moment where the hussar, bent down,
Leaned himself towards him, the man, a kind of Moor,
Seized a pistol which he was grasping still,
And aimed at my father's forehead, crying, ' Caramba ! '
The shot (blow) passed so near that the hat fell (off),
And that the horse made (gave) a start backwards.
' Give him, all the same, (something) to drink,' said my father.

This poem should be committed to memory, for it contains useful
words and constructions.

Tu trembles. Tu pleures. **Je vois des larmes** (tears, feminine). **Tu——'**

G. D. '**Maman! Je pars. Je pars demain matin, de bonne heure, pour le front! Je——'** (recovering himself). '**Mais, n'aie pas peur. Tout ira bien** (*Future*: will go). **Il n'y aura pas de danger. Je t'écrirai une lettre trois fois** (times) **par semaine pour te rassurer** (in order to reassure you). **Ne t'inquiète pas, maman.** ('**S'inquiéter**' means 'to disturb oneself,' 'to become uneasy.') **Papa a été soldat, n'est-ce pas, papa?'**

The Father (with twinkling eyes). '**Je te crois!** (meaning 'You bet!' or 'Rather!') **Je me rappelle qu'un jour j'ai fait moi-même six prisonniers. Six! Nom d'un nom!** (exclamation). **Si nous avions été préparés** (if we had been prepared) **nous les aurions repoussés** (we should have pushed them back; '**repousser**' means 'to push back') **jusqu'à Berlin. Ils avaient bien peur de nous à ce temps-là!** (at that time). **Et toi, tu pars, hein?** ('Hein' is an interrogative exclamation; it is a purely nasal 'ein.') **Je voudrais bien t'accompagner, mais, à l'âge de soixante-six ans, on ne peut faire que très peu. Ta mère ne me permettrait pas, d'ailleurs'** (moreover, besides).

The Mother (smiling). '**Si tu voulais y aller, je ne te défendrais pas.**' ('Défendre' means 'to forbid' and 'to defend.')

The Father (kindly). '**Mais non, mais non. On n'a pas besoin** (want) **des vieux** (old ones) **comme moi. As-tu tout ce qu'il te faut, Georges?'**

G. D. '**Oh, oui, papa.**'

The Father. '**Quand tu auras besoin d'un peu d'argent il faudra me le dire. Tu comprends?'**

G. D. '**Je ne sais pas comment te remercier, papa.**'

The Father. '**Ça va bien. Ça va bien. Tu nous écriras** (*Future*) **de temps à autre** (from one time to another), **n'est-ce pas?'**

G. D. '**Certainement! J'ai déjà promis** (promised, from '**promettre**,' 'to promise') **à maman de lui écrire trois fois par semaine.**'

The Mother. '**As-tu commandé** (ordered; '**commander**' means 'to order') **un taxi?'**

G. D. '**Oui, maman. Tu viendras à la gare?'**

The Mother. '**Naturellement!**'

The Father. '**Moi aussi, je viendrai.**'

CHAPTER VII

La Cinquième Leçon

To complete the verb we have now to learn the Subjunctive Mood and its uses, and the Imperative. The former is employed in subordinate sentences chiefly when we wish to express doubt or uncertainty.

It is used after certain verbs, such as 'Douter que,' 'Désirer que,' 'Craindre que,' 'Il faut que,' 'Il importe que,' etc.; and after certain conjunctions, such as: 'Afin que,' 'Bien que,' 'Pour que,' 'Quoique,' 'Soit que,' etc.

Read the following list; as I have previously remarked, it is altogether an unnecessary labour, on the student's part, to learn it by heart. The various forms can be most easily mastered by committing to memory numbers of phrases which contain them, such as will be found in the conversation lessons. Each of the sentences in these conversation lessons may be altered to suit the convenience of the student, and he will be able to construct hundreds of others by substituting other nouns, other adjectives, other verbs, and so on, indefinitely.

SUBJUNCTIVE MOOD

Parler

Que je parle (*that I may speak*), que tu parles, qu'il parle; que nous parlions, que vous parliez, qu'ils parlent.

Finir

Que je finisse, que tu finisses, qu'il finisse; que nous finissions, que vous finissiez, qu'ils finissent.

Recevoir

Que je reçoive, que tu reçoives, qu'il reçoive; que nous recevions, que vous receviez, qu'ils reçoivent.

Vendre

Que je vende, que tu vendes, qu'il vende; que nous vendions, que vous vendiez, qu'ils vendent.

Avoir

Que j'aie, que tu aies, qu'il ait ; que nous ayons, que vous ayez, qu'ils aient.

Être

Que je sois, que tu sois, qu'il soit ; que nous soyons, que vous soyez, qu'ils soient.

Aller

Que j'aille, que tu ailles, qu'il aille ; que nous allions, que vous alliez, qu'ils aillent.

Envoyer

Que j'envoie, que tu envoies, qu'il envoie ; que nous envoyions, que vous envoyiez, qu'ils envoient.

Asseoir

Que je m'asseye, que tu t'asseyes, qu'il s'asseye ; que nous nous asseyions, que vous vous asseyiez, qu'ils s'asseyent.

Boire

Que je boive, que tu boives, qu'il boive ; que nous buvions, que **vous** buviez, qu'ils boivent.

Conduire

Que je conduise, que tu conduises, qu'il conduise ; que nous conduisions, que vous conduisiez, qu'ils conduisent.

Connaître

Que je connaisse, que tu connaisses, qu'il connaisse ; que **nous** connaissions, que vous connaissiez, qu'ils connaissent.

Courir

Que je coure, que tu coures, qu'il coure ; que nous courions, que **vous** couriez, qu'ils courent.

Craindre

Que je craigne, que tu craignes, qu'il craigne ; que nous craignions, que vous craigniez, qu'ils craignent.

Croire

Que je croie, que tu croies, qu'il croie ; que nous croyions, que **vous** croyiez, qu'ils croient.

Devoir

Que je doive, que tu doives, qu'il doive ; que nous devions, que **vous** deviez, qu'ils doivent.

Dire

Que je dise, que tu dises, qu'il dise ; que nous disions, que vous disiez, qu'ils disent.

Écrire

Que j'écrive, que tu écrives, qu'il écrive ; que nous écrivions, que vous écriviez, qu'ils écrivent.

Faire

Que je fasse, que tu fasses, qu'il fasse ; que nous fassions, que vous fassiez, qu'ils fassent.

Falloir

Qu'il faille.

Fuir

Que je fuie, que tu fuies, qu'il fuie ; que nous fuyions, que vous fuyiez, qu'ils fuient.

Lire

Que je lise, que tu lises, qu'il lise ; que nous lisions, que vous lisiez, qu'ils lisent.

Mettre

Que je mette, que tu mettes, qu'il mette ; que nous mettions, que vous mettiez, qu'ils mettent.

Mourir

Que je meure, que tu meures, qu'il meure ; que nous mourions, que vous mouriez, qu'ils meurent.

Ouvrir

Que j'ouvre, que tu ouvres, qu'il ouvre ; que nous ouvrions, que vous ouvriez, qu'ils ouvrent.

Plaire

Que je plaise, que tu plaises, qu'il plaise ; que nous plaisions, que vous plaisiez, qu'ils plaisent.

Pleuvoir

Qu'il pleuve.

Pouvoir

Que je puisse, que tu puisses, qu'il puisse ; que nous puissions, que vous puissiez, qu'ils puissent.

Prendre

Que je prenne, que tu prennes, qu'il prenne ; que nous prenions, que vous preniez, qu'ils prennent.

Rire

Que je rie, que tu ries, qu'il rie ; que nous riions, que vous riiez, qu'ils rient.

Savoir

Que je sache, que tu saches, qu'il sache ; que nous sachions, que vous sachiez, qu'ils sachent.

Suffire (*to suffice*)

Que je suffise, que tu suffises, qu'il suffise ; que nous suffisions, que vous suffisiez, qu'ils suffisent.

Suivre

Que je suive, que tu suives, qu'il suive ; que nous suivions, que vous suiviez, qu'ils suivent.

Valoir

Que je vaille, que tu vailles, qu'il vaille ; que nous valions, que vous valiez, qu'ils vaillent.

Venir

Que je vienne, que tu viennes, qu'il vienne ; que nous venions, que vous veniez, qu'ils viennent.

Vivre

Que je vive, que tu vives, qu'il vive ; que nous vivions, que vous viviez, qu'ils vivent.

Voir

Que je voie, que tu voies, qu'il voie ; que nous voyions, que vous voyiez, qu'ils voient.

Vouloir

Que je veuille, que tu veuilles, qu'il veuille ; que nous voulions, que vous vouliez, qu'ils veuillent.

The Imperative is that form of the verb which we use in giving orders and commands.

The Regular forms are as follows—

Parler

Parle	= *Speak (thou)*
Qu'il parle	= *Let him speak*
Parlons	= *Let us speak*
Parlez	= *Speak (you)*
Qu'ils parlent	= *Let them speak*

Finir

Finis	= *Finish (thou)*
Qu'il finisse	= *Let him finish*
Finissons	= *Let us finish*
Finissez	= *Finish (you)*
Qu'ils finissent	= *Let them finish*

Recevoir

Reçois	= *Receive (thou)*
Qu'il reçoive	= *Let him receive*
Recevons	= *Let us receive*
Recevez	= *Receive (you)*
Qu'ils reçoivent	= *Let them receive*

Vendre

Vends	= *Sell (thou)*
Qu'il vende	= *Let him sell*
Vendons	= *Let us sell*
Vendez	= *Sell (you)*
Qu'ils vendent	= *Let them sell*

Avoir		*Être*	
Aie	= *Have (thou)*	Sois	= *Be (thou)*
Qu'il ait	= *Let him have*	Qu'il soit	= *Let him (it) be*
Ayons	= *Let us have*	Soyons	= *Let us be*
Ayez	= *Have (you)*	Soyez	= *Be (you)*
Qu'ils aient	= *Let them have*	Qu'ils soient	= *Let them be*

The most common Irregular forms are—

Aller : Va, qu'il aille ; allons, allez, qu'ils aillent.
Envoyer : Envoie, qu'il envoie ; envoyons, envoyez, qu'ils envoient.
Dormir : Dors, qu'il dorme ; dormons, dormez, qu'ils dorment.
Tenir : tiens, qu'il tienne ; tenons, tenez, qu'ils tiennent.
Courir : Cours, qu'il coure ; courons, courez, qu'ils courent.
Sentir : Sens, qu'il sente ; sentons, sentez, qu'ils sentent.
Sortir : Sors, qu'il sorte ; sortons, sortez, qu'ils sortent.
Partir : Pars, qu'il parte ; partons, partez, qu'ils partent.
Servir : Sers, qu'il serve ; servons, servez, qu'ils servent.
Ouvrir : Ouvre, qu'il ouvre ; ouvrons, ouvrez, qu'ils ouvrent.
Asseoir : Assieds-toi, qu'il s'asseye ; asseyons-nous, asseyez-vous, qu'ils s'asseyent.
Voir : Vois, qu'il voie ; voyons, voyez, qu'ils voient.
Savoir : Sache, qu'il sache ; sachons, sachez, qu'ils sachent.
Boire : Bois, qu'il boive ; buvons, buvez, qu'ils boivent.
Croire : Crois, qu'il croie ; croyons, croyez, qu'ils croient.
Rompre (*to break*) : Romps, qu'il rompe ; rompons, rompez, qu'ils rompent.
Faire : Fais, qu'il fasse ; faisons, faites, qu'ils fassent.
Dire : Dis, qu'il dise ; disons, dites, qu'ils disent.
Lire : Lis, qu'il lise ; lisons, lisez, qu'ils lisent.
Rire : Ris, qu'il rie ; rions, riez, qu'ils rient.
Écrire : Écris, qu'il écrive ; écrivons, écrivez, qu'ils écrivent.
Conduire : Conduis, qu'il conduise ; conduisons, conduisez, qu'ils conduisent.
Joindre (*to join*) : Joins, qu'il joigne ; joignons, joignez, qu'ils joignent.
Prendre : Prends, qu'il prenne ; prenons, prenez, qu'ils prennent.
Connaître : Connais, qu'il connaisse ; connaissons, connaissez, qu'ils connaissent.
Battre : Bats, qu'il batte ; battons, battez, qu'ils battent.
Suivre : Suis, qu'il suive ; suivons, suivez, qu'ils suivent.
Vivre : Vis, qu'il vive ; vivons, vivez, qu'ils vivent.

Let us now consider the Adverb, Preposition, and Conjunction.

The principal adverbs, many of which we have already used, are—

Ailleurs	= *Elsewhere*	Autour	= *Around*
Dedans	= *Inside*	Dehors	= *Outside*
Derrière	= *Behind*	Dessus	= *Above*
Dessous	= *Below*	Là	= *There*

Ici	= Here	Partout	= Everywhere
Loin	= Far	Aujourd'hui	= Today
Alors	= Then	Aussitôt	= As soon
Auparavant	= Previously	Cependant	= However
Autrefois	= Formerly	Demain	= Tomorrow
Bientôt	= Soon	Désormais	= Henceforth
Déjà	= Already	Enfin	= At last
Depuis	= Since	Hier	= Yesterday
Dorénavant	= For the future	Jamais	= Never
Ensuite	= Afterwards	Parfois	= Now and then
Jadis	= Once, formerly	Quelquefois	= Sometimes
Maintenant	= Now	Tantôt	= Presently
Quand	= When	Tard	= Late
Souvent	= Often	Assez	= Enough
Toujours	= Always	Combien	= How much, how many
Tôt	= Soon		
Beaucoup	= Much, many	Encore	= Yet, still
Davantage	= More	Même	= Even, same
Guère	= Hardly (with ne)	Peu	= Little
Moins	= Less	Quelque	= Some
Plus	= More	Tant	= So much, so many
Si	= So		
Tellement	= So much, so	Tout	= Quite
Très	= Very	Trop	= Too much, too many
Ainsi	= Thus		
Autant	= As much	Aussi	= As, also
Comment	= How	Bien	= Well
Exprès	= On purpose	Ensemble	= Together
Mal	= Badly	Fort	= Strong
Plutôt	= Rather	Pourquoi	= Why
Ne	= (Negative)	Surtout	= Above all
Nullement	= Not at all	Non	= No, not

A great many adjectives can be given an adverbial meaning by the addition of '-ment' to the feminine form, with occasional exceptions.

There are also adverbial phrases, with some of which we are already acquainted—

À peu près	= Nearly, about, just about
Après-demain	= The day after tomorrow
Avant-hier	= The day before yesterday
À présent	= At present
À propos	= Aptly, fittingly
D'abord	= Firstly, at the outset
De nouveau	= Again, anew
De suite	= One after another, running [1]
En avant	= Forward
En même temps	= At the same time
Pas du tout	= Not at all
Peu à peu	= Little by little

---

[1] Deux jours de suite (Two days running).

Pour ainsi dire	=	*So to speak*
Sans cesse	=	*Without stopping,* **unceasingly**
Sans doute	=	*Without doubt*
Tour à tour	=	*By turns*
Tout à coup	=	*Suddenly*
Tout à fait	=	*Quite*
Tout à l'heure	=	*Just now*
Tout au plus	=	*At the very most*
Tout de suite	=	*At once, immediately*

In addition to these there are also 'ne —— que,' 'ne —— pas,' 'ne —— point,' 'ne —— jamais,' etc., which have been employed in past conversation lessons.

The principal Prepositions are—

À	=	*To, at*	Après	=	*After*
Avant	=	*Before (time)*	Avec	=	*With*
Chez	=	*To, at (the place of)*	Contre	=	*Against*
			De	=	*Of, from*
Dans	=	*In*	Derrière	=	*Behind*
Depuis	=	*Since*	Devant	=	*Before (place)*
Dès	=	*From, since, etc.*	En	=	*In*
Durant	=	*During*	Envers	=	*Towards*
Entre	=	*Between, among*	Hormis	=	*But, except*
Excepté	=	*Excepting*	Malgré	=	*In spite of*
Hors	=	*Out*	Outre	=	*Besides, further*
Par	=	*By*	Parmi	=	*Among*
Pendant	=	*During, whilst*	Pour	=	*For*
Sans	=	*Without*	Sauf	=	*Except*
Selon	=	*According to*	Sous	=	*Under*
Suivant	=	*According to*	Sur	=	*On*
Vers	=	*Towards*	Voici	=	*Here is*
Voilà	=	*There is*	À cause de	=	*Because of*
À côté de	=	*At the side of*	Afin de	=	*In order to*
À travers	=	*Through*	Au-dessous de	=	*Underneath*
Au dessus de	=	*Above*	Au-devant de	=	*Before*
Au lieu de	=	*Instead of*	Au-milieu de	=	*In the middle of*
Auprès de	=	*Near*	Autour de	=	*Around*
De peur de	=	*From fear of*	En dépit de	=	*In spite of*
En face de	=	*Before, opposite*	Grâce à	=	*Thanks to*
Jusqu'à	=	*Until, up to*	Le long de	=	*All along*
Loin de	=	*Far from*	Près de	=	*Near*
Quant à	=	*As for*	Vis-à-vis de	=	*Opposite*

The principal Conjunctions are—

Aussi	=	*As*	Tandis que	=	*Whilst*
Que	=	*That*	Car	=	*For*
Ni	=	*Neither, nor*	Et	=	*And*
Quand	=	*When*	Donc	=	*Then*
Si	=	*If*	Mais	=	*But*
Comme	=	*As, like*	Sinon	=	*If not*
À moins que	=	*Unless*	Afin que	=	*In order that*
Aussitôt que	=	*As soon as*	Après que	=	*After*

C'est-à-dire	= *That is to say*	Avant que	= *Before*
De sorte de	= *In such a way that*	Depuis que	= *Since*
		Parce que	= *Because*

The lists of words may seem rather formidable to the student at a casual glance, but a moment's observation will show him that he already knows more than half the words they contain, for the majority of them have been embodied in previous conversation lessons. The remainder can be learned as gradually as the student may desire.

He will have noticed that in certain tenses of some verbs the graphic accent is liable to change, as 'espérer,' 'espère.' This is the rule for such a change.

Verbs which have an ' é ' or an ' e ' in the last syllable but one of the infinitive (espérer, soulever[1]) change these to ' è ' before a mute syllable. We know already that a final unaccented ' e ' is mute in the parts of a verb ; hence we write ' espère,' ' soulève.'

In verbs like ' avancer ' (to advance) a cedilla is placed under the ' c ' in some of their forms in order to retain the ' s ' sound ; otherwise we should err by pronouncing it as a ' k ' (' avançons ').

Similarly, in order to retain the ' g ' sound (' s ' in ' leisure ') in verbs like ' manger,' where this letter would be in danger of taking the sound of ' g ' in ' gone,' we add an ' e ' thus : ' mangeai,' ' mangeons.'

Verbs ending in ' eler,' ' eter,' as we have seen, double the ' l ' and ' t ' before the ' e ' mute.

' Appeler,' ' appelle ' ; ' jeter,' *to throw*, ' jette.'

Sometimes ' y ' changes to ' i ' ; this is best learned from the foregoing lists of tenses.

The word ' not ' is, translated into French, ' ne,' which is more precise when combined with ' pas,' or with ' point,' which is more emphatic.

' Ne —— jamais ' signifies, ' Not ever,' or simply ' Never,' as we have already learned.

Note the use of ' ne ' alone after a comparative—

' Il est plus sage que vous ne croyez.'
(*He is wiser than you think.*)

I have mentioned in a former lesson that some verbs are

---

[1] ' Soulever ' means ' To raise.' ' To stir up '

always followed by ' à,' some by ' de,' and some without a preposition, and that these are best learned by practice.

It may happen that a verb may be followed by ' à ' to express one meaning, and by ' de ' to express another.

The verb ' décider,' *to decide*, is such a one.

> ' J'ai décidé de vous accompagner.'
> (*I have decided to accompany you.*)

> ' Je l'ai décidé à m'accompagner.'
> (*I have decided [persuaded] him to accompany me.*)

Certain nouns in French which are spelled alike possess different meanings according to their gender. The most common are—

Masculine			*Feminine*		
Aide	=	*Helper*	Aide	=	*Assistance*
Enseigne	=	*Ensign (naval officer)*	Enseigne	=	*Sign-board*
Garde	=	*Guard, keeper*	Garde	=	*The Guard (as a body)*
Guide	=	*Guide (person)*	Guide	=	*Rein*
Livre	=	*Book*	Livre	=	*Pound (money ; weight)*
Manche	=	*Handle*	Manche	=	*Sleeve*
Mode	=	*Form, method*	Mode	=	*Fashion*
Moule	=	*Mould, model*	Moule	=	*Mussel*
Mousse	=	*Ship's boy*	Mousse	=	*Moss*
Office	=	*A church function*	Office	=	*Pantry*
Page	=	*Page-boy*	Page	=	*Page (of a book)*
Paillasse	=	*Clown*	Paillasse	=	*Mattress*
Pendule	=	*Pendulum*	Pendule	=	*Clock*
Physique	=	*Physique (human)*	Physique	=	*Physics*
Poêle	=	*Stove*	Poêle	=	*Frying-pan*
Poste	=	*Post, employment*	Poste	=	*Post-office*
Somme	=	*Sleep*	Somme	=	*Sum, total*
Tour	=	*Turn*	Tour	=	*Tower*
Vague	=	*Emptiness*	Vague	=	*Wave*
Vapeur	=	*Steamboat*	Vapeur	=	*Vapour*
Vase	=	*Vase*	Vase	=	*Slime*
Voile	=	*Veil*	Voile	=	*Sail*

These need not be learned all at once, but should be read over frequently in a loud tone ; while doing this the student should concentrate his thoughts upon the work.

Once you have mastered the sense of a French word or sentence, endeavour to disconnect it from the English rendering, and think only of the French method of expressing the idea.

Gradually, and almost subconsciously, you will catch yourself at unexpected moments in the act of speaking French without having first considered the English equivalent. This is the inevitable result of serious and continuous study.

I should advise you to select, from time to time, one of the sentences from the conversation lessons and vary it in all manner of ways.

Take, for instance, the sentence, ' Je vais à la gare ' (I am going to the station). You might play upon it as follows—

> Je vais à la gare
> J'allais à la gare
> J'allai à la gare
> Je suis allé à la gare
> J'irai à la gare
> J'irais à la gare
> Je voudrais aller à la gare
> J'ai l'intention d'aller à la gare

Here we have eight varieties. Eight more can be formed by the addition of the negative ' ne —— pas '; eight others by the addition of ' ne —— jamais,' and so on ; then each of these might be used interrogatively. The diligent student can give himself indefinite practice by this means. When using the negative in asking a question, note that ' ne ' is the first word of the sentence, and that ' pas ' (jamais, etc.) follows the pronoun. In the case of compound verbs ' pas ' (jamais, etc.) will lie between the auxiliary and the participle.

> Ne vais-je pas à la gare ?
> Ne suis-je pas allé à la gare ?
> N'ai-je pas l'intention d'aller à la gare ?

In addition to the above each of the pronouns, ' Tu,' ' Il,' ' Elle,' ' Nous,' ' Vous,' ' Ils,' and ' Elles ' could also be employed to increase the number of varieties, and other parts of speech might be introduced for the same purpose.

VOCABULARY

Courageux	= Courageous		De retour	= Returned, back again
Approcher	= To approach		La boussole	= Compass
Expliquer	= To explain		La figure	= Face
La ligne	= Line		Le nègre	= Negro
Les tranchées (f.)	= Trenches		Le Pas de Calais	= Strait of Dover
Ramper	= To crawl		Facile	= Easy
Déguiser	= To disguise			

Une échelle	=	A ladder	Emprunter	=	To borrow

Une échelle = *A ladder*
La proie = *Prey*
Debout = *Upright, standing*
La boue = *Mud*
Droit = *Straight*
Le chat = *Cat*
Un arbre = *A tree*
Tirer = *To pull, shoot*
Myope = *Short-sighted*
Éternuer = *To sneeze*
Rendre = *To render, give back*
La patte = *Paw, foot (animal)*
Noircir = *To blacken*
Les renseignements (m.) = *Information*
La cartouche = *Cartridge*
La main = *Hand*
Le pas = *Pace*
Le loup = *Wolf*
Facilement = *Easily*
À l'aide de = *With the help of*
Le rat = *Rat*
Rester = *To remain*
La mare = *Pool, puddle*
Arrêter = *To stop, arrest*
Le droit = *Law*
Le chien = *Dog*
Le buisson = *Bush*
Aveugle = *Blind*
Ronfler = *To snore*
Attraper = *To catch*
Bavarder = *To gossip, chat*
La paille = *Straw*
Le bruit = *Noise*
Courir = *To run*
Manquer = *To lack, miss*
Posséder = *To possess*
La croix = *Cross*
Accepter = *To accept*
Le clair de lune = *Moonlight*
Gris foncé = *Dark grey*
Les ordures = *Rubbish*
Contenir = *To contain*
Une espèce = *A kind, species*
Le cadavre = *Corpse*
Sain = *Healthy*
Chaque = *Each*
Éviter = *To avoid*
Poltron = *Coward (noun)*
Réparer = *To repair*

Emprunter = *To borrow*
Aboyer = *To bark*
Un hibou = *An owl*
Un âne = *A donkey*
Le foin = *Hay*
Se reposer = *To rest, lie down*
Siffler = *To whistle*
Le lièvre = *Hare*
Tourner = *To turn*
Fonctionner = *To work, go, operate*
La médaille = *Medal*
Le brancardier = *Stretcher-bearer*
Sentir = *To feel, smell*
Bleu foncé = *Dark blue*
Le fumier = *Manure*
La pourriture = *Rottenness*
Le cœur = *Heart*
Malsain = *Unhealthy*
La fièvre = *Fever*
Lâche = *Coward (adj. and noun)*
Sombre = *Dark, gloomy*
La manche = *Sleeve*
Prêter = *To lend*
Huer = *To hoot*
La journée = *Day, day-time*
Hennir = *To neigh*
Le hennissement = *The neighing*
Le braîment = *The braying*
Le coq = *Cock*
Le poulet = *Chicken*
La chanson = *Song*
Le bout = *End*
Une infirmière = *A nurse (hospital)*
Ridicule = *Ridiculous*
La blessure = *Wound*
Subir = *To undergo*
La santé = *Health*
Le médecin = *Doctor*
Libre = *Free*
Indiscret = *Indiscreet*
Écarter = *To turn away, keep away*
Un paysan = *A peasant*
En écharpe = *In a sling*
Le lac = *Lake*
Commode = *Comfortable, convenient*
Raffoler de = *To be passionately fond of*

Instruire	=	*To instruct*
Cueillir	=	*To gather*
Le muguet	=	*Lily-of-the-valley*
Braire	=	*To bray*
La ferme	=	*Farm*
La poule	=	*Hen*
Chanter	=	*To sing*
Expliquer	=	*To explain*
La force	=	*Force*
Ennuyer	=	*To tire, bore*
Blesser	=	*To wound*
Malade	=	*Ill*
L'anxiété (f.)	=	*Anxiety*
La médecine	=	*Medicine*
L'hôpital (m.)	=	*Hospital*
La liberté	=	*Liberty*
Un inconvénient	=	*Inconvenience*
Causer	=	*To talk, converse*
Une paysanne	=	*Peasant*
La fougère	=	*Fern*
Un endroit	=	*Spot, place*
Ressembler	=	*To resemble*
Entourer	=	*To surround*
Instruit	=	*Learned, clever*
La feuille	=	*Leaf*
La primevère	=	*Primrose*
La pensée	=	*Pansy*
La jacinthe	=	*Hyacinth*
Le merle	=	*Blackbird*
L'aigle (m.)	=	*Eagle*
Le lapin	=	*Rabbit*
Le villageois	=	*Villager*
L'écureuil	=	*Squirrel* (m.)
La montagne	=	*Mountain*
La vallée	=	*Valley*
La forêt	=	*Forest*
Le ruisseau	=	*Stream, brook*
Créer	=	*To create*
Méchant	=	*Naughty*
Apprendre	=	*To learn*
La main	=	*Hand*
Écraser	=	*To crush*
Court	=	*Short*
Triste	=	*Sad*
Entêté	=	*Obstinate*
Le peuple	=	*The people*
En vouloir à	=	*To have a grudge against*
La vitesse	=	*Speed, quickness*
Je me trompe	=	*I am mistaken*

Des bonnes nouvelles	=	*Good news*
Le lis	=	*Lily* (' s ' pron.)
La branche	=	*Branch*
L'alouette (f.)	=	*Lark*
La chasse	=	*Hunting*
Le lièvre	=	*Hare*
Le tronc	=	*Trunk (tree)*
La queue	=	*Tail*
La colline	=	*Hill*
Le bois	=	*Wood*
Le fleuve	=	*River*
La plaine	=	*Plain*
L'église (f.)	=	*Church*
Religieux	=	*Religious*
La vérité	=	*Truth*
Embrasser	=	*To embrace, kiss*
Jeune	=	*Young*
Le lendemain	=	*The morrow, day after*
Pourtant	=	*Yet, still, however*
Se soulever	=	*To rise up (revolt)*
Les provisions (f.)	=	*Stores*
Indiquer	=	*To indicate*
Se tromper	=	*To be mistaken*
Agiter	=	*To wave, shake, agitate*
Une permission	=	*Furlough, leave*
Féliciter	=	*To congratulate*
L'école (f.)	=	*School*
Le lion	=	*Lion*
Un ours	=	*A bear*
Le serpent	=	*Snake*
La chaleur	=	*Heat*
Supporter	=	*To support, bear, stand*
Boiteux	=	*Lame*
Arriver	=	*To arrive, happen*
Le feu	=	*Fire*
Le détail	=	*Detail*
Le journal	=	*Newspaper*
Paresseux	=	*Lazy*
Le regret	=	*Regret*
Le présent	=	*The present*
Le dommage	=	*Pity, damage*
Avertir	=	*To forewarn*
Emprunter	=	*To borrow*
Conseiller	=	*To advise*
Déranger	=	*To disturb, inconvenience*

Une classe	= *Class*	Le papier	= *Paper*
Le tigre	= *Tiger*	S'occuper	= *To occupy one-self*
Le singe	= *Monkey*		
L'éléphant (m.)	= *Elephant*	Le passé	= *The past*
Le froid	= *Cold, coldness*	L'avenir (m.)	= *The future*
Aveugle	= *Blind*	Prévenir	= *To forewarn*
Boiter	= *To limp*	Expédier	= *To dispatch, send*
Couper	= *To cut*		
Perdre	= *To lose*	Prêter	= *To lend*
Guérir	= *To cure, heal*	La pensée	= *Thought; pansy*

CONVERSATION

The Commanding Officer.   '**Quand est-ce que vous êtes arrivé ?** '

G. D. '**Il y a trois semaines, mon commandant.**'

The C.O.   '**Et vous n'avez encore rien fait, je crois.**'

G. D. '**J'ai interrogé une douzaine de prisonniers la semaine passée, mon commandant. Voilà tout ce que j'ai fait jusqu'à présent.**'

The C.O. (thinking). '**Voudriez-vous faire quelque chose de dangereux ?** ' (something dangerous).

G. D. '**Je suis à vos ordres.**'

The C.O. '**Il me faut un homme intelligent et courageux. Je vous expliquerai ce qu'il aura à faire. Il s'agit de s'approcher des lignes allemandes** (German lines) **à deux cents mètres de nos tranchées** (from our trenches) **pour écouter la conversation de l'ennemi. Est-ce que ça vous dit quelque chose ?** ' (Does that appeal to you?)

G. D. '**Oh oui, j'irai volontiers** (willingly). **Il faut y aller la nuit, naturellement.**'

The C.O. '**Naturellement. Vous comprenez l'allemand, n'est-ce pas ?** '

G. D. '**Oui, mon commandant.**'

The C.O. '**Le capitaine Bernard m'a dit hier que vous lui avez rendu des services et que vous êtes un homme intelligent, diligent, et, en même temps** (at the same time) **courageux. C'est pourquoi je vous ai fait venir** (I had you come, I sent for you). **Dites-moi, comment est-ce que vous allez vous approcher des lignes ennemies ?** '

G. D. '**En rampant** (crawling), **mon commandant.**'

The C.O. '**Très bien. Oui, il vous faudra y aller à quatre pattes** (four paws, on all fours). **En outre** (further), **vous allez vous déguiser un peu** (disguise yourself a little), **n'est-ce pas ? '**

G. D. ' **Oui, mon commandant. Je me noircirai la figure et les mains** (face and hands, feminine) **pour ne pas être vu** (so as not to be seen). **A quelle heure faut-il que je parte ? '** (*subjunctive* with ' il faut ').

The C.O. ' **Il faut que vous partiez à neuf heures. Comme ça, vous serez de retour** (back again) **vers** (towards) **deux heures du matin. Tâchez** (endeavour) **d'obtenir autant de renseignements** (information) **que possible. Il est, je crois, inutile de vous dire qu'il s'agit de votre vie '** (it is a question of your life).

G. D. ' **Je le sais, mon commandant.'**

The C.O. ' **Très bien. Je vous attendrai ici vers deux heures du matin.'**

* * * * *

G. D. (in the trenches at nine o'clock). ' **Est-ce que j'ai tout ce qu'il me faut ? Voici ma boussole** (compass), **mon revolver et des cartouches** (cartridges, feminine). **Ma figure et mes mains sont aussi noires que celles d'un nègre** (as those of a negro). **J'admets que j'ai peur, mais comme j'ai mon devoir** (duty) **à remplir** (fulfil), **il faut que je le fasse** (*subjunctive* ; it is necessary that I do it ; I must do it). **La distance d'ici aux tranchées allemandes n'est pas grande, mais il me faut aller tout tranquillement et à pas de loup** (stealthily, silently). **Bon ! Neuf heures juste** (adverb). **Ce parapet est haut, mais je pourrai y monter** (ascend) **facilement** (easily) **à l'aide** (with the help) **de cette échelle** (ladder). **Ça va bien. Me voici à plat ventre** (flat on the ground ; ' ventre ' means ' belly '). **Oh, qu'est-ce que c'est que ça ? Que je suis stupide ! Ce n'était qu'un rat** (only a rat). **Il ne faut pas avoir peur de ces animaux-là. C'est que j'ai l'air d'un tigre** (tiger) **qui suit** (follows) **sa proie** (prey). **Je n'aime pas du tout cette manière de marcher. Je préférerais rester debout** (remain upright). **Heureusement pour moi, il fait nuit. J'ai les bras** (arms) **tout à fait mouillés. Voici une mare** (puddle) **dont j'ignorais l'existence** (of which I knew not the existence). **Voici de la boue** (mud) **à présent. Ça ne fait rien. Il s'agit de continuer comme ça jusqu'aux lignes ennemies sans m'arrêter. La nuit passée il faisait**

clair de lune (moonlight), mais ce soir le ciel (sky)
est couvert (covered, cloudy). Je voudrais bien savoir
ce qui se passe (is happening) chez moi, à ce moment.
Je n'ai pas reçu de lettres depuis quatre jours. Il y
en aura pour moi demain matin peut-être. Cependant,
je ne devrais pas me plaindre (' se plaindre ' means ' to
complain ') puisqu'il y en a d'autres (there are others)
qui n'en ont pas reçu non plus (who haven't received
any either). Mais ça sent mauvais ici. Oh, que ça sent
mauvais (smells bad). C'est insupportable. Je vois
quelque chose dans l'ombre (in the shadow) de très
indistinct, d'un gris foncé (dark grey). C'est évidemment ça qui sent si mauvais. Est-ce que c'est un tas
(heap) d'ordures (rubbish, muck, feminine plural) ou un
tas de fumier (manure, masculine). Je verrai bientôt.
Voilà encore de l'eau qui contient (contains) toute
espèce (kind) de pourriture (rottenness) ; mais ce
n'est pas ça qui sent mauvais, c'est le cadavre (corpse)
d'un Allemand. Ça me donne mal au cœur (makes me
sick). C'est dommage (pity) qu'on ne puisse pas
enterrer (to bury) tous les morts immédiatement
après chaque bataille (after each battle ; ' puisse ' is
subjunctive after ' c'est dommage ' ; the subjunctive is
also employed after impersonal expressions). C'est très
malsain (unhealthy). Il faudrait qu'on le fasse pour
éviter les fièvres (to avoid fevers, feminine). C'est drôle,
mais je ne peux pas encore distinguer les tranchées
allemandes. Je ne sais pas du tout où je suis. Où
est la boussole ? Et la petite lampe électrique, où
est-elle ? Ah, les voici. Voyons. Si je vais tout droit
(straight on), j'y arriverai. Bon, je continue. Mais çes
rats sont énormes. Il doivent être presque aussi gros
(big) que des chats. En voilà un qui mord (bites)
comme un chien (dog). Ah, voilà des arbres (trees)
et des buissons (bushes). Maintenant je sais où je suis.
J'irai un peu plus loin, doucement, tout doucement
(softly). Je n'entends rien. J'irai un peu plus loin
encore. Le commandant m'a dit que la distance entre
nos lignes et celles de l'ennemi était de deux cents
mètres, mais elle me semble bien plus grande que ça.
N'importe, j'irai un peu plus—! Oh ! M'a-t-il vu ?
S'il m'a vu, il va tirer (to shoot) immédiatement. Bon,
il ne tire pas. Donc, il ne m'a pas vu. Il doit être ou

aveugle (blind) **ou myope** (short-sighted). **J'ai de la chance** (luck), **il n'y a pas à dire. Écoutons !** (let's listen). **J'entends quelqu'un qui ronfle** (snores, is snoring). **En voilà un autre qui éternue** (sneezes). **J'entends—! Ça y est** (that's it, that's right). **Voilà des gens** (people)[1] **qui sont en train de** (in the act of) **bavarder** (to gossip). **Si j'allais un peu plus loin, je les entendrais mieux** (better). **Quelle chance ! Voici du foin** (hay). **Non, c'est de la paille** (straw). **Je vais me reposer ici tout doucement** (gently). **Il faut que je reste** (*subjunctive*) **tout à fait tranquille, pour ne pas être entendu. Il ne faut faire aucun bruit** (not any noise). **La tête** (head) **ici, les pieds** (feet) **là. Ça y est !** '

*   *   *   *   *

G. D. (an hour later). ' **Ça va très bien. J'en sais assez. Comme il serait inutile de rester plus longtemps, je m'en vais pour raconter au commandant tout ce que j'ai entendu** dire. **Il sera content de ce que j'ai fait. Je l'espère du moins** (I hope so at least). **Ce que je n'aime pas, c'est qu'il me faut retourner de la même manière, c'est à dire, en rampant. En outre, en passant tout près** (near) **de ce cadavre, j'aurai mal au cœur de nouveau. Les grands philosophes** (philosophers) **admettent que la guerre est terrible, mais ils disent que c'est tout de même nécessaire. Je me souviendrai de cette nuit jusqu'à la fin de ma vie. Le moindre** (least) **bruit me fait peur. S'ils avaient su qu'il y avait quelqu'un de l'autre côté du parapet, je suis sûr qu'ils n'auraient pas parlé si haut** (so loudly). **Ils croient peut-être que tous les Français sont lâches** (cowardly), **et qu'ils n'auraient pas le courage de s'approcher de leurs lignes quand il fait nuit, mais, s'ils croient ça, ils se trompent** (deceive themselves). **Nous Français, nous ne sommes pas des poltrons** (cowards). **Il me semble qu'il fait de plus en plus sombre** (darker and darker). **On ne distingue rien. Holà ! Voici des réseaux barbelés** (barbed wires) **que je n'ai pas vus en venant. Ils ont été complètement**

---

[1] The word ' gens ' is always used in the plural. An adjective preceding it must be used in the feminine : ' Ce sont de bonnes gens ' = *These are good people.* But ' Les gens vertueux ' (masculine) = *The virtuous people*, the adjective follows.

détruits par le bombardement d'il y a trois jours (of three days ago) et l'on n'a pas ‿eu le temps de les réparer. Seulement, le passage n'est pas facile. Ah, j'ai déchiré la manche (sleeve) de ma tunique. Ce qui est embêtant (tiresome, annoying) c'est que c'est la seule que je possède (only one I possess). Si j'en ‿avais ‿une autre, je ne dirais rien. Il me faudra en emprunter une (borrow one of them). J'ai un ami là-bas (yonder) qui m'en prêtera une, si je le lui demande (if I ask to him). Je n'aurai qu'à lui demander et il m'en ‿offrira une dizaine (half a score, ten). Ah, voilà un chien qui aboie (barks). En voilà d'autres. Ils font la chasse (chase, hunt) aux rats. Ça les ‿amuse (that amuses them). On entend la nuit ce qu'on n'entend pas pendant la journée (daytime). Voilà un hibou qui hue. Voilà un âne qui commence à braire (to bray). J'entendrai bientôt, sans doute, le hennissement (neighing) d'un cheval. Pour qu'on se croie dans ‿une ferme (farm) il ne manque que le chant (song) du coq (cock). Oh, que c'est fatigant, à la fin (after all). Je dormirai (shall sleep) cette nuit comme je n'ai jamais dormi de ma vie. À vrai dire (to say truly, to tell the truth), il me semble, à certains moments, que je rêve, que tout ce que j'ai fait ce soir ne s'est passé que dans mon imagination. Mais non, ça ne peut pas ‿être. C'est difficile à expliquer (to explain) mais je—! Oh, zut! (Be blowed!) Me voilà tombé dans l'eau. Quel bruit! S'ils n'ont pas ‿entendu ce bruit-là! Pan! (imitation of firing). C'est sur moi qu'ils tirent (they are firing). Pan! En voilà un autre. Heureusement pour moi ils tirent trop haut. Eh bien, voilà la mitrailleuse (machine-gun) qui commence, mais qui tire toujours trop haut. Boum! Ça, c'est ‿un gros canon, c'est évident. Où est-ce que l'obus (shell) va tomber? Ça siffle (whistles) comme—! Cr-r-r-ac! Oh, merci, c'était trop près (too near) cette fois. Je ne veux pas rester ici comme ça, à plat ventre toute la nuit au milieu de ces éclats meurtriers (murderous bursts). Ah, non, par exemple. Je me lève. Un, deux, trois. Maintenant il me faut courir (run) comme un lièvre (hare). Pan! Pan! Pan! Trop haut, mes ‿amis. Pan! Voilà mon bras gauche (left arm) qui ne fonctionne plus (which doesn't work). Pan! Pan! Manqué (missed). Encore cinquante mètres, pas plus. Il m'ont blessé, ces vauriens (rogues). Mais après tout, ce n'est que le bras gauche. Pan! Pan! Manqué, messieurs. Encore trente mètres. Je n'ai pas encore l'intention de mourir (to die), je vous assure, messieurs les Allemands. Pan! Manqué. Pan! Pan! Pan! Ah! Ils ne m'ont pas manqué cette fois. C'est à l'épaule—mais ce n'est pas sérieux, je crois. Je suis épuisé. Pan! Ha, ha, ha! Manqué, messieurs. Oh, je ne peux plus courir. Je suis au bout de mes forces. (I'm at the end of my strength.) Voilà notre parapet. Le voilà! Je deviens de plus en plus faible (weak). Comment? Oui, c'est moi. Faites attention! je suis blessé—au bras—au bras—et à l'épaule! Je désire parler au commandant. Oui, c'est ça, au commandant. Pouvez-vous me donner—à boire? J'ai la tête—qui tourne—qui tourne. Ah, merci bien. Où est le— Ah, le voilà! Mon commandant, ils vont attaquer—à trois heures. Êtes-vous prêt? Tout est arrangé chez eux. Ils sont au nombre (to the number) de quatre mille. Oui, je suis blessé. Non, pas grand' chose. Ils ne possèdent (possess) que trois mitrailleuses dont une ne fonctionne pas très bien. À boire, s'il vous plaît. Qui? La Croix Rouge? (Red Cross). Où? Ah, oui, je vous remercie. Comment? Une médaille? Si vous croyez que le peu que j'ai pu (been able) faire vaut (is worth) une médaille, je l'accepterai avec grand plaisir. Oui, je suis très fatigué. Ah, voilà les brancardiers (stretcher-bearers). Je suis content d'avoir pu faire quelque chose pour la France. Au revoir, mes amis. Au revoir.'

* * * * *

G. D. (a fortnight later, convalescent). ' Je m'ennuie ici. Je voudrais m'en aller. Voilà deux semaines que je suis ici sans rien faire. Ils ne veulent pas que j'aille chez moi, parce qu'ils disent que je ne suis pas encore convalescent, ce qui est ridicule (ridiculous). Mes blessures (wounds) ne sont pas graves et je ne me sens pas malade (I don't feel ill). Si j'avais subi (undergone) une opération, je comprendrais très bien leur anxiété (anxiety). Mais ma santé est bonne et on me permet de faire des promenades tout seul. On me donne à manger ce que je demande, et on ne me donne pas de médecine, ce qui montre (shows) que je ne suis pas du tout malade. Ils veulent que je reste (*subjunctive*) ici à l'hôpital. C'est assez amusant mais je préférerais être chez moi. Ah, voilà l'infirmière (nurse). Comment ? Oh oui, j'aime bien m'asseoir ici au soleil ' (in the sun).

The Nurse. ' Il fait très beau cette après-midi, n'est-ce pas ? '

G. D. ' Oui, en effet. Qu'est-ce que vous allez faire ? Vous allez vous promener ? '

The Nurse. ' Oui, je suis libre (free). Je m'en vais m'asseoir toute seule au bord du lac ' (at the edge of the lake).

G. D. ' Toute seule ? '

The Nurse. ' C'est à dire, j'avais d'abord l'intention d'y aller toute seule, mais si——'

G. D. ' Je voudrais bien vous accompagner. Vous permettez ? '

The Nurse. ' C'est bien gentil de votre part. Oui, je veux bien. Mais, n'est-ce pas un peu indiscret ? ' (indiscreet).

G. D. ' Comment indiscret ? Je n'y vois point d'inconvénient ' (nothing against it).

The Nurse. ' Bon, je vous le permets à une seule condition.'

G. D. ' Laquelle ? '

The Nurse. ' Que vous n'en direz rien à personne ' (That you won't tell anybody.)

G. D. ' C'est entendu (understood). C'est convenu (agreed ; from ' convenir '). Allons ! '

The Nurse. ' Ça vous ennuie de rester ici sans rien faire ? '

G. D. ' Oui et non. Oui, parce que je préférerais aller chez moi pour revoir ma mère, mon père, et ma sœur ; non, parce que je me suis fait des amis ici.'

The Nurse. ' Ça m'étonne, puisque je ne vous vois jamais causer avec les autres. Vous vous écartez (keep away, turn away) toujours des autres.'

G. D. (quietly). ' J'aurais dû dire (I ought to have said, I should have said) que je me suis fait une amie ici.'

The Nurse (smiling). ' Oh, vraiment. Voilà des gens qui nous regardent.'

G. D. ' Qu'est-ce que ça fait ? (What does that matter ?)

Ce ne sont que des paysans (peasants). **En me regardant, ils se disent, "Voilà un pauvre blessé, qui porte le bras en écharpe"** (in a sling). **Mais quand ils vous voient—savez-vous ce qu'ils disent ?'**

The Nurse (looking away). '**Non. Regardez donc ces fleurs. Qu'elles sont belles !'**

G. D. (continuing). '**Savez-vous ce qu'ils disent ?'**

The Nurse. '**Qui ? Les fleurs ?'**

G. D. '**Non. Les paysans.'**

The Nurse. '**Oh, oui, je sais bien ce qu'ils disent entre eux** (amongst themselves) : "**Nous avons faim ; allons à la maison." Mais, voici le lac. Où est-ce que nous allons nous asseoir ?'**

G. D. '**Où est-ce que vous vous asseyez d'habitude ?'**

The Nurse. '**Là-bas, parmi les fougères**' (ferns).

G. D. '**Allons-y. Voici un endroit convenable** (a convenient spot). **Quelle vue magnifique !'** (What a magnificent view !)

The Nurse. '**N'est-ce pas ? On est très bien** (comfortable) **ici. Souvent, quand je n'ai rien d'autre à faire, je viens ici et je lis pendant des heures et des heures.'**

G. D. '**Qu'est-ce que vous lisez ?'**

The Nurse. '**Voici le livre que j'apporte toujours.'**

G. D. '**Ah, de la poésie. Vous ressemblez à ma sœur qui, elle aussi, aime la poésie. Qu'est-ce que vous lisez à présent ?'**

The Nurse. '**Des vers qui me plaisent beaucoup.'**

G. D. '**Est-ce que vous aurez la bonté de me les lire ?'** (to read them to me).

The Nurse. '**Si vous voulez :**

"Tout est muet, l'oiseau ne jette plus ses cris,
   La morne plaine est blanche au loin sous le ciel gris.
   Seuls, les grands corbeaux noirs qui vont cherchant leurs proies,
   Fouillent du bec la neige et tachent sa pâleur.
   Voilà qu'à l'horizon s'élève une clameur ;
   Elle approche, elle vient : c'est la tribu des oies.
   Ainsi qu'un trait lancé, toutes, le cou tendu,
   Allant toujours plus vite en leur vol éperdu,
   Passent, fouettant le vent de leur aile sifflante.
   Le guide qui conduit ces pèlerins des airs
   Delà les océans, les bois et les déserts,
   Comme pour exciter leur allure trop lente,
   De moment en moment jette son cri perçant.

Comme un double ruban la caravane ondoie,
Bruit étrangement, et par le ciel déploie
Son grand triangle ailé qui va s'élargissant.
Mais leurs frères captifs répandus dans la plaine,
Engourdis par le froid, cheminent gravement.
Un enfant en haillons en sifflant les promène,
Comme de lourds vaisseaux balancés lentement.
Ils entendent le cri de la tribu qui passe,
Ils érigent leur tête ; et, regardant s'enfuir
Les libres voyageurs au travers de l'espace,
Les captifs tout à coup se lèvent pour partir.
Ils agitent en vain leurs ailes impuissantes,
Et, dressés sur leurs pieds, sentent confusément,
A cet appel errant, se lever grandissantes
La liberté première au fond du cœur dormant,
La fièvre de l'espace et des tièdes rivages.
Dans les champs pleins de neige ils courent effarés,
Et, jetant par le ciel des cris désespérés,
Ils répondent longtemps à leurs frères sauvages." '

G. D. (admiringly). ' Vous l'avez très bien lu. On voit
bien que vous aimez la poésie.'

The Nurse. ' Ce que vous dites là est vrai. Je raffole
(I'm passionately fond) de la poésie. Et vous ? '

G. D. ' Moi aussi, je raffole de la poésie. Mais je
préfère étudier les sciences.'

The Nurse. ' Quelles sciences ? '

G. D. ' Les sciences naturelles et physiques.'

The Nurse. ' Alors, je vais vous poser des questions.
Dites-moi les noms de tous les arbres qui nous
entourent ' (which surround us).

G. D. (pointing). ' Bon. Voilà un chêne (oak), un
bouleau (birch), un peuplier (poplar), un orme (elm),
un cèdre (cedar), un hêtre (beech), un marronnier
(chestnut), un saule (willow), un frêne (ash), un sapin
(fir), un sycomore (sycamore), un érable (maple), un
tilleul (lime). Voilà les principaux arbres qui nous
entourent. Notez bien que chaque feuille (leaf) a une
forme spéciale.'

The Nurse. ' Vous êtes bien instruit (learned). Je
m'en vais cueillir (to gather) des fleurs. Voici des
muguets superbes (lilies-of-the-valley), des prime-
vères (primroses), des pensées (pansies), des lis (lilies)

---

¹ For literal translation see Appendix I. The student will be wise to
read this poem over scores of times, or even to commit it to memory.

et des jacinthes (hyacinths).   **Où est cet‿oiseau qui chante comme ça ? '**

G. D. (looking around).   ' **Comme il chante bien, cet‿ oiseau-là ! Je le cherche mais je ne le trouve pas. Où est-ce qu'il peut être ? '** (can be).

The Nurse (happily).   ' **Je le vois ! Je l'ai trouvé ! '**

G. D. (looking up).   ' **Je sais qu'il est là-haut, quelque part** (somewhere up there). **Montrez-le-moi.'**

The Nurse (pointing).   ' **Voyez-vous cette grande branche couverte de feuilles mortes ?   Non, pas celle-là—bien plus bas** (lower) **que ça. Vous la voyez ? '**

G. D.   ' **Oui, c'est cette branche-là que vous voulez dire '** (that you mean).

The Nurse.   ' **Oui. Il est là, l'oiseau, tout au bout de la branche.'**

G. D.   ' **Ah oui, je le vois maintenant. C'est un merle** (blackbird). **Voilà une alouette** (lark) **si haute dans le ciel** (in the sky) **qu'elle ne semble qu'un point** (only a point). **Voilà des moineaux** (sparrows). **Voilà une pie '** (magpie).

The Nurse.   ' **Est-ce que vous seriez étonné si je vous disais que j'avais vu un aigle ici ? '**

G. D.   ' **Non, puisque j'en ai vu aussi. Il y en a beaucoup dans cette partie de la France selon** (according to) **ce que disent les villageois** (villagers). **Tiens, voilà un lapin** (rabbit). **L'avez-vous vu ? '**

The Nurse.   ' **Non, je ne l'ai pas vu. Ils courent si vite, les lapins. Les villageois aiment bien la chasse** (game shooting). **Ils font la chasse aux lièvres** (hares) **surtout. Regardez là-bas sous l'arbre, tout près du tronc** (near the trunk). **C'est un petit‿écureuil** (squirrel). **Ils‿ont de belles queues** (tails), **les‿écureuils. Oh, que j'aime la nature ! J'aime les montagnes** (mountains), **les collines** (hills), **les vallées** (valleys), **les bois** (woods), **les forêts** (forests), **les lacs** (lakes), **les fleuves** (rivers), **les ruisseaux** (streams) **et les plaines** (plains). **Enfin, j'aime tout ce que le bon Dieu a créé '** (created).

G. D.   ' **Êtes-vous catholique ou protestante ? '**

The Nurse.   ' **Je suis catholique. Et vous ? '**

G. D.   ' **Je ne suis ni l'un ni l'autre.'**

The Nurse (horrified).   ' **Oh ! Vous ne croyez pas‿en Dieu, alors ? '** (You don't believe in God, then ?)

G. D. ' Si, si.[1] Je crois en Dieu, mais comme je vous dis, je ne suis ni catholique ni protestant. Je ne vais jamais à l'église, mais je crois en Dieu, tout de même. On peut être religieux sans aller à l'église.'

The Nurse. ' Que vous êtes méchant ! ' (naughty).

G. D. ' Je ne suis pas plus méchant que vous. Vous êtes fâchée contre moi (angry with me) parce que je ne vais jamais à l'église.'

The Nurse. ' Mais non, je ne suis pas fâchée.'

G. D. ' Vous en avez l'air, tout de même (you look like it, all the same), Mademoiselle ! '

The Nurse. ' Monsieur.'

G. D. ' Marguerite.'

The Nurse. ' Oh ! Comment avez-vous appris mon petit nom ? '

G. D. ' Je ne me rappelle pas. Marguerite, je vous aime. Je vous aime de tout mon cœur. Je ne peux pas vous dire pourquoi je vous aime, mais c'est la vérité. Donnez-moi votre main (hand) que je l'embrasse ' (that I may kiss it).

The Nurse. ' Non.'

G. D. ' Mais je vous aime. Depuis le moment où je suis entré à l'hôpital (hospital) je vous ai aimée. Si je ne vous aimais pas je ne vous parlerais pas ainsi. (If I didn't love you I should not speak to you thus.) Je voudrais que vous m'aimiez mais je vois que c'est impossible. Je vous ai dit tout ça en confidence, et j'espère que vous n'en direz rien à personne. Au revoir, mademoiselle.'

The Nurse (pouting). ' Vous vous en allez ? Je ne vous ai rien répondu.'

G. D. ' Pardon (excuse me). Vous m'avez répondu " Non " tout court (quite short) quand je vous ai demandé——'

The Nurse (looking away). ' La main ! La main ! '

G. D. ' Marguerite ! Vous m'aimez ? '

The Nurse (turning to him). ' Un tout petit peu (a quite little bit). Mais . . . Oh ! '

G. D. ' Dites-moi franchement (frankly) que vous m'aimez.'

---

[1] After a question in which a negative element appears, the word ' si ' is used instead of ' oui ' (yes).

The Nurse (sweetly). 'Georges, je vous‿aime. Je vous‿ai aimé depuis le moment où vous‿êtes‿entré à l'hôpital. Oui, je vous‿aime de tout mon cœur.'

G. D. 'Que je suis‿heureux ! Dites-moi, quel âge avez-vous ? '

The Nurse. 'Je suis très jeune (young), plus jeune que vous ne pensez. Je n'ai que vingt-deux ans. Il m'est‿inutile de demander votre âge puisque je le sais déjà.'

G. D. ' Comment le savez-vous ? '

The Nurse. 'Quand vous‿êtes‿entré à l'hôpital nous‿avons pris des renseignements (information) sur votre âge, votre lieu de naissance (birthplace), votre grade (rank), et ainsi de suite (and so forth). Nous‿ en‿avons tous les détails. Mais, Georges, il faut que je m'en aille. Allons ! Dites, il ne faut rien dire à personne, n'est-ce pas ? ' (say nothing to anybody).

G. D. 'Comme vous voulez. (As you wish.) On entend bien les coups de canon d'ici ' (the cannon-shots from here).

The Nurse. ' On les‿entend très bien quand il fait beau et quand il ne fait pas de vent. Le lendemain (day after) de votre arrivée nous‿avons‿entendu de formidables coups de canon. C'était‿une attaque de la part des‿Allemands qui a duré pendant vingt-quatre heures environ (about). Que c'est triste (sad), la guerre ? '

G. D. ' Mais, qu'est-ce que vous cherchez ? '

The Nurse (turning over the pages of her book). ' Je vais vous prêter ce livre pour que vous puissiez (sub-junctive after ' pour que ') lire ces deux pages-ci. Vous savez que j'aime bien les chats (cats), n'est-ce pas ? '

G. D. 'Il me semble que vous‿aimez tous les animaux.'

The Nurse. ' Oui, c'est vrai, mais je préfère les chats. Ce morceau-là (piece) que je vous‿ai indiqué (indicated) contient une bonne description du chat. Voulez-vous le lire ? '

G. D. ' Mais, avec plaisir. Je vous rendrai (give back) votre livre demain matin. Qui est ce monsieur qui s'approche de nous à toute vitesse ? ' (at great speed).

The Nurse. ' C'est votre ami le lieutenant Lesage.

Il vous fait des signes, si je ne me trompe ' (if I'm not mistaken).

G. D. ' Qu'est-ce qu'il tient à la main ? '

The Nurse. ' Une feuille de papier ' (a sheet of paper).

G. D. ' Il l'agite (agitates, waves) comme si c'était quelque chose d'important.'

The Nurse. ' C'est pour vous, évidemment.'

Lieut. Lesage. ' J'ai de bonnes nouvelles pour vous, mon ami.'

G. D. ' Pour moi ? De bonnes nouvelles ? La seule chose (only thing) que je désire (subjunctive ; the words ' seul ' and ' unique ' take the subjunctive after them) en ce moment, c'est d'avoir une permission.'

Lieut. Lesage. ' Vous l'aurez.' (You shall have it.)

G. D. (incredulous). ' Comment, je l'aurai ? '

Lieut. Lesage. ' Lisez-moi ça.' (Read that.)

G. D. (shouting). ' À la bonne heure ! (Well and good.) Si je pars d'ici à neuf heures demain matin je serai chez moi à sept heures du soir. Félicitez-moi, donc. (Congratulate me, then.) Je vous remercie, mon ami.'

Lieut. Lesage (moving away). ' De rien ! (For nothing ; it's nothing !) Je vois que je vous dérange (disturb). À demain ! ' (Till tomorrow.)

The Nurse. ' Alors, vous partez demain. Votre mère sera contente de vous revoir ' (to see you again).

G. D. ' Oh oui, et mon père et ma sœur aussi.'

The Nurse. ' C'est tout naturel. Je vous verrai avant votre départ, n'est-ce pas, pour vous dire " Bon voyage." Combien de jours de permission avez-vous ? '

G. D. ' Trente. C'est à dire, un mois.'

The Nurse. ' Vous n'avez pas à vous plaindre. (You have nothing to complain of.) À demain ! '

G. D. (in his room at the hospital). ' Elle est très, très gentille (nice). Elle n'est pas du tout comme l'autre qui, après tout, n'avait que très peu d'intelligence. Marguerite est très intelligente, et, en même temps, très belle. Maintenant, je m'en vais lire les deux pages qu'elle m'a indiquées. Les voici ! Je les lirai à haute voix avant de me coucher (before going to bed). Si j'étais devant une classe à l'école (school) je commencerais par dire (by saying), " Le chat et la petite fille," par Edouard Rod :

' " Son grand ami, qui joue un rôle immense dans sa vie, c'est Puck, notre chat : un bon animal gris et blanc, que j'avais déjà avant mon mariage, grave, aimant ses aises et qu'on le respecte, câlin, gras, correct, les poils toujours bien lissés,—sauf aux époques où il disparaît pour huit jours et revient hérissé, efflanqué, lamentable, pour se refaire en un rien de temps. Dès que Bébé le voit dormant sur son coussin, elle rampe jusqu'à lui et s'empare de sa queue.

' " Puck entr'ouvre les yeux, doutant qu'il faille interrompre son somme.

' " Bébé tire plus fort, par saccades.

' " Puck se lève, la regarde en bâillant, s'étire, et, superbe d'indifférence et de dédain, se recouche de l'autre côté en cachant sa queue sous son ventre.

' " Bébé fait le tour du coussin, et bientôt la queue se trouve de nouveau dans ses mains : exultant de joie, triomphante, elle l'agite comme un cordon de sonnette en battant la grosse caisse sur l'échine du chat. Puck grogne un peu, pour demander grâce. En vain. Alors, il se lève dignement, s'éloigne avec majesté, sans hâte, saute en deux bonds sur le dossier du canapé, s'installe, et de haut, comme le sage de Lucrèce, regarde sans peur ni rancune Bébé qui s'agite ; elle est engageante d'abord, elle lui tend les mains, elle gazouille des gracieusetés ; Puck ne bougeant pas, elle devient plus pressante ; puis sa figure s'allonge, sa bouche s'ouvre en montrant trois dents, et elle pousse un cri aigu, perçant, désespéré, le cri qui prélude à la grande explosion de larmes. . . . C'est le moment où j'entre dans la partie : j'entreprends d'expliquer à Puck qu'il doit se laisser tirer la queue, pour nous rendre notre tranquillité.

' " Puck me regarde avec ses grands yeux d'or, et me fait comprendre très clairement que cela lui est fort désagréable, et qu'il n'y est pas accoutumé, et que c'est trop dur, à son âge, d'avoir à changer ses habitudes . . . Pourtant si j'insiste, si je le prends sur mes genoux, comme autrefois quand il était roi de la maison, il se laisse convaincre, et, pendant un moment, Bébé peut le tripoter à l'aise.

' " Pendant qu'elle lui tire la queue, il frotte sa

tête contre ma main ; quelquefois même il ronronne, pour me montrer qu'il se sacrifie de bon cœur. Mais sa patience a des limites : quand elle est à bout définitivement, il monte sur le poêle, avec la conscience du devoir accompli, bâille, s'étire encore, ouvre et referme deux ou trois fois les yeux, et se rendort, indifférent au cri perçant qui éclate un instant après. Moi-même je n'oserais pas lui en demander davantage."[1]

' Oui, c'est très‿amusant, mais je ne sais pas pourquoi elle m'a demandé de le lire. Elle dit qu'elle aime les chats. Moi, je ne les‿aime pas. Je préfère les chevaux (horses) et les chiens. Après la guerre, je voyagerai en Afrique (Africa). Je m'amuserai dans ce pays-là. On y trouve des lions, des ours (bears), des cerfs (deer), des singes (monkeys) et des serpents (snakes) de toute espèce (of every kind). On y trouve aussi des éléphants. Il paraît qu'il fait une chaleur (heat) épouvantable (terrible) en Afrique. La chaleur m'est égale (equal to me, all the same to me). Oui, ça m'est égal. Mais je ne peux pas supporter (bear, stand) le froid. Ah, voilà encore deux blessés (wounded). L'un est‿aveugle (blind), l'autre boiteux (lame). Il boite (limps, is limping). Ils vont‿ensemble (together) dans la chambre à côté (next door). Voilà un autre qui arrive (arrives). Qu'est-ce qu'il vous‿est arrivé ? ' (happened).

The Newcomer (smiling). ' Rien ! Je me suis coupé (cut) à la main.' (Note the construction : ' I have cut myself to the hand.')

G. D. ' Tiens ! Vous vous‿êtes coupé à la main. Où ça ? ' (Where that ? Whereabouts ?)

The Newcomer. ' Dans la tranchée. Je‿coupais du bois (wood) pour faire un peu de feu. À vrai dire (to tell the truth), je ne faisais pas‿attention à ce que j'étais en train de faire. J'écoutais un de mes camarades (comrades) qui racontait une histoire, et pendant qu'il parlait je le regardais pour ne pas en perdre la moindre syllabe. Voilà comment il m'est arrivé de me couper à la main.'

---

[1] For literal translation see Appendix II. This extract should be read over aloud continually.

G. D. 'J'espère que vous serez guéri (cured) en peu de temps. Quel livre avez-vous là ? '

The Newcomer. 'C'est une grammaire anglaise. Savez-vous l'anglais ? '

G. D. 'Oh oui, très bien.'

The Newcomer. 'Voulez-vous me rendre un service ? '

G. D. 'Volontiers.' (Willingly.)

The Newcomer. 'Aurez-vous la bonté de m'écrire sur une feuille de papier les noms des différentes parties du corps humain (parts of the human body) en français et en anglais ? '

G. D. (writing). 'Avec plaisir. Je vous écrirai non seulement les noms des membres (limbs) mais aussi ceux (those) des autres parties du corps humain. Les voici !

La tête	= The head	La colonne	
Les cheveux (m.)	= The hair	vertébrale	= The back-bone
		Les reins (m.)	= The loins
Le cerveau, la cervelle	= The brain	La cuisse	= The thigh
		Le genou	= The knee
Les tempes	= The temples	La jambe	= The leg
Le front	= The forehead	Les joues (f.)	= The cheeks
L'œil (m.)	= The eye	La bouche	= The mouth
Les yeux	= The eyes	La langue	= The tongue
Les cils (m.)	= The eyelashes	La mâchoire	= The jaw
Les sourcils (m.)	= The eyebrows	La gorge	= The throat
		Le bras	= The arm
Les paupières (f.)	= The eyelids	Le poignet	= The wrist
		La main	= The hand
Le nez	= The nose	Le pouce	= The thumb
La narine	= The nostril	La poitrine	= The chest
Les oreilles (f.)	= The ears	L'estomac (m.)	= The stomach
Les dents (f.)	= The teeth		
Les gencives (f.)	= The gums	Le dos	= The back
		Le mollet	= The calf
Les lèvres (f.)	= The lips	Le pied	= The foot
Le menton	= The chin	La cheville du	
La barbe	= The beard	pied	= The ankle
Les moustaches (f.)	= The moustache	La plante du pied	= The sole of the foot
Le cou	= The neck	Le talon	= The heel
L'épaule (f.)	= The shoulder	Le cœur	= The heart
Le coude	= The elbow	Les poumons (m.)	= The lungs
Le poing	= The fist		
Le doigt	= The finger	La peau	= The skin
Les ongles (m.)	= The nails	Les os (m.)	= The bones
		Les muscles (m.)	= The muscles
La côte	= The rib		
Le ventre	= The belly	L'artère (f.)	= The artery

La veine	= *The vein*	La vessie	= *The bladder*
Le sang	= *The blood*	La chair	= *The flesh*
Les entrailles (f.)	= *The bowels*	La moelle	= *The marrow*
		Les nerfs (m.)	= *The nerves*
Le foie	= *The liver*	Le squelette	= *The skeleton*

' Voilà votre affaire, mon ami. Vous avez là soixante-cinq mots à apprendre. Est-ce que vous‿avez bonne mémoire ? '

The Newcomer. ' Oh oui, ma mémoire est‿assez bonne. J'apprendrai tous ces mots-là en[1] deux heures si l'on ne m'interrompt pas. Monsieur est interprète, n'est-ce pas ? '

G. D. ' Oui, je le suis. Je pars en permission demain matin. Je suis obligé (obliged) de vous quitter maintenant ; j'ai tant de choses à faire. Au revoir ! '

The Newcomer. ' Au revoir ! Je vous remercie de ce que vous‿avez fait pour moi. Avant midi demain j'aurai appris tous ces mots par cœur. Au revoir, et merci ! '

G. D. (about to go to bed). ' Comme je ne suis pas‿encore fatigué, je m'en vais lire un peu. Ce livre que Marguerite m'a prêté est très intéressant. Il y a des morceaux charmants là-dedans. Voici " Les théories d'un parvenu," par Alexandre Dumas Fils (the son). Avant de me coucher je vais lire ce que dit Jean à propos de l'argent. Ah, voici la page. Il répond à Madame Durieu :

' " Je ne dis pas cela pour moi, madame, mais je sais ce que je dis ; l'argent est l'argent, quelles que soient les mains où il se trouve. C'est la seule puissance qu'on ne discute jamais. On discute la vertu, la beauté, le courage, le génie ; on ne discute jamais l'argent. Il n'y a pas un être civilisé qui, en se levant le matin, ne reconnaisse la souveraineté de l'argent, sans lequel il n'aurait ni le toit qui l'abrite, ni le lit où il couche, ni le pain qu'il mange.

' " Où va cette population qui se presse dans les rues, depuis le commissionnaire qui sue sous son fardeau trop lourd, jusqu'au millionnaire qui se

---

[1] Note this difference between ' en ' and ' dans ' in relation to time. ' En deux jours ' means ' In two days ' (during two days), but ' Dans deux jours ' means ' In two days' time ' (from now onwards).

rend à la bourse au trot de ses deux chevaux ? L'un court après quinze sous, l'autre après cent mille francs. Pourquoi ces boutiques, ces vaisseaux, ces chemins de fer, ces usines, ces théâtres, ces musées, ces procès entre frères et sœurs, entre fils et pères, ces découvertes, ces divisions, ces assassinats ? Pour quelques pièces plus ou moins nombreuses de ce métal blanc ou jaune qu'on appelle l'argent ou l'or. Et qui sera le plus considéré à la suite de cette grande course aux écus ?

' " Celui qui en rapportera davantage.

' " Aujourd'hui un homme ne doit plus avoir qu'un but, c'est de devenir très riche. Quant à moi, ç'a [ça a] toujours été mon idée ; j'y suis arrivé, et je m'en félicite. Autrefois, tout le monde me trouvait laid, bête, importun ; aujourd'hui, tout le monde me trouve beau, spirituel, aimable, et Dieu sait si je suis spirituel, aimable et beau ! Du jour où j'aurai été assez niais pour me ruiner et redevenir Jean comme devant, il n'y aura pas assez de pierres dans les carrières Montmartre pour me jeter à la tête ; mais ce jour-là est encore loin, et beaucoup de mes confrères se seront ruinés d'ici là, pour que je ne me ruine pas. Enfin, le plus grand éloge que je puisse faire de l'argent, c'est qu'une société comme celle où je me trouve ait eu la patience d'écouter si longtemps le fils d'un jardinier qui n'a d'autres droits à cette attention que les pauvres petits millions qu'il a gagnés."[1]

' Ce qu'il dit là est bien vrai, en somme (on the whole, in the main). Quand on a beaucoup d'argent on a toujours trop d'amis, mais quand il ne reste plus d'argent les amis disparaissent complètement. Voici un morceau qui est intitulé (entitled) " Qu'est-ce que le peuple ? " (What is, are, the people ?) C'est par Lamennais, qui est mort (who has died) en mil huit cent cinquante-quatre.

' "Vous êtes peuple : sachez d'abord ce que c'est que le peuple. Il y a des hommes qui, sous le poids du jour, sans cesse exposés au soleil, à la pluie, au vent, à toutes les intempéries des saisons, labourent

---

[1] For literal translation see Appendix III. This extract is taken from Dumas' ' La question d'argent.'

la terre, déposent dans son sein, avec la semence qui fructifiera, une portion de leur force et de leur vie, en obtiennent ainsi, à la sueur de leur front, la nourriture nécessaire à tous.

' " Ces hommes-là sont des hommes du peuple. D'autres exploitent les forêts, les carrières, les mines, descendent à d'immenses profondeurs dans les entrailles du sol, afin d'en extraire le sel, la houille, le minerai, tous les matériaux indispensables aux métiers, aux arts. Ceux-ci, comme les premiers, vieillissent dans un dur labeur, pour procurer à tous les choses dont tous ont besoin.

' " Ce sont encore des hommes du peuple.

' " D'autres fondent les métaux, les façonnent, leur donnent les formes qui les rendent propres à mille usages variés ; d'autres travaillent le bois ; d'autres tissent la laine, le lin, la soie, fabriquent les étoffes diverses ; d'autres pourvoient de la même manière aux différentes nécessités qui dérivent ou de la nature directement ou de l'état social.

' " Ce sont encore des hommes du peuple.

' " Plusieurs, au milieu de périls continuels, parcourent les mers pour transporter d'une contrée à l'autre ce qui est propre à chacune d'elles, ou luttent contre les flots et les tempêtes, sous les feux des tropiques comme au milieu des glaces polaires, soit pour augmenter par la pêche, la masse commune des subsistances, soit pour arracher à l'Océan une multitude de productions utiles à la vie humaine.

' " Ce sont encore des hommes du peuple.

' " Et qui prend les armes pour la patrie, qui la défend ? qui donne pour elle ses plus belles années et ses veilles, et son sang ? Qui se dévoue et meurt pour la sécurité des autres, pour leur assurer la tranquille jouissance du foyer domestique, si ce n'est les enfants du peuple ?

' " Quelques-uns aussi, à travers mille obstacles, poussés, soutenus par leur génie, développent et perfectionnent les arts, les lettres, les sciences, qui adoucissent les mœurs, civilisent les nations, les environnent de cette splendeur éclatante qu'on appelle la gloire, forment enfin une des sources, et la plus féconde, de la prospérité publique.

' " Ainsi, en chaque pays, tous ceux qui se fatiguent et qui peinent pour produire et répandre les productions, tous ceux dont l'action tourne au profit de la communauté entière, les classes les plus utiles à son bien-être, les plus indispensables à sa conservation, voilà le peuple. Otez un petit nombre de privilégiés ensevelis dans la pure jouissance, le peuple, c'est le genre humain.

' " Sans le peuple, nulle prospérité, nul développement, nulle vie ; car point de vie sans travail, et le travail est partout la destinée du peuple."[1]

' Voilà un homme qui sait ce que c'est que le travail (who knows what work is). J'étais tellement paresseux dans ma jeunesse que je n'apprenais rien à l'école. C'est maintenant que je commence à étudier. Si j'avais su quand j'étais jeune que le travail était si important, j'aurais mieux appris mes leçons. Mais quand on est jeune on n'y pense pas (one doesn't think of it). On s'occupe seulement du présent à cet âge-là. Mais quand on devient (becomes) de plus en plus vieux (older and older) on a toujours le passé devant soi (before oneself). Je le regrette infiniment. Mais les regrets ne peuvent pas rappeler le passé (recall the past). Ah, il est temps de me coucher. C'est dommage (it's a pity) que je n'aie pas eu (*subjunctive* after ' c'est dommage ') le temps de prévenir[2] (' to forewarn ') Maman. Je n'ai pas même eu le temps d'expédier (to dispatch) une dépêche (telegram). Il faut que je me lève (*subjunctive*) de très bonne heure demain matin pour envoyer ma valise et tous ces petits paquets-là (packets) à la gare centrale (central station). Je ne sais pas si j'aurai assez d'argent. Ça n'a pas trop d'importance, je peux emprunter (to borrow). Mon ami Lesage m'en prêtera (will lend) si je le lui demande (if I ask him it). Maintenant, je te conseille (advise) de te coucher ; il se fait tard (it is getting late). Dans dix heures (in ten hours' time) je serai en route. Dans dix-huit heures je serai chez moi, et dans un mois je serai de retour (back again). Horrible pensée ! ' (Horrible thought.)

---

[1] For literal translation see Appendix IV.
[2] Or ' avertir,' meaning also ' to forewarn.'

CHAPTER VIII

La Sixième Leçon

At this point the student, if he has carefully studied the foregoing lessons, will have overcome the most formidable difficulties of the language. The past lessons should not be neglected, even at this stage, but should be read over occasionally from the beginning.

Other substantives to suit the student's requirements should be substituted for those already contained in the conversation section, and should be employed in the singular and plural, with and without adjectives.

We have learned already that the Subjunctive Mood is employed after verbs expressive of doubt, desire, fear, etc., and after certain conjunctions, but not all. The following are consistent—

With Indicative	*With Subjunctive*
A mesure que	Afin que
Ainsi que	A moins que
Attendu que	Avant que
Aussi bien que	En cas que
Aussitôt que	Bien que
Autant que	De peur que
De même que	De crainte que
Depuis que	Non que
Dès que	Pour que
Outre que	Pour peu que
Parce que	Pourvu que
Pendant que	Jusqu'à ce que
Tandis que	Quoique
Vu que	Si peu que
	Sans que
	Soit que
	Supposé que

The following conjunctions require the indicative after them if the phrase expresses positive fact, and the subjunctive when the phrase expresses a doubtful idea, or something which appears doubtful.

De façon que	De manière que
De sorte que	En sorte que
Si ce n'est que	Sinon que
Tellement que	

The subjunctive is employed after certain verbs as follows—

(1) After verbs expressive of doubt, desire, fear, surprise, supposition, command, and possibility.

(2) After verbs used interrogatively or accompanied by a negative.

(3) After impersonal verbs, such as : Il faut, il importe, il convient, il est possible, etc.

It must be remembered, however, that, when any sentence expresses probability, the indicative must be used.

EXAMPLES

Il partira aussitôt que vous serez parti (*Fut.*).
(*He will depart as soon as you* [*will*] *have departed.*)

Il partirait aussitôt que vous seriez parti (*Cond.*).
(*He would depart as soon as you would have departed.*)

Cet enfant s'est conduit de telle sorte que ses parents sont contents.
(*This child has behaved itself in such a way that its parents are glad.*)

Faites en sorte qu'il vienne.
(*Get him to come. Do in such a manner that he may come.*)

Conduisez-vous de façon que tout le monde soit content de vous.
(*Conduct yourself in such a way that everybody may be pleased with you.*)

The student should notice how necessary it becomes to vary the usual English equivalents for French words in translating, in order to make the English translation intelligible.

J'irai le voir avant qu'il parte.
(*I shall go to see him before he departs.*)

La terre ne s'épuise jamais, pourvu qu'on sache la cultiver.
(*The earth* [*ground*] *never exhausts itself provided that one knows* [*how*] *to cultivate it.*)

Je doute qu'il sache sa leçon.
(*I doubt if he knows his lesson.*)

Je désire qu'il vienne.
(*I wish him to come.*)

Je suis surpris que vous soyez arrivé.
(*I am surprised that you have* [*be*] *arrived.*)

Je suppose qu'il lise ce livre.
(*I suppose he is reading this book.* [*I'm not sure.*])

Je veux qu'il sorte.
(*I wish him to go out. I wish that.* etc.)

Croyez-vous qu'il parte ?
(*Do you believe that he will depart ?*)

Pensez-vous qu'il vienne ?
(*Do you think he will come ?*)

Il faut qu'il vienne.
(*It is necessary that he should come.*)

Il importe qu'il soit ici.
(*It is important that he [should] be here.*)

Il est possible qu'il dorme.
(*It is possible that he sleeps [is sleeping].*)

Connaissez-vous quelqu'un qui soit vraiment heureux ?
(*Do you know anyone who is really happy ?*)

The subjunctive is also employed with the superlative, and with the word 'seul' (*only*).

Il est l'homme le plus adroit que je connaisse.
(*He is the most skilful man I know.*)

Il sera le seul qui soit prêt.
(*He will be the only one who is ready.*)

(Note that the first verb may be in the future tense.)

Exception is made and the indicative used, however, when the statement leaves no doubt in the mind of the speaker or when the statement is one of absolute certainty, as, for instance—

De ces deux hommes, c'est le plus adroit que je connais.
(*Of these two men, it is the more skilful one that I know.*)

The subjunctive, like other moods, is used with participles to form compound tenses.

Il est le seul qui ait été prêt.
(*He is the only one who has been ready.*)

Je doute que vous ayez pu le faire.
(*I doubt that you have been able to do it.*)

The subjunctive mood has another tense called 'imperfect,' (*that I might . . . etc.*). In conversation, it is replaced by the 'present' which we have just been studying; when reading, the 'imperfect,' if used, will be easily recognised.

The use of the subjunctive, perhaps more than any other grammatical form, is best acquired by practice.

We have already studied the methods of forming the plural of simple nouns; let us see how the plural of compound nouns is formed. When the compound noun is composed of a noun and a verb, the noun alone is put in the plural. The following are exceptions, and do not change in the plural—

Abat-jour (m.)	=	*Lamp-shade, reflector*
Brise-glace (m.)	=	*Starling, cut-water*
Coupe-gorge (m.)	=	*Cut-throat place, den*
Couvre-feu (m.)	=	*Curfew*
Crève-cœur (m.)	=	*Heart-breaking thing*
Gagne-pain (m.)	=	*Livelihood*
Perce-neige (m.)	=	*Snowdrop*
Porte-drapeau (m.)	=	*Ensign (standard-bearer)*
Porte-monnaie (m.)	=	*Purse*
Prie-Dieu (m.)	=	*Devotional chair*
Trouble-fête (m.)	=	*Troublesome guest*

The word ' garde ' (guardian, keeper) takes an ' s ' in the plural when it signifies a person, but remains unchanged when an object is intended.

Un garde-chasse	=	*A game-keeper*
Des gardes-chasse	=	*Game-keepers*
Un garde-manger	=	*A larder (pantry, safe)*
Des garde-manger	=	*Larders*

Words which have already a suffix ' s ' in the singular do not change in the plural.

If the compound noun is formed of a noun and an invariable word, the noun alone is put in the plural—

Le vice-président   =   Les vice-présidents

The compound noun remains unaltered if it is not composed either of a noun or an adjective—

Des passe-partout   =   *Master-keys*

We have learned that a verb is made interrogative if we place the pronoun after it instead of before it, or if we commence our question by ' Est-ce que—— ? ' in which case the position of the pronoun and verb remains unaltered.

There are two points in respect to this rule which need our attention.

Firstly, whenever the verb ends in a mute ' e ' in the first person singular of the indicative present, this ' e ' is changed to ' é ' as in ' Aimé-je ? ' (*Do I love ?*)

Secondly, whenever the verb ends in a vowel in the third person singular of the indicative present a ' t ' is inserted between the verb and the accompanying pronoun, as in, ' Aime-t-il ? ' (*Does he love ?*) and ' A-t-il ? ' (*Has he ?*)

The phrase, ' Est-ce que ' is always used whenever the

verb, used interrogatively, would jar upon the ear, in such instances as, ' Dors-je ? ' (*Do I sleep ?*) ' Vends-je ? ' (*Do I sell ?*) ' Veux-je ? ' (*Do I wish ?*)

I have shown the student, in an earlier chapter, that at the outset of his French studies he had already a by no means negligible vocabulary at his command.

He will now discover that one word may often give him the key to three others, and he will become acquainted with a noun, an adjective, a verb, and an adverb, all bearing a close relationship to one another.

Here are a few examples—

Facilité (Noun ; f.)	=	*Facility, easiness*
Facile (Adjective)	=	*Easy*
Faciliter (Verb)	=	*To make easy, to simplify*
Facilement (Adverb)	=	*Easily*
Paix (Noun ; f.)	=	*Peace*
Paisible (Adjective)	=	*Peaceable, quiet*
Apaiser (Verb)	=	*To make peaceable, to pacify*
Paisiblement (Adverb)	=	*Peaceably*
Humilité (Noun ; f.)	=	*Humility*
Humble (Adjective)	=	*Humble*
Humilier (Verb)	=	*To humiliate, to make humble*
Humblement (Adverb)	=	*Humbly*
Raison (Noun ; f.)	=	*Reason*
Raisonnable (Adjective)	=	*Reasonable*
Raisonner (Verb)	=	*To reason*
Raisonnablement (Adverb)	=	*Reasonably*
Négligence (Noun ; f.)	=	*Negligence*
Négligent (Adjective)	=	*Negligent*
Négliger (Verb)	=	*To neglect*
Négligemment (Adverb)	=	*Negligently*
Sécheresse (Noun ; f.)	=	*Dryness*
Sec (Adjective)	=	*Dry*
Sécher (Verb)	=	*To dry*
Sèchement (Adverb)	=	*Drily*
Utilité (Noun ; f.)	=	*Utility*
Utile (Adjective)	=	*Useful*
Utiliser (Verb)	=	*To utilise*
Utilement (Adverb)	=	*Usefully*
Gloire (Noun ; f.)	=	*Glory*
Glorieux (Adjective)	=	*Glorious*
Glorifier (Verb)	=	*To glorify*
Glorieusement (Adverb)	=	*Gloriously*
Distinction (Noun ; f.)	=	*Distinction*
Distinctif (Adjective)	=	*Distinctive*
Distinguer (Verb)	=	*To distinguish*
Distinctement (Adverb)	=	*Distinctly*
Admiration (Noun ; f.)	=	*Admiration*
Admirable (Adjective)	=	*Admirable*
Admirer (Verb)	=	*To admire*

Admirablement (Adverb)	=	*Admirably*
Préférence (Noun ; f.)	=	*Preference*
Préférable (Adjective)	=	*Preferable*
Préférer (Verb)	=	*To prefer*
Préférablement (Adverb)	=	*Preferably*
Généralité (Noun ; f.)	=	*Generality*
Général (Adjective)	=	*General*
Généraliser (Verb)	=	*To generalise*
Généralement (Adverb)	=	*Generally*
Publicité (Noun ; f.)	=	*Publicity*
Public (Adjective)	=	*Public*
Publier (Verb)	=	*To publish*
Publiquement (Adverb)	=	*Publicly*
Honneur (Noun ; m.)	=	*Honour*
Honorable (Adjective)	=	*Honourable*
Honorer (Verb)	=	*To honour*
Honorablement (Adverb)	=	*Honourably*
Soin (Noun ; m.)	=	*Care*
Soigneux (Adjective)	=	*Careful*
Soigner (Verb)	=	*To care for*
Soigneusement (Adverb)	=	*Carefully*
Outrage (Noun ; m.)	=	*Insult, outrage*
Outrageux (Adjective)	=	*Outrageous*
Outrager (Verb)	=	*To outrage*
Outrageusement (Adverb)	=	*Outrageously*
Trahison (Noun ; f.)	=	*Treachery*
Traître (Adjective)[1]	=	*Treacherous*
Trahir (Verb)	=	*To betray*
Traîtreusement (Adverb)	=	*Treacherously*
Correction (Noun ; f.)	=	*Correction*
Correct (Adjective)	=	*Correct*
Corriger (Verb)	=	*To correct*
Correctement (Adverb)	=	*Correctly*
Simplicité (Noun ; f.)	=	*Simplicity*
Simple (Adjective)	=	*Simple*
Simplifier (Verb)	=	*To simplify*
Simplement (Adverb)	=	*Simply*
Mort (Noun ; f.)	=	*Death*
Mortel (Adjective)	=	*Mortal*
Mourir (Verb)	=	*To die*
Mortellement (Adverb)	=	*Mortally*
Terreur (Noun ; f.)	=	*Terror*
Terrible (Adjective)	=	*Terrible*
Terrifier (Verb)	=	*To terrify*
Terriblement (Adverb)	=	*Terribly*
Décision (Noun ; f.)	=	*Decision*
Décisif (Adjective)	=	*Decisive*
Décider (Verb)	=	*To decide*
Décisivement (Adverb)[2]	=	*Decisively*
Vision (Noun ; f.)	=	*Vision*

---

[1] Also a noun, ' traitor.'

[2] Also 'décidément,' meaning ' decidedly.'

Visible (Adjective)	=	*Visible*
Voir (Verb)	=	*To see*
Visiblement (Adverb)	=	*Visibly*

Any other points which may occur in connection with grammatical rules will be explained in the following conversation lesson, and in the succeeding extracts, which are intended to serve as ' viva voce ' practice.

VOCABULARY

Convaincre	=	*To convince*
Convenir	=	*To agree, suit*
La querelle	=	*Quarrel*
La paix	=	*Peace*
Se quereller avec	=	*To quarrel with*

Gronder	=	*To scold*
Obéir	=	*To obey*
Venir	=	*To come*
Venir de	=	*To have just (done something)*

Je viens de chanter	=	*I have just sung*
Il vient de parler	=	*He has just spoken*
Nous venons de sortir	=	*We have just come out (gone out)*
Elle venait de manger	=	*She had just eaten*

Le mensonge	=	*Lie, falsehood*
Le cadeau	=	*Present*
Devenir	=	*To become*
Regarder	=	*To look at*
Retarder	=	*To be late, slow*
Avancer	=	*To advance, be fast (of clocks)*
S'installer	=	*To establish (install) oneself*
Apprendre	=	*To learn*
Commencer à	=	*To begin to*
L'orthographe	=	*Spelling*
Filer	=	*To spin (threads, etc.), to run, bunk (slang)*
Tirer	=	*To draw, pull, shoot*
Une balle	=	*A ball, bullet*
Au début	=	*At first, at the beginning*
Enterrer	=	*To bury*
Aîné	=	*Eldest*
Grièvement	=	*Severely*
Accorder	=	*To grant, allow*
L'attente (f.)	=	*Wait*
Mal à la gorge	=	*Sore throat*
Mal à la tête	=	*Headache*
Mal de mer	=	*Sea-sickness*
Mal à l'estomac	=	*Stomach-ache*

Mal à la jambe	=	*Pain in the leg*
Dernier	=	*Last*
Ailleurs	=	*Elsewhere*
Le progrès	=	*Progress*
Constater	=	*To ascertain*
Incommode	=	*Inconvenient*
Porter	=	*To carry, wear*
Le cimetière	=	*Cemetery*
S'accoutumer	=	*To accustom oneself*
Cadet	=	*Youngest*
Se rétablir	=	*To recover (health)*
Selon	=	*According to*
La gorge	=	*Throat*
Le rouge-gorge	=	*Red-breast (robin)*
Mal aux dents	=	*Tooth-ache*
J'offre	=	*I offer*
Le petit pain	=	*Roll (bread)*
La guêpe	=	*Wasp*
Punir	=	*To punish*
Enfermer	=	*To shut up, enclose, lock in*
Se tromper	=	*To be mistaken*
Une abeille	=	*Bee*
Près	=	*Near*
Rester	=	*To stop, stay*

L'insecte (m.)	= *Insect*	Vieille	= *Old*
Le cousin	= *Cousin (gnat)*	(Feminine form, singular.)	
Fuir	= *To flee, fly*	Offrir	= *To offer*
Se sauver	= *To make off, escape, clear out*	Offert	= *Offered*
		Le miel	= *Honey*
Assommer	= *To knock down, overwhelm, nearly kill*	Bouger	= *To stir, move*
		S'envoler	= *To fly away*
		Un papillon	= *Butterfly*
Le côté	= *Side*	Une blatte	= *Black-beetle*
La poste	= *Post-office*	Une souris	= *A mouse*
Répondre	= *To reply*	La bible	= *Bible*
Le carnet	= *Note-book*	Le plaisir	= *Pleasure*
Répéter	= *To repeat*	Couramment	= *Fluently*
Se figurer	= *To fancy, imagine (to oneself)*	La poche	= *Pocket*
		L'effet (m.)	= *Effect*
Le coucher du soleil	= *Sunset*	Le récit	= *Narrative*
		Discuter	= *To discuss*
Le lever du soleil	= *Sunrise*	Avouer	= *To confess*
		Le cachet	= *Seal*
Vieux	= *Old*	Cacheter	= *To seal*
(Before a m. sing. noun beginning with a consonant.)		Essayer	= *To try*
		Retourner	= *To return*
Vieil	= *Old*	Se souvenir (de)	= *To remember*
(Before a m. sing. noun beginning with a vowel.)			

CONVERSATION

G. D. (next morning). ' Me voici prêt à partir (ready to start). J'ai encore un quart d'heure à attendre, puisque le train ne part qu'à neuf heures et demie (only starts at half-past nine). Je viens de quitter celle que j'aime le plus au monde. Elle est la plus charmante de toutes les jeunes filles que j'aie vues depuis bien des années. Je sais très bien qu' elle m'aime puisqu'elle me l'a dit, et je suis convaincu (convinced) qu'elle dit toujours la vérité. Je ne voudrais pas me marier avec une femme qui dirait toujours des mensonges (lies). Ça ne me conviendrait pas du tout (would not suit me at all). On ne serait jamais d'accord (in accord, in agreement) et la vie deviendrait insupportable. Moi, je n'aime pas les querelles (quarrels) ; je préfère la paix (peace). J'ai beaucoup d'amis qui sont mariés et qui sont très heureux parce que leurs idées sur le mariage s'accordent avec celles de leurs femmes (agree with those of their wives). Je connais un monsieur, cependant, qui se querelle tous les jours avec sa femme parce que, quand ils se promènent tous les deux dans la rue, elle regarde trop les beaux messieurs qui passent. Si j'étais de lui (if I were he) je la gronderais aussi, parbleu ! (I should scold her too). Je la punirais (should punish) comme il faut (properly). Si elle ne m'obéissait pas, je l'enfermerais dans sa chambre sans lui donner ni à boire ni à manger. Mais si, au contraire, elle était charmante, je lui ferais des cadeaux (should give presents), et je lui donnerais tout ce qu'elle me demanderait. Mais, qui est ce monsieur-là ? Il me semble que je le connais. C'est le fils d'un de mes anciens professeurs (former teachers), si je ne me trompe (if I'm not mistaken). Ah, il me reconnaît. J'ai raison. C'est Louis Beaupré.'

L. B. (approaching.) ' Pardon, monsieur ! Ne vous appelez-vous pas Georges Durand ? '

G. D. ' Oui ! Et vous vous appelez Louis Beaupré, si je ne me trompe.'

L. B. ' Parfaitement. Je vous ai tout de suite reconnu. Mais qu'est-ce que vous faites ici et en tenue de campagne ? ' (in marching order).

G. D. ' À présent, j'attends le train pour me conduire chez moi. Je viens de sortir de l'hôpital, ayant été blessé au bras et à l'épaule. Mais, ce n'est rien.'

L. B. ' Alors, vous allez rentrer chez vous ? '

G. D. ' Oui. Le train est en retard, il me semble.'

L. B. ' Pas beaucoup. Le voilà qui arrive.'

G. D. ' Oui, il est à l'heure ; c'est ma montre qui avance (is fast). C'est drôle ça ; d'habitude elle retarde (is slow). Heureusement il n'y a pas beaucoup de voyageurs à cette heure-ci. Je m'en vais m'installer ici si ça vous est égal.'

L. B. ' Où vous voulez. Mais, fermez la porte pour que personne n'entre (subjunctive after ' pour que '). J'ai ici une petite liste de mots anglais qu'il me faut apprendre (learn) avant d'arriver à ma destination.'

G. D. ' Ah, vous apprenez l'anglais. Moi, je le parle très bien.'

L. B. ' Vraiment ! Où est-ce que vous l'avez appris ? '

G. D. ' En Angleterre et ailleurs ' (elsewhere).

L. B. ' Dites, est-ce que vous aurez la bonté de m'assister (assist, help) un peu ? '

G. D. ' Mais, avec plaisir.'

L. B. 'Bon ! Tenez, voici la liste de mots, n'est-ce pas. Si vous voulez bien prononcer les mots français l'un après l'autre, je vous donnerai l'équivalent en anglais. Si je fais une faute, vous me le direz tout de suite, n'est-ce pas ? '

G. D. 'Mais oui. Prononcez-les très lentement d'abord ' (slowly at first).

L. B. 'Bon ! Commençons ! '

G. D.		L. B.
L'équipe (f.)	=	The team (in games)
L'orage (m.)	=	The storm
Les cendres (f.)	=	The ashes
L'horloge (f.)	=	The clock
La pendule (in rooms)	=	The clock
L'herbe (f.)	=	The grass
Le clou	=	The nail
Le marteau	=	The hammer
La serrure	=	The lock
La rame	=	The oar
L'aviron (m.)	=	The oar (nautical)
L'épingle (f.)	=	The pin
L'aiguille (f.)	=	The needle ; hand of a watch
Le fil	=	The thread
Menacer	=	To threaten
Une pierre	=	A stone
L'encre (f.)	=	The ink
La flamme	=	The flame
Le cochon	=	The pig
Un poil	=	A hair
Un bouc	=	A he-goat
Une chèvre	=	A she-goat
Un âne	=	A donkey
Un ressort	=	A spring (of steel)
La roue	=	The wheel
Le rocher	=	The rock
Un chiffre	=	A figure (number)
Ajouter	=	To add
Enlever	=	To take out, away
Enlevez ces bouteilles !	=	Take these bottles away !
Le crayon	=	The pencil
Le papier	=	The paper
Une feuille de papier	=	A sheet of paper
Le poisson	=	The fish
Le miroir	=	The mirror
La glace	=	The ice ; large looking-glass
Geler	=	To freeze
Dégeler	=	To thaw
Un arc-en-ciel	=	A rainbow
Sec, sèche (m. ; f.)	=	Dry
La semelle	=	Sole (of the boot)

Le talon	=	*The heel*
Une assiette	=	*A plate*
Le couteau	=	*The knife*
Le canif	=	*The pocket-knife*
La fourchette	=	*The fork*
La cuiller (cuillère)	=	*The spoon*

G. D. ' Vous les savez par cœur, et votre prononciation est très bonne. Vous n'avez jamais été en Angleterre, je crois.'

L. B. ' Jamais de ma vie. Mais j'ai fait la connaissance d'un Anglais dernièrement (lately). Il m'a dit qu'il voulait apprendre à parler le français et, comme je désirais savoir un peu d'anglais, nous avons commencé à nous donner des leçons l'un à l'autre. Ça marche vite comme ça, et je n'ai déjà fait pas mal de progrès, comme vous voyez.'

G. D. ' La prononciation est facile ; c'est l'orthographe (spelling) qui est difficile. Pour bien apprendre une langue étrangère (a foreign language) il faut que l'on ait (*subjunctive*) une bonne mémoire. Sans ça, on ne peut rien faire ' (one can do nothing).

L. B. ' Oui, vous avez raison. Mais, racontez-moi ce qui s'est passé là-bas (what happened yonder). Comment est-ce qu'il vous est arrivé d'être blessé deux fois ? '

G. D. ' Ce n'est pas grand'chose (nothing much). Le commandant m'a ordonné (ordered) d'aller près des lignes ennemies la nuit pour prendre des renseignements. Comme je sais l'allemand, j'ai pu constater (ascertain) qu'ils allaient nous attaquer la nuit même. En revenant (whilst returning), je suis tombé dans de l'eau en faisant tellement de bruit qu'ils m'ont entendu. Une minute après ils ont commencé à tirer (to shoot). J'ai filé (run, bunked) à toute vitesse (at all speed). C'est à ce moment-là que j'ai reçu les deux balles (balls, bullets), l'une au bras, l'autre à l'épaule. C'est un peu incommode (inconvenient), vous savez, de porter le bras en écharpe (in a sling) comme ça.'

L. B. ' Oui, ça doit l'être (it must be). Est-ce que vous êtes jamais monté en ballon ? ' (ever gone up in a balloon.)

G. D. ' Jamais ! (Never. Note the use of this word in both cases. It may signify ' ever ' in one case and ' never '

in another, without 'ne.')   **Ça doit être extrêmement
dangereux, surtout en temps de guerre.'**

L. B.   '**Pas tellement** (not so very, not so much).   **Je
suis monté en ballon au moins une cinquantaine de
fois** (fifty times).   **Au début** (at the beginning) **j'avais
peur de tomber, mais on s'accoutume à tout et je ne
pense plus maintenant aux dangers.   Je monte tout
tranquillement comme s'il n'en existait pas** (as if
none existed ; notice the impersonal use of this verb, 'As
if there existed none.'   Many verbs may be employed in this
manner).   **Voyez-vous ce cimetière** (cemetery) **là-bas ?
Nous y avons enterré au moins une centaine** (hundred)
de nos hommes, pendant ces trois derniers mois
(last three months).   **Je viens de perdre mon frère aîné**
(eldest, oldest).

G. D. (sadly).   '**Pauvre garçon !   Et votre frère cadet**
(youngest) **où est-ce qu'il est ? '**

L. B.   '**Chez nous.   Il a une permission de six mois.
Il a été grièvement blessé** (severely wounded) **à la tête.
J'ai reçu de ses nouvelles hier matin.   Il paraît qu'il
s'est presque rétabli.   Je le verrai dans quelques
heures.'**

G. D.   '**Ah, vous aussi, vous avez une permission ? '**

L. B.   '**Bien sûr !** (sure !)   **Mais, moi, je n'ai que huit
jours seulement.   Si j'avais été blessé, on m'aurait
accordé** (granted) **trois mois de permission.   Selon
moi, les blessés** (the wounded) **sont les plus heureux.
Qu'en dites-vous ? '** (What do you say about it ?)

G. D.   '**Moi ?   Je suis d'accord** (I agree), **puisque
je suis un des blessés dont vous parlez** (of whom you
speak).   **Si je n'avais pas été blessé, je n'aurais eu que
huit jours comme vous.   C'est la guerre, quoi ? '**
(It's war, what ?)

L. B. (smiling).   '**Oui, c'est la guerre.   Dites, je crois
qu'il nous faut descendre ici.'**

G. D.   '**Pourquoi ?** (Why ?)   **Est-ce qu'il nous faut
changer de train ? '**

L. B.   '**Oui, nous avons une heure d'attente ; allons
faire un tour '** (let's take a walk round).

G. D.   '**J'ai mal à la gorge** (sore-throat) **ce matin ;
c'est parce que j'ai trop fumé hier.   Voilà un petit
café au coin de la rue.   Allons-y !   Je vous offre un
verre de ce que vous voulez '** (of what you like).

L. B. ' J'accepte avec plaisir. Ce café a l'air très propre. Asseyons-nous ici pour que nous puissions (*subjunctive*) voir ce qui se passe dans la rue ' (what is happening in the street).

G. D. ' Je me demande (I ask myself. This is another equivalent for the English ' I wonder.' ' Je suis curieux de savoir ' has already been given) s'ils ont de la bière anglaise ici. Garçon ! '

The Waiter (rubbing the table-top with his napkin). ' Messieurs ? '

G. D. ' Est-ce que vous avez de la bière anglaise ici ? '

The Waiter. ' Mais oui, monsieur. '

G. D. (turning to L. B.). ' Qu'est-ce que vous allez prendre ? '

L. B. ' La même chose. De la bière anglaise. '

G. D. ' Bon. Apportez-nous deux bouteilles de bière anglaise, et deux sandwichs au jambon ' (ham-sandwiches).

L. B. ' C'est une bonne idée ça. Vous devez avoir faim. Vous avez déjeuné de très bonne heure ce matin, sans doute. '

G. D. ' À sept heures, mais je n'ai presque rien mangé. Un petit pain (a roll) avec du beurre et du miel (honey). Attention ! (Look out ! Mind !) Il y a une guêpe (wasp) tout près de votre main ; non, c'est une abeille (bee). Ne bougez pas (don't move). Je vais l'écraser (crush it, squash it). Ah, trop tard, elle s'est envolée ' (has flown away).

L. B. ' Voilà des papillons là-bas, vous les voyez ? J'aime bien les regarder voler (fly) de fleur en fleur (from flower to flower).

G. D. ' Moi aussi. Seulement, il y a des insectes que je déteste ; les cousins (gnats) par exemple.'

L. B. ' Moi, j'ai peur des cafards (black-beetles) Quand je vois un cafard, je fuis ' (fly).

G. D. ' Moi, quand je vois un rat (rat) ou une souris (mouse), je me sauve (I make my escape, I make off). Je ne peux pas vous expliquer pourquoi (to explain to you why) mais c'est vrai, tout de même (all the same). Restez tranquille, il y a une autre abeille sur votre épaule, si ce n'est pas la même (if it's not the same one). Je vais l'assommer (knock down, overwhelm) cette fois. Ça y est (that's it). La voilà tombée dans votre verre.

Je vous aurais demandé pardon, si vous n'aviez pas
déjà bu toute la bière. Voulez-vous prendre encore un
verre ? '

L. B. ' Volontiers (willingly). Mais c'est mon tour
cette fois (it is my turn this time). Garçon ! Apportez-
nous encore deux bouteilles. Enlevez (take away) mon
verre, il y a une abeille dedans. Non, non, monsieur,
c'est à moi de payer (it's my turn to pay). À votre santé ! '
(To your health !)

G. D. (lifting his glass). ' À la vôtre ! (to yours). Dites,
quel est ce livre-là ? ' (What is that book there ?)

L. B. ' Où ça ? ' (Where ?)

G. D. ' Sur la chaise là, à côté de vous ' (by the side
of you).

L. B. ' C'est une bible. Elle appartient (belongs),
sans doute, au propriétaire de la maison. Vous savez,
au point de vue de l'histoire (from an historical point of
view), la bible est très intéressante.'

G. D. ' Moi, je ne suis pas du tout religieux, mais
j'aime bien entendre lire des passages (to hear passages read) quand ils ne sont pas trop longs.'

L. B. (opening the Bible). ' Voici, par exemple, l'histoire de l'enfant prodigue (the story of the prodigal son).
Voulez-vous que je vous la lise ? ' (Subjunctive after
' vouloir ' ; ' la ' stands in place of ' histoire,' which is
feminine.)

G. D. ' Oui, si vous voulez.'

L. B. (reading aloud). ' " Un homme avait deux
fils ; le plus jeune des deux dit à son père : Mon
père, donnez-moi la part du bien qui doit me revenir.
El le père leur partagea son bien.

' " Peu de jours après, le plus jeune fils, ayant
rassemblé tout ce qu'il avait, partit pour une région
lointaine, et il y dissipa son bien en vivant dans la
débauche.

' " Après qu'il eut tout consommé, il survint (from
' survenir,' meaning ' to arise, happen, occur ') une grande
famine dans ce pays, et il commença à se trouver
dans l'indigence. Il s'en alla, et il s'attacha à un
habitant de ce pays. Celui-ci l'envoya à sa maison de
campagne pour paître les pourceaux (to pasture, feed
the hogs). Il désirait se rassasier (to satiate himself)
des cosses (with the husks) que mangeaient les pour-

ceaux ; mais personne ne lui en donnait. Rentrant alors en lui-même, il dit : Combien de mercenaires, dans la maison de mon père, ont du pain en abondance, et moi, ici je meurs de faim. Je me lèverai, et j'irai à mon père, et je lui dirai : Mon père, j'ai péché contre le ciel et contre vous. Je ne suis plus digne d'être appelé votre fils ; traitez-moi comme l'un de vos mercenaires. Et se levant, il vint à son père. Comme il était encore loin, son père l'aperçut, fut ému de compassion, et courant, il se jeta à son cou et l'embrassa. Le fils lui dit alors : Mon père, j'ai péché contre le ciel et contre vous ; je ne suis plus digne d'être appelé votre fils. Mais le père dit à ses serviteurs : Apportez vite sa robe d'autrefois et l'en revêtez (reclothe him with it) ; mettez-lui un anneau à son doigt et une chaussure à ses pieds, puis amenez le veau gras, et tuez-le ; mangeons et réjouissons-nous ; car mon fils que voici était mort, et il est ressuscité ; il était perdu, et il est retrouvé.

' " Ils commencèrent donc à faire festin.

' " Mais son fils aîné était dans le champ ; comme il revenait et s'approchait de la maison, il entendit les instruments de musique et les chants. Il appela un des serviteurs, et lui demanda ce que c'était. Celui-ci lui répondit : Votre frère est revenu, et votre père a tué le veau gras, parce qu'il a retrouvé son fils sain et sauf (safe and sound). Indigné à cette nouvelle, il ne voulait pas entrer.

' " Mais son père sortit et se mit à le prier d'entrer.

' " Voilà tant d'années que je vous sers, répondit-il à son père, jamais je n'ai transgressé vos commandements, et vous ne m'avez jamais donné un chevreau pour me réjouir avec mes amis ; mais parce que cet autre fils, qui a dévoré son bien avec des femmes perdues, est revenu, vous avez tué pour lui le veau gras. Alors le père lui dit : Mon fils, tu es toujours avec moi, et tout ce qui est à moi est à toi ; mais il fallait faire festin et se réjouir, parce que ton frère était mort, et il revit ; il était perdu, et il est retrouvé." "[1]

G. D.   ' J'aime bien ça.   Lisez-moi les chapitres

[1] The student's Bible will furnish the necessary translation to the above extract (Luke xv, 11-32). The dictionary should also be consulted.

(chapters) **qui traitent du jardin de Gethsémani et de
tout ce qui s'est passé pendant que Jésus y était.**'

L. B. ' **Mais c'est trop long.**'

G. D. ' **Nous avons encore trente-cinq minutes à
attendre** ' (to wait).

L. B. ' **Bon ! Il me faut d'abord trouver la page.
Ah, la voici !** '

G. D. ' **Commencez ! Je vous écoute** ' (I am listening
to you).

L. B. (reading). ' " **Après ces discours, Jésus passa
avec ses disciples au delà du torrent de Cédron ; et
ils vinrent à un endroit, nommé Gethsémani, où il y
avait un jardin dans lequel Jésus entra avec ses disciples.**

' " **Lorsqu'il fut arrivé dans ce lieu, il leur dit :
Asseyez-vous ici pendant que j'irai là et que je prierai.
Priez pour que vous n'entriez** (*subjunctive*) **point
en tentation. Puis il prit Pierre, Jacques et Jean avec
lui, et il commença d'être saisi** (seized) **de frayeur et
d'ennui.**

' " **Il leur dit alors : Mon âme est triste jusqu'à
la mort ; demeurez ici, et veillez** (watch). **Et s'étant
avancé un peu, il s'éloigna d'eux à la portée d'un jet
de pierre** (stone's throw).

' " **Puis il tomba la face contre terre, et il priait
pour que, si c'était possible, cette heure s'éloignât**
(*imp. subjunctive*) **de lui. Il dit : Père, Père, toutes
choses vous sont possibles ; s'il se peut donc, que ce
calice** (cup) **s'éloigne de moi ; cependant que ma
volonté** (will) **ne soit pas faite, mais la vôtre.**

' " **Puis il vint vers** (towards) **ses disciples, et il les
trouva endormis** (fallen asleep) **; alors il dit à Pierre :
Simon, tu dors ? Tu n'as donc pas pu veiller** (watch)
**une heure avec moi ? Veillez et priez pour que vous
n'entriez point en tentation, car l'esprit est prompt,
mais la chair est faible.**

' " **Il alla de nouveau pour la seconde fois, et il
pria, disant : Mon père, si ce calice ne peut passer
sans que je le boive, que votre volonté soit faite. Et
revenant, il les trouva de nouveau endormis, par la
tristesse, car leurs yeux étaient appesantis** (heavy,
weighed down), **et ils ne savaient que lui répondre.
Les ayant donc laissés, il alla de nouveau, et pria pour
la troisième fois, disant les mêmes paroles.**

' " Alors il lui apparut un ange (angel) du ciel, le fortifiant ; et étant tombé en agonie, il redoublait ses prières. Il lui vint aussi une sueur (sweat), comme des gouttes de sang découlant jusqu'à terre.

' " Quand il se fut levé de sa prière, il vint vers ses disciples et leur dit : Dormez maintenant et reposez vous ; voici que l'heure approche, et le Fils de l'homme va être livré entre les mains des pécheurs. Levez-vous ; allons, voici que celui qui me trahit est proche (near, at hand).

' " Il parlait encore, et voilà que Judas Iscariote, l'un des douze, arriva ; le traître connaissait le lieu parce que Jésus y venait souvent avec ses disciples ; avec lui se trouvait une grande troupe avec des épées et des bâtons, envoyés par les princes des prêtres et par les anciens du peuple, avec des lanternes, des torches et des armes. Le traître leur avait donné le signal, disant : Celui que je baiserai, c'est lui-même ; saisissez-le et emmenez-le avec précaution.

' " Étant donc venu, il s'approcha à l'instant de lui, disant : Salut, Maître ; et il l'embrassa. Jésus lui dit : Ami, dans quel but es-tu venu ? Judas, tu trahis le Fils de l'homme par un baiser !

' " Puis Jésus sachant tout ce qui devait lui arriver, s'avança et leur dit : Qui cherchez-vous ? Ils lui répondirent : Jésus de Nazareth.

' " Jésus leur dit : C'est moi. Or (now, but), avec eux se trouvait aussi Judas qui le trahissait. Mais dès qu'il leur dit : C'est moi, ils furent renversés et tombèrent par terre. Il leur demanda donc de nouveau : Qui cherchez-vous ? Ils répondirent : Jésus de Nazareth. Jésus reprit : Je vous ai dit que c'est moi. Mais si c'est moi que vous cherchez, laissez ceux-ci s'en aller, afin que fût (imp. subjunctive) accomplie la parole qu'il avait dite : Je n'ai perdu aucun de ceux que vous m'avez donnés.

' " Alors ils s'approchèrent, mirent les mains sur Jésus et l'arrêtèrent. Mais ceux qui étaient autour de lui, voyant ce qui allait arriver, lui dirent : Maître, frapperons-nous de l'épée ? Simon Pierre, qui avait une épée, la tira à l'instant, et frappa un serviteur du grand prêtre, et lui coupa l'oreille droite ; le serviteur se nommait Malchus. Mais Jésus prenant la parole, dit : Arrêtez-vous là ; remets ton épée dans son fourreau, car tous ceux qui se serviront de l'épée périront par l'épée. Penses-tu que je ne puisse pas prier mon Père et qu'il ne m'enverra aussitôt plus de douze légions d'anges ? Le calice que mon Père m'a donné, ne le boirai-je pas ? Comment donc s'accompliront les Écritures, puisqu'il en doit être ainsi ?

' " Et ayant touché l'oreille du serviteur, il le guérit. Au même moment, Jésus dit aux princes des prêtres, aux magistrats du peuple et aux anciens qui étaient venus à lui : Vous êtes venus comme vers un voleur avec des épées et des bâtons pour me prendre ? Quand j'étais chaque jour avec vous dans le temple, vous n'avez pas porté la main sur moi ; mais c'est ici votre heure, et la puissance des ténèbres, afin que les Écritures soient (*subjunctive*) accomplies.

' " Alors ses disciples l'abandonnant, prirent tous la fuite.

' " Mais un jeune homme le suivait revêtu seulement d'un manteau, et ils le saisirent. Pour lui, laissant le manteau, il s'enfuit nu du milieu d'eux.' "[1]

G. D. ' Continuez ! '

L. B. ' Nous n'avons pas le temps, et il y en a encore beaucoup à lire. C'est une histoire très longue.'

G. D. ' Oui, vous avez raison ; il ne nous reste (there only remain to us) que dix minutes. Il faut nous en aller tout de suite. (The subjunctive might have been used here : ' Il faut que nous nous en allions.') Voilà le train de l'autre côté. Il nous faudra traverser la voie (way). Il n'y a pas beaucoup de voyageurs aujourd'hui ' (not many people travelling today).

L. B. ' Tant mieux. (So much the better. ' Tant pis ' means ' so much the worse.') Nous serons seuls (we shall be alone). Où sont vos bagages ? '

G. D. ' Là-bas, sur le banc (seat, bench). Je n'ai qu'une valise et quelques paquets.'

L. B. ' Bon ! Allons dans ce compartiment-ci. Il est plus propre (cleaner) que les autres.'

G. D. ' Je vais ouvrir les fenêtres, avec votre permission.'

---

[1] The remainder of this portion of the scriptures will be found in Appendix V. The student's Bible will afford the necessary translation.

L. B.   'Oui, ouvrez-les. Je préfère **un peu d'air,** moi. Ah, nous voilà en route déjà. Savez-vous ce que je m'en vais faire ? '

G. D.   ' Je n'ai aucune idée.'

L. B.   '**Je m'en vais relire** (read again) **ces mots anglais.**'

G. D.   ' **Mais, vous pourrez les apprendre chez vous, puisque vous en savez déjà la prononciation. Avez-vous un crayon ? '**

L. B.   ' Non, mais j'ai un stylo (fountain-pen). **Que voulez-vous que j'en fasse ? '** (What do you want me to do with it ?)

G. D.   ' Je m'en vais vous donner **une petite liste de mots qui vous seront utiles quand vous aurez l'occasion de parler l'anglais.** Il m'arrive (happens to me) **souvent qu'un Anglais** (Englishman) **me demande,** " Where is the post-office ? " **qui veut dire** (which means) **en français,** " Où est la poste ? " **Ou il me dit,** " Can you tell me where Mr. Viret lives ? " **qui signifie** (which signifies), " **Pouvez-vous me dire où demeure M. Viret ? "** Vous savez, cela me fait plaisir de pouvoir répondre à ces questions-là.'

L. B.   ' Je vous crois. **C'est justement pour cela** (it is just for that) **que je désire parler l'anglais. Si je pouvais le parler aussi couramment** (fluently) **que vous, je serais plus content que vous ne pensez '** (than you think).

G. D.   ' **Vous n'avez qu'à travailler** (you have only to work). **On ne peut rien faire sans travailler. Où est-ce que vous avez mis** (put) **votre carnet ? '** (notebook).

L. B.   ' **Je l'ai mis dans ma poche** (pocket). **Le voici ! '**

G. D.   ' Bon ! **Écrivez les mots et les phrases en anglais et en français et répétez-les après moi :**

Une saucisse	=	*A sausage*
Une pomme de terre	=	*A potato*
Une pomme	=	*An apple*
Un sentier	=	*A path*
Le trottoir	=	*The pavement*
Le velours	=	*The velvet*
Une chaîne	=	*A chain*
Un chameau	=	*A camel*
Le parc	=	*The park*
Un appareil	=	*An apparatus*

Une bicyclette	=	*A bicycle*
Une automobile	=	*A motor-car*
La manivelle	=	*The handle (organ, machine)*
Le bouton	=	*The button ; handle (door)*
La manche ; le manche	=	*The sleeve ; handle (brush, knife)*
La queue	=	*The tail ; handle (frying-pan)*
La poudre	=	*The powder*
Le tonnerre	=	*The thunder*
L'éclair	=	*The lightning*
La vapeur	=	*The steam*
Mourir de faim	=	*To starve*
Danser	=	*To dance*
Sauter	=	*To jump*
La crème	=	*The cream*
Le charbon	=	*The coal*
Le charbon de bois	=	*The charcoal*
Jouer	=	*To play*
Jouer du piano	=	*To play the piano*
Jouer du violon	=	*To play the violin*
Jouer au tennis	=	*To play tennis*
Jouer au football	=	*To play football*
Les lunettes (f.)	=	*The eye-glasses*
Une pièce de théâtre	=	*A play*
Un médecin	=	*A doctor*
La médecine	=	*The medicine, physic*
Le toit	=	*The roof*
Bâtir	=	*To build*
Juger	=	*To judge*
Le juge	=	*The judge*
Imprimer	=	*To print*
Publier	=	*To publish*
Le papier à lettre	=	*Writing-paper*
Le papier buvard	=	*Blotting-paper*
L'étain (m.)	=	*The tin (metal)*
Le fer-blanc	=	*The tin (sheet-tin)*
Le cuivre	=	*The copper*
Le fer	=	*The iron*
L'acier	=	*The steel*
Le zinc	=	*The zinc*
L'aluminium	=	*The aluminium*

' Je crois que vous en avez assez, n'est-ce pas ? '

L. B. ' Est-ce que vous ne pouvez pas me donner quelques phrases très élémentaires ? '

G. D. ' De quel genre ? ' (of what sort ?)

L. B. ' Des phrases qui me serviront à donner des indications aux personnes qui auront perdu leur chemin.'

G. D. ' Très bien. Écrivez ! '

' *Will you kindly tell me where Prince Albert Boulevard is ?* '

' Aurez-vous la bonté de m'indiquer le chemin qui conduit au Boulevard du Prince Albert ? '

' *Will you kindly direct me to the road to B—— ?* '
' Voulez-vous avoir la bonté de m'indiquer la route de B—— ? '

' *Is this the road to W—— ?* '
' Cette route conduit-elle à W—— ? '

' *Which is the best way ?* '
' Quelle est la meilleure route ? '

' *Is it far to M—— ?* '
' Y a-t-il loin d'ici à M—— ? '

' *Which is the shortest way ?* '
' Quelle est la route la plus courte ? '

' *Turn to the right.* '
' Tournez à droite.'

' *Take the first turning on the right.* '
' Prenez la première rue à droite.'

' *Turn to the left.* '
' Tournez à gauche.'

' *Take the third turning on the left.* '
' Prenez la troisième rue à gauche.'

' *Keep straight on.* '
' Allez tout droit.'

' *Keep straight on until you come to the railway-bridge, then turn to the left.* '
' Allez tout droit jusqu'à ce que vous arriviez (*subjunctive*) au pont du chemin de fer, et puis tournez à gauche.'

' *Take the second to the right after passing the church.* '
' Prenez la deuxième rue à droite après avoir passé l'église.'

' *I am going the same way.* '
' Je suis (prends) le même chemin.'

' *I'll go with you, if you like.* '
' J'irai avec vous, si vous voulez.'

' *Follow the tram-lines until you come to the cross-roads.* '
' Suivez la voie du tramway jusqu'à ce que vous arriviez au carrefour.'

' *How long will it take to get there ?* '
' Combien de temps faudra-t-il pour y arriver ? '

' *A good ten minutes.* '
' Dix bonnes minutes.'

' *Not more than half an hour.* '
' Pas plus d'une demi-heure.'

' *About twenty minutes.* '
' Environ vingt minutes.'

' *I have lost the address.* '
' J'ai perdu l'adresse.'

' *I do not remember the address.* '
' Je ne me rappelle pas l'adresse.'

' *Turn to the right when you get to the end of this street.*'
' Tournez à droite lorsque (*when*) vous arriverez (*Future*) au bout de la rue.'

' *On this side of the street.*'
' De ce côté de la rue.'

' *On the other side of the street.*'
' De l'autre côté de la rue.'

L. B. ' Je vous remercie de votre bonté. Toutes ces phrases-là me seront très utiles. Je les apprendrai quand j'aurai le temps. Ah, il pleut.'

G. D. ' Ce n'est qu'une averse.' (It's only a shower.)

L. B. ' Mais, il pleut à verse.' (In torrents).

G. D. ' Ce n'est qu'une averse ; vous allez voir. Dans cette partie du pays le temps est très variable.'

L. B. ' Oui, c'est vrai. Il a gelé (frozen) la nuit dernière.   Croyez-vous   qu'il   pleuve   (*subjunctive*) demain ? '

G. D. ' Je ne sais pas, mais je crois que non. Pourquoi ? '

L. B. ' Je vais rendre visite à ma fiancée (my sweetheart). Elle demeure dans la même ville que moi. Figurez-vous que je ne l'ai pas vue depuis près de onze mois.'

G. D. ' Je viens de quitter (have just left) la mienne.'

L. B. ' Ah oui. Vous avez raison : il a cessé de pleuvoir. Dites, est-ce que vous avez vu le lever du soleil (sunrise) ce matin ? '

G. D. ' Non, je ne me suis pas levé assez tôt pour le voir.'

L. B. ' C'était vraiment magnifique.'

G. D. ' Je me rappelle qu'il y a deux ans, quand j'étais en Suisse (Switzerland), j'ai vu le soleil se coucher (set) derrière les montagnes. C'était un soir au mois de juin ; tout le ciel était rouge comme du sang ; puis, le rouge se changeait en rouge-orange, puis en jaune, puis en vert-clair (light green), puis en bleu-foncé (deep blue). Ça m'a fait une impression extra-ordinaire. L'effet était tellement splendide que je ne pus pas retenir (hold back) un cri d'admiration. Si vous voulez étudier la nature, je vous conseille (advise) d'aller passer quelques mois en Suisse.'

L. B. ' D'après ce que vous me dites (from what you

tell me) **la Suisse doit être le pays le plus beau du monde.'**

G. D. ' **Je ne dis pas ça, mais je vous assure que cela vaut la peine** (it is worth the trouble) **d'y aller passer quelques mois.'**

L. B. ' **Avez-vous jamais été en Écosse ? '**

G. D. ' **Je suis allé passer quelques jours à Édimbourg il y a bien des années. C'est une ville magnifique. Ce qui m'a plu, c'était le vieux château. L'avez-vous vu ? '**

L. B. ' **Non, mais je connais le comté de Stirling assez bien. Il y a un petit village pas bien loin de la ville de Stirling qui s'appelle " Bridge of Allan." Je me suis fait beaucoup d'amis là-bas. J'y ai fait la connaissance d'une jeune Écossaise qui m'était très sympathique** (congenial). **Vous ne pouvez pas vous imaginer à quel point elle était belle. Mais je vois que mes récits vous ennuient. Voilà la troisième fois que vous bâillez.'**

G. D. ' **Non, ce n'est pas ça. Les voyages en chemin de fer me fatiguent toujours.'**

L. B. ' **Moi aussi, j'ai sommeil. Je voudrais en savoir la raison.'**

G. D. ' **C'est le mouvement régulier et monotone du train, rien d'autre** (nothing more). **C'est inutile de regarder par la fenêtre, puisque ça fatigue les yeux. Quand on essaie de lire un journal quelconque** (any newspaper whatever), **on n'y comprend rien. On commence par causer un peu, ou on fume, ou on discute** (discusses) **la situation politique, mais toujours avec le même résultat ; c'est à dire, on a plus sommeil que jamais** (sleepier than ever). **Qu'en pensez-vous ? Qu'en pen——— ? Il est déjà endormi, le paresseux. Je vais en faire autant '** (as much, the same).

* * * * *

G. D. (on his arrival home). ' **Bonjour, maman ! Bonjour, papa ! Bonjour, Marie ! Avouez** (confess) **que vous êtes étonnés de me voir. Oui, je suis blessé, mais je vous assure que ce n'est rien du tout. Je vous raconterai tout demain. Oui, maman, je suis très fatigué. Ah, voilà le facteur. Il n'y aura pas de lettres pour moi, j'en suis certain. Je n'attends** (don't expect)

pas de lettres. Qu'est-ce que tu dis, Marie ? Une
seule, et pour moi ? Oui, en effet, c'est pour moi.
Qu'est-ce que ça peut être ? (What can it be ?) Tu vois
ça, papa ? C'est le cachet (seal) du ministère de la
guerre. Voyons un peu ce que ça contient.—Oh, quel
bonheur ! Maman, je ne retourne plus au front.
On m'a donné un emploi ici. Prends la lettre, maman.
Lis-la ! (read it). Oh, quel bonheur ! '

The Father. ' Je te félicite, Georges. Je me souviens
(remember) que . . . '

CHAPTER IX

MISCELLANEOUS SUBJECTS

THE following extracts should be read aloud by the student with the same care that was necessary for the conversation lessons.

No translations are given, because these extracts are intended to serve as practice in the use of the dictionary.

As regards the latter, I strongly recommend *Kettridge's French and English Dictionary*, which is also issued in a pocket edition.

Having once mastered the contents of the present work, the student should read as many French plays as possible, preferably in prose at first, and an occasional newspaper ; these can always be ordered through any bookseller.

There remain one or two points of grammar which will need to be explained.

In the poem entitled ' Les Éléphants ' we find, in the first verse, the phrase, ' L'horizon aux vapeurs de cuivre,' which in English is equivalent to, ' The coppery-vapoured horizon,' or, ' The horizon with mists of coppery hue.'

When we wish to express in French the English phrase, ' The red-nosed man,' we say, ' L'homme au nez rouge.' ' The blue-eyed girl ' would become ' La jeune fille aux yeux bleus.'

Notice particularly the difference between ' Un verre de vin,' which means, ' A glass of wine,' and ' Un verre à vin,' signifying ' A wine-glass.'

Remember, too, that the word ' de ' means ' from ' as well as ' of,' and that ' à ' means ' at ' as well as ' to.'

In the eighth verse of the same poem we find the expression ' en éventail,' which must be translated ' fan-like,' or ' fan-shaped.'

Whenever you look up a word in the dictionary make a note of the various conditions under which it can be used, and memorise any other words that may be directly connected with it.

At the end of the book will be found lists of words com-

monly employed in conversation, many of which have not
been used in the preceding lessons.

LA TEMPÉRATURE

Mesure des Températures

Nos organes nous permettent bien de reconnaître, par
le toucher, si un corps est plus chaud qu'un autre, mais ils
sont insuffisants pour déterminer avec précision leur température.

Les *changements de volume* que subissent les corps sous
l'action de la chaleur fournissent un moyen de mesurer les
variations de température. En effet, tant qu'un corps conserve le même volume, on peut dire que sa température est
constante ; si, au contraire, son volume diminue, c'est que
la température s'abaisse ; elle s'élève, si son volume
augmente.

Prenons un corps dont il soit facile de constater les variations de volume, et plaçons-le successivement dans des
milieux différents : il prendra leur température et indiquera,
par la dilatation ou la contraction qu'il subit, les différentes
températures de ces milieux.

Cet instrument s'appelle un thermomètre. Tous les corps,
à la rigueur, pourraient servir de thermomètre puisqu'ils
se dilatent tous. Cependant on a choisi les *liquides* parce
qu'ils se dilatent plus régulièrement que les solides, et que
l'on n'a pas à tenir compte, comme pour les gaz, de la
pression qu'ils supportent. C'est le *mercure*, pour les températures élevées, et l'*alcool*, pour les basses températures,
qui sont employés.

Le liquide est renfermé dans un réservoir cylindrique ou
sphérique surmonté d'un tube capillaire en verre. Il remplit
tout le réservoir et une partie du tube.

LES ÉLÉPHANTS

(Leconte de Lisle)

Le sable rouge est comme une mer sans limite,
Et qui flambe, muette, affaissée en son lit.
Une ondulation immobile remplit
L'horizon aux vapeurs de cuivre où l'homme habite.

Nulle vie et nul bruit. Tous les lions repus
Dorment au fond de l'antre éloigné de cent lieues,
Et la girafe boit dans les fontaines bleues,
Là-bas, sous les datiers des panthères connus.

Pas un oiseau ne passe en fouettant de son aile
L'air épais où circule un immense soleil.
Parfois quelque boa, chauffé dans son sommeil,
Fait onduler son dos dont l'écaille étincelle.

Tel l'espace enflammé brûle sous les cieux clairs.
Mais, tandis que tout dort aux mornes solitudes,
Les éléphants rugueux, voyageurs lents et rudes,
Vont au pays natal à travers les déserts.

D'un point de l'horizon, comme des masses brunes,
Ils viennent, soulevant la poussière, et l'on voit,
Pour ne pas dévier du chemin le plus droit,
Sous leur pied large et sûr crouler au loin les dunes.

Celui qui tient la tête est un vieux chef. Son corps
Est gercé comme un tronc que le temps ronge et mine ;
Sa tête est comme un roc, et l'arc de son échine
Se voûte puissamment à ses moindres efforts.

Sans ralentir jamais et sans hâter sa marche,
Il guide au but certain ses compagnons poudreux :
Et, creusant par derrière un sillon sablonneux,
Les pèlerins massifs suivent leur patriarche.

L'oreille en éventail, la trompe entre les dents,
Ils cheminent, l'œil clos. Leur ventre bat et fume,
Et leur sueur dans l'air embrasé monte en brume ;
Et bourdonnent autour mille insectes ardents.

Mais qu'importent la soif et la mouche vorace,
Et le soleil cuisant leur dos noir et plissé ?
Ils rêvent en marchant du pays délaissé,
Des forêts de figuiers où s'abrita leur race.

Ils reverront le fleuve échappé des grands monts,
Où nage en mugissant l'hippopotame énorme,
Où, blanchis par la lune et projetant leur forme,
Ils descendaient pour boire en écrasant les joncs.

Aussi, pleins de courage et de lenteur, ils passent
Comme une ligne noire, au sable illimité ;
Et le désert reprend son immobilité
Quand les lourds voyageurs à l'horizon s'effacent.

LE TUTOIEMENT

(From the Works of Legouvé)

Autrefois on tutoyait ses domestiques, et on ne tutoyait
pas ses enfants. Aujourd'hui on tutoie ses enfants et on

ne tutoie plus ses domestiques. La raison de ce double changement est bien simple : il vient du développement qu'ont pris dans l'État les idées d'égalité et dans la famille les habitudes d'affection. On tutoyait ses domestiques par dédain pour eux ; on ne tutoyait pas ses enfants par respect pour soi-même : c'était une manière de les tenir à distance. L'égalité a rapproché nos serviteurs de nous ; l'affection nous a rapprochés de nos enfants ; et le double progrès s'est accompli. Je dis progrès, car, selon moi, il faut habituellement dire *tu* à ses enfants afin de pouvoir leur dire *vous* quelquefois. Cette appellation, réservée comme signe de mécontentement, devient une espèce d'éducation. J'ai vu un enfant qui se raidissait contre les remontrances et les menaces, et que ce seul mot *vous* faisait fondre en larmes. N'est-on pas trop heureux de trouver une punition dans un changement de pronom ?

LE MINEUR

(By A. Vessiot)

Humble travailleur
Il se sacrifie ;
Au soleil si beau,
Voyant, il renonce ;
Vivant, il s'enfonce
Dans le grand tombeau.
Dès que la lumière
Monte et nous éclaire,
Dans son puits glissant
Le mineur descend
Chercher son salaire,
Arracher du sein
De la dure terre
Sa vie et son pain.
Tout le jour il fouille
Le roc et la houille,
Son pic à la main,
Sous la basse mine
Courbant son échine,
Tantôt sur le dos,
Tantôt sur le ventre,
Au fond de son antre
Sans trêve ou repos.
C'est quand le jour tombe

Qu'il sort de sa tombe ;
Trop heureux encor
Le mineur, s'il sort !
Le grisou perfide,
Ce gaz homicide,
Éclate, et souvent
L'enterre vivant.
Quand le poêle chante
Sa douce chanson ;
Quand la grille ardente
Chauffe la maison ;
Quand le wagon roule
Sur le fer brillant ;
Quand, bravant la houle,
Le bateau bruyant
Sur le flot bouillant
Emporte une foule :
Songeons au mineur,
Car, sans son labeur
Rude, opiniâtre,
Plus de feu dans l'âtre
Et plus de vapeur :
Songeons au mineur.

LES ROCHES

Les minéraux forment, sous le nom de roches, les éléments qui constituent le globe terrestre. Nous pouvons les étudier au point de vue de leur composition, de leurs formes et de leurs propriétés ; c'est la minéralogie. Étudiés au point de vue de leur formation, des modifications qu'ils ont subies, c'est l'*histoire de la terre*, et cette partie s'appelle la géologie.

La terre est un globe d'environ 6·377 kilomètres de rayon, légèrement aplati aux pôles où son rayon n'est que de 6·356 kilomètres.

Quand on creuse une tranchée ou un puits profond, on trouve, au-dessous de la couche de terre arable qui forme la surface, des roches plus ou moins dures, compactes, résistantes ; car nous comprendrons sous ce nom toute substance qui entre dans la formation de la terre : le *sable* et l'*argile* sont des roches comme le *marbre* ou le *granit*.

Ces roches se présentent sous deux aspects différents : les unes sont disposées par couches *parallèles*, horizontales ou inclinées, comme les dépôts de limon ou de sable qui se forment au fond de l'eau : ce sont des roches sédimentaires. Les autres, *par exemple le granit*, ont l'apparence d'une matière *cristallisée*, comme celle que présente une matière en fusion qui s'est solidifiée par refroidissement ; elles laissent apercevoir différents cristaux répandus dans la masse, tandis que les autres ont une pâte homogène ; *elles sont disposées sans ordre* ; on leur donne le nom de roches cristallisées.

Les roches sédimentaires sont placées au-dessus des roches cristallisées ; elles peuvent manquer quelquefois, et ces dernières viennent affleurer le sol.

EXTRACT FROM BALZAC'S ' LES PAYSANS '

. . . Il était dix heures du matin ; le mois d'août était chaud, le ciel était sans nuages, bleu comme une pervenche ; la terre brûlait, les blés flambaient, les moissonneurs travaillaient, la face cuite par la réverbération des rayons sur une terre endurcie et sonore, tous muets, la chemise mouillée, buvant de l'eau dans des cruches de grès rondes comme un pain, garnies de deux anses et d'un entonnoir[1] grossier bouché avec un bout de saule.

Au bout des champs moissonnés, sur lesquels étaient les charrettes où s'empilaient les gerbes, il y avait une

---

[1] Sorte de bec.

centaine de créatures, qui, certes, laissaient bien loin les
plus hideuses conceptions que les pinceaux de Murillo,
de Téniers, les plus hardis en ce genre, et les figures de
Callot, ce poète de la fantaisie des misères, aient réalisées ;
leurs jambes de bronze, leurs têtes pelées, leurs haillons
déchiquetés, leurs couleurs, si curieusement dégradées,
leurs déchirures humides de graisse, leurs reprises, leurs
taches, les décolorations des étoffes, les trames mises à
jour, enfin leur idéal du matériel des misères était dépassé,
de même que les expressions avides, inquiètes, hébétées,
idiotes, sauvages, de ces figures, avaient, sur les immortelles
compositions de ces princes de la couleur, l'avantage éternel
que conserve la nature sur l'art. Il y avait des vieilles au
cou de dindon, à la paupière pelée et rouge, qui tendaient
la tête comme des chiens d'arrêt devant la perdrix, des
enfants silencieux comme des soldats sous les armes, des
petites filles qui trépignaient comme des animaux en atten-
dant leur pâture ; les caractères de l'enfance et de la vieil-
lesse étaient opprimés sous une féroce convoitise : celle
du bien d'autrui, qui devenait leur bien par abus. Tous les
yeux étaient ardents, les gestes menaçants, mais tous
gardaient le silence en présence du comte, du garde champêtre
et du garde général. La grande propriété, les fermiers, les
travailleurs et les pauvres s'y trouvaient représentés ; la
question sociale se dessinait nettement, car la faim avait
convoqué ces figures provocantes . . . Le soleil mettait
en relief tous ces traits durs et les creux des visages ; il
brûlait les pieds nus et salis de poussière ; il y avait des
enfants sans chemise, à peine couverts d'une blouse déchirée,
les cheveux blonds bouclés pleins de paille, de foin et de
brins de bois ; quelques femmes en tenaient par la main de
tout petits qui marchaient de la veille et qu'on allait laisser
rouler dans quelques sillons.

LE PÉLICAN

(From the Poems of Alfred de Musset)

Lorsque le pélican, lassé d'un long voyage,
Dans les brouillards du soir retourne à ses roseaux,
Ses petits affamés courent sur le rivage,
En le voyant au loin s'abattre sur les eaux.
Déjà, croyant saisir et partager leur proie,
Ils courent à leur père avec des cris de joie,
En secouant leurs becs sur leurs goîtres hideux.

Lui, gagnant à pas lents une roche élevée,
De son aile pendante abritant sa couvée,
Pêcheur mélancolique, il regarde les cieux.
Le sang coule à longs flots de sa poitrine ouverte :
En vain il a des mers fouillé la profondeur,
L'Océan était vide et la plage déserte ;
Pour toute nourriture il apporte son cœur.
Sombre et silencieux, étendu sur la pierre,
Partageant à ses fils ses entrailles de père,
Dans son amour sublime il berce sa douleur,
Et, regardant couler sa sanglante mamelle,
Sur son festin de mort il s'affaisse et chancelle,
Ivre de volupté, de tendresse et d'horreur.

L'ÉLECTRICITÉ

Pendant l'orage, il se produit des *éclairs* qui rappellent par leur aspect l'étincelle électrique, et un bruit plus ou moins prolongé qui est le bruit du *tonnerre*. Dans certains cas, l'éclair est accompagné de phénomènes qui se produisent à la surface du sol : on dit que la foudre est tombée.

Franklin a montré l'analogie qui existe entre l'orage et les phénomènes électriques que nous avons étudiés précédemment. Il fit l'expérience suivante : par un temps orageux, il lança un cerf-volant, muni d'une pointe métallique, et relié au sol par une corde attachée à un support *isolant*. Il put tirer des étincelles électriques analogues à celles que produit la machine électrique. Le phénomène se produisit seulement quand la corde fut rendue conductrice par une pluie fine qui tombait. L'expérience répétée depuis, en enroulant un léger fil métallique autour de la corde pour la rendre meilleure conductrice, donna les mêmes résultats.

Elle peut s'expliquer ainsi :

Les nuages chargés d'électricité décomposent par influence le fluide neutre du cerf-volant, attirent l'électricité de nom contraire et repoussent l'électricité de même nom qui s'accumule sur le conducteur placé à l'autre extrémité de la corde d'où l'on peut tirer des étincelles électriques.

Quand par suite de circonstances diverses, les nuages sont chargés d'électricité, deux nuages chargés d'électricité contraire peuvent se rapprocher et l'étincelle jaillit entre eux, en même temps que les deux électricités se combinent.

Dans d'autres cas, un nuage électrisé peut se rapprocher du sol et, agissant par influence sur les objets placés à la surface, il attire à lui l'électricité de nom contraire, et si la charge électrique est assez forte, l'étincelle jaillit entre le nuage et l'objet qui est foudroyé. Ce que nous avons dit de l'électrisation par influence nous montre que ce sont les objets élevés, les clochers, les arbres, ou les corps bons conducteurs, comme les masses métalliques, qui sont le plus exposés à être foudroyés.

L'éclair se présente tantôt sous la forme d'un trait de feu, tantôt sous forme de zig-zags ; c'est lorsqu'il y a une série d'étincelles qui jaillissent successivement entre une suite de nuages rapprochés.

Le bruit qui accompagne l'éclair ne se produit pas instantanément ; il s'écoule un certain temps entre l'éclair et le coup de tonnerre ; c'est le temps que met le son à parcourir la distance qui nous sépare de l'orage. Lorsque l'éclair et le coup de tonnerre se produisent en même temps, c'est que l'orage est tout proche. Le bruit d'un orage lointain est sourd et prolongé parce qu'il provient de points plus ou moins éloignés.

Outre l'éclair et le tonnerre, l'orage est accompagné d'autres phénomènes, lorsque la foudre tombe sur le sol. Lorsque la décharge électrique se fait à travers des corps mauvais conducteurs, le bois, la pierre, ces corps sont broyés : c'est ce qui arrive aux arbres sur lesquels tombe la foudre. Si elle se produit sur des corps bons conducteurs, le fluide suit ces corps en les échauffant au point de les faire fondre et va se répandre dans le sol produisant quelquefois des excavations à la surface. Sur l'homme et sur les animaux, la foudre produit une violente commotion et peut causer la mort.

D'ailleurs les effets de la foudre sont très variés et dépendent d'un grand nombre de circonstances, mais surtout de la charge électrique des nuages et de la nature des corps.

LA ROSÉE

Pendant la nuit, la terre et les corps placés à sa surface se refroidissent rapidement en émettant la chaleur qu'ils ont absorbée pendant le jour. A leur contact, la vapeur d'eau se condense et se dépose sous forme de *rosée*. Ce dépôt est plus abondant sur les corps qui ont un grand pouvoir rayonnant ; le bois, les plantes sont couverts de rosée ; les métaux, au contraire, ne le sont guère.

Il suffit, d'ailleurs, d'un écran ou d'un abri qui arrête le rayonnement, et par conséquent le refroidissement du corps pendant la nuit, pour empêcher la rosée de se produire. Quand le temps est couvert, les nuages font office d'écran et empêchent le dépôt de rosée.

Quand le froid est assez vif, le dépôt de rosée, en se congelant, donne naissance à la gelée blanche. Pour la même raison, un temps découvert favorise les gelées blanches, un temps nuageux les retarde. On produit quelquefois des nuages artificiels en brûlant des corps qui produisent beaucoup de fumée pour empêcher les gelées tardives, si funestes aux jeunes pousses des végétaux.

LES DJINNS

(By Victor Hugo)

Murs, ville,
Et port,
Asile
De mort,
Mer grise
Où brise
La brise,
Tout dort.

Dans la plaine
Naît un bruit.
C'est l'haleine
De la nuit.
Elle brame
Comme une âme
Qu'une flamme
Toujours suit.

La voix plus haute
Semble un grelot.
D'un nain qui saute
C'est le galop.
Il fuit, s'élance,
Puis en cadence
Sur un pied danse
Au bout d'un flot.

La rumeur approche,
L'écho la redit.
C'est comme la cloche
D'un couvent maudit,

Comme un bruit de foule
Qui tonne et qui roule,
Et tantôt s'écroule,
Et tantôt grandit.

Dieu ! la voix sépulcrale
Des Djinns ! . . .—Quel bruit ils font !
Fuyons sous la spirale
De l'escalier profond !
Déjà s'éteint ma lampe,
Et l'ombre de la rampe,
Qui le long du mur rampe,
Monte jusqu'au plafond.

C'est l'essaim des Djinns qui passe,
Et tourbillonne en sifflant.
Les ifs, que leur vol fracasse,
Craquent comme un pin brûlant.
Leur troupeau lourd et rapide,
Volant dans l'espace vide,
Semble un nuage livide
Qui porte un éclair au flanc.

Ils sont tout près ! — Tenons fermée
Cette salle où nous les narguons.
Quel bruit dehors ! Hideuse armée
De vampires et de dragons !
La poutre du toit descellée
Ploie ainsi qu'une herbe mouillée,
Et la vieille porte rouillée
Tremble à déraciner ses gonds.

Cris de l'enfer ! voix qui hurle et qui pleure.
L'horrible essaim, poussé par l'aquilon,
Sans doute, ô ciel ! s'abat sur ma demeure.
Le mur fléchit sous le noir bataillon.
La maison crie et chancelle penchée,
Et l'on dirait que, du sol arrachée,
Ainsi qu'il chasse une feuille séchée,
Le vent la roule avec leur tourbillon !

Prophète ! si ta main me sauve
De ces impurs démons des soirs,
J'irai prosterner mon front chauve
Devant tes sacrés encensoirs !
Fais que sur ces portes fidèles
Meure leur souffle d'étincelles,
Et qu'en vain l'ongle de leurs ailes
Grince et crie à ces vitraux noirs !

Ils sont passés ! — Leur cohorte
S'envole et fuit, et leurs pieds
Cessent de battre ma porte
De leurs coups multipliés.

L'air est plein d'un bruit de chaînes,
Et dans les forêts prochaines
Frissonnent tous les grands chênes,
Sous leur vol de feu pliés !

De leurs ailes lointaines
Le battement décroît,
Si confus dans les plaines,
Si faible, que l'on croit
Ouïr la sauterelle
Crier d'une voix grêle,
Ou pétiller la grêle
Sur le plomb d'un vieux toit.

D'étranges syllabes
Nous viennent encor :
Ainsi, des arabes
Quand sonne le cor,
Un chant sur la grève
Par instants s'élève,
Et l'enfant qui rêve
Fait des rêves d'or.

Les Djinns funèbres,
Fils du trépas,
Dans les ténèbres
Pressent leurs pas ;
Leur essaim gronde :
Ainsi, profonde,
Murmure une onde
Qu'on ne voit pas.

Ce bruit vague
Qui s'endort,
C'est la vague
Sur le bord ;
C'est la plainte
Presque éteinte
D'une sainte
Pour un mort.

On doute
La nuit . . .
J'écoute :—
Tout fuit.
Tout passe ;
L'espace
Efface
Le bruit.

L'HÉROISME D'UN VIEILLARD

L'étoile de Napoléon Ier commençait à pâlir ; la France,
si longtemps victorieuse sur tous les champs de bataille,

était envahie à son tour par les armées de l'Europe coalisée
contre elle, et nos soldats faisaient d'héroïques mais inutiles
efforts pour défendre le sol de la patrie. 1814 vit ce terrible
retour des choses d'ici-bas : tous les vaincus de la veille
s'élançant à la fois et forçant à reculer un peuple depuis si
longtemps invincible.

Un soir de bataille, un régiment français, séparé du gros
de l'armée, était poursuivi par une troupe ennemie très
supérieure en nombre.   Un régiment, disons-nous ? . . .
hélas ! ceux qui fuyaient avaient bien fait partie d'un
régiment le matin, mais ils n'étaient plus maintenant qu'une
petite bande décimée, foudroyée tout le jour par une canon-
nade implacable, et où pas un homme peut-être n'était
sans blessure.   Les vainqueurs approchaient, les nôtres
allaient être pris.

Pour comble de malheur, ils aperçoivent tout à coup au
détour d'un chemin une rivière leur barrant la route.

—Mes enfants, crie alors l'officier qui commandait,
halte ! et face à l'ennemi. Nous allons mourir ; mais avant
. . .

—Malheureux ! dit une voix près de ce brave, la lutte
dans de pareilles conditions serait insensée.   Sauvez-vous
plutôt ; gardez ce qui vous reste encore de force et de sang
pour combattre un jour où vous ne serez pas un contre dix.

Celui qui parlait ainsi était un vieillard, revêtu d'habits
de paysan, qui avait compris d'un coup d'œil la situation
critique où se trouvaient nos soldats.

—Nous sauver ? répliqua l'officier ; je ne demanderais
pas mieux, l'ami ; mais la chose ne me paraît pas commode,
avec le feu par derrière et l'eau par devant.

—Suivez-moi, je connais un gué.

On ne perd pas de temps en discussion inutile, et la
proposition du vieux paysan devient presque aussitôt un
fait accompli.   De la main, il montre le passage guéable :
nos soldats entrent sans bruit dans l'eau, et, bien qu'elle
soit encore assez profonde, ils marchent pleins de confiance.
Sans doute, durant ce court trajet, plus d'un blessé trop
faible pour résister au courant, s'affaisse et part à la dérive ;
mais il disparaît sans pousser un cri, de peur de trahir les
camarades. Ceux-ci, enfin, atteignent sans encombre l'autre
bord et s'enfoncent dans la forêt : la rivière qui devait
causer leur perte sera leur salut . . . si l'ennemi ne prend
pas le même chemin.

Le vieillard se disposait à les suivre. Trop tard ! une main s'abat sur son épaule, et déjà un officier ennemi l'interroge.

—Holà ! vieux, la rivière est-elle guéable par ici ?

Le vieillard regarde le questionneur dans les yeux et répond avec simplicité : Non !

Un sourire d'incrédulité passe sur le visage de l'étranger.

—Cependant, dit-il, j'ai vu des uniformes français se glisser par ici. Comme je ne les aperçois plus, je suppose qu'ils ont traversé l'eau et qu'ils ont disparu dans ce bois qui est de l'autre côté.

—Monsieur, vous m'avez fait une demande et j'y ai répondu comme je devais le faire. Si vous ne me croyez pas, entrez dans la rivière. Vous vous y noierez, vous et vos hommes, voilà tout, et ce sera autant d'envahisseurs de moins.

—Pas d'insolences, rustre ! Montre-nous plutôt si tu agis aussi bien que tu parles. Descends toi-même dans l'eau et marche jusqu'à l'autre bord. Si tu perds pied, tant pis ! Si tu essaies de revenir sur tes pas ou de t'enfuir, nous te fusillons à bout portant.

L'homme réfléchit une seconde, et soudain son visage s'illumine, transfiguré par une sublime inspiration. Un cœur de héros bat sous sa veste de paysan, et il s'est subitement résolu à mourir, lui vieux, incapable de combattre encore, pour conserver à la France une poignée de jeunes défenseurs.

—Vous allez voir, dit-il.

Il descend la berge, il entre dans la rivière, il s'éloigne du bord. L'eau ne lui arrive qu'au milieu de la poitrine ; mais il se baisse un peu à chaque pas. Bientôt ses épaules disparaissent, et il se baisse encore. Le flot, maintenant enserre le cou d'un anneau glacé . . . et il fléchit toujours les genoux. L'eau atteint son menton, sa bouche fermée, ses oreilles qui s'emplissent du murmure de la mort . . . Bientôt on ne voit plus flotter que ses cheveux blancs . . . puis plus rien ! Le vieux paysan, songeant aux soldats qui fuient là-bas, derrière le bois, pour les sauver est mort à genoux dans la rivière, lentement.

Il ne faut jamais désespérer d'un pays où l'amour de la patrie inspire aux hommes de pareils dévouements.

LE CORPS HUMAIN

Les animaux et les végétaux se distinguent des minéraux parce qu'ils vivent. La vie est constituée par une série de phénomènes ou transformations qui s'accomplissent dans leur corps au moyen d'*organes* ; de là le nom d'*êtres organisés* qu'on leur donne.

Cette série de phénomènes a une durée limitée ; les êtres vivants naissent et meurent ; d'autres, semblables, leur succèdent. Pendant leur existence, ils accomplissent un certain nombre d'actes ou *fonctions* dont les unes ont pour objet la conservation de l'individu, ce sont les *fonctions de nutrition* ; les autres, la conservation de l'espèce, ce sont les *fonctions de reproduction*.

Ces deux sortes de fonctions sont communes aux végétaux et aux animaux.

Les animaux jouissent, de plus, de la faculté de se mettre en relation avec les objets qui sont autour d'eux. Ils accomplissent une troisième série de fonctions, appelées *fonctions de relations*, qui leur permettent de se déplacer (mouvement) et de recevoir les impressions venant du dehors (sensibilité).

Ajoutons que l'homme a, en outre, la faculté de *penser* ; c'est un *être intelligent*.

C'est en étudiant le corps de l'homme que nous verrons comment s'accomplissent ces fonctions et quels sont les organes qui y concourent, nous réservant d'indiquer plus tard les modifications qui se présentent dans les différentes espèces de la série animale.

Quand on examine le corps de l'homme, on voit qu'il est formé de trois parties essentielles : la *tête*, le *tronc* et les *membres*.

La tête comprend une cavité, le *crâne*, qui renferme le cerveau, organe principal de la sensibilité et siège de l'intelligence ; elle porte, en outre, les principaux organes des sens.

Le tronc offre, lui aussi, une cavité qui renferme les organes de la nutrition ; il est divisé en deux parties par une cloison horizontale appelée le diaphragme ; la partie supérieure est la *poitrine* ou *thorax* ; elle contient le cœur et les poumons, qui sont les organes de la circulation et de la respiration ; la partie inférieure ou *abdomen* renferme l'estomac et les intestins, c'est-à-dire les principaux organes de la digestion.

Enfin les membres, au nombre de quatre, deux supérieurs, les *bras*, et deux inférieurs, les *jambes*, sont les organes principaux du mouvement.

Bien que cette distinction ne soit pas absolue, et que la tête, par exemple, porte une partie de l'appareil digestif, que la moelle épinière et les nerfs appartiennent au tronc, nous pouvons remarquer néanmoins que chaque partie du corps de l'homme correspond plus particulièrement à l'une des grandes fonctions que nous avons énumérées précédemment.

GEOGRAPHICAL TERMS

Le cap	= *Cape*		La côte	= *Coast*
Le désert	= *Desert*		L'écueil (m.)	= *Reef*
L'équateur	= *Equator*		L'équinoxe	= *Equinox*
L'hémisphère	= *Hemisphere*		L'horizon	= *Horizon*
L'île (f.)	= *Island*		La presqu' île	= *Peninsula*
L'isthme (m.)	= *Isthmus*		La lande	= *Moor*
La latitude	= *Latitude*		La longitude	= *Longitude*
Le méridien	= *Meridian*		La plaine	= *Plain*
Le pôle	= *Pole*		Le précipice	= *Precipice*
Le rivage	= *Sea-shore*		La rive	= *Bank*
Le sol	= *Soil*		Les tropiques	= *Tropics*
La vallée	= *Valley*		(m. pl.)	
Le volcan	= *Volcano*		Le vallon	= *Vale*
Le sud	= *South*		Le nord	= *North*
L'ouest (m.)	= *West*		L'est (m.)	= *East*
Le bassin	= *Basin*		La baie	= *Bay*
Le courant	= *Current*		Le canal	= *Canal*
La digue	= *Dyke*		Le détroit	= *Strait*
L'embouchure	= *Mouth (of river)*		L'écume (f.)	= *Foam*
(f.)			L'étang (m.)	= *Pond*
La rivière	= *River*		Les flots	= *Billows*
Le fleuve	= *River*		(m. pl.)	
La fontaine	= *Fountain*		Le golfe	= *Gulf*
Le gué	= *Ford*		L'inondation	= *Inundation*
La jetée	= *Pier*		(f.)	
Le marais	= *Marsh*		Le lac	= *Lake*
Le port	= *Port*		La marée	= *Tide*
Le quai	= *Quay*		Le puits	= *Well*
Le reflux	= *Ebb*		La rade	= *Roadstead*
Le ruisseau	= *Stream*		La source	= *Spring (of water)*
Les vagues	= *Waves*		L'avalanche	= *Avalanche*
(f. pl.)			(f.)	

METEOROLOGICAL TERMS

L'arc-en-ciel	= *Rainbow*		Le brouillard	= *Fog*
(m.)			Le calme	= *Calm*
La bour-			Le climat	= *Climate*
rasque	= *Squall*		Le cyclone	= *Cyclone*

Dégeler	= *To thaw*		**La brume**	= *Mist*
L'aurore			**La chaleur**	= *Heat*
boréale	= *Aurora borealis*		**Le crépuscule**	= *Twilight*
Le frimas	= *Hoar-frost*		**Le dégel**	= *Thaw*
La glace	= *Ice*		**L'éclair (m.)**	= *Lightning*
L'humidité (f.)	= *Humidity*		**La foudre**	= *Thunder-bolt*
La neige	= *Snow*		**La gelée**	= *Frost*
L'ombre (f.)	= *Shade*		**La grêle**	= *Hail*
L'ouragan (m.)	= *Hurricane*		**La mousson**	= *Monsoon*
La rosée	= *Dew*		**Le nuage**	= *Cloud*
Le tonnerre	= *Thunder*		**L'orage (m.)**	= *Storm*
Le tremblement			**La pluie**	= *Rain*
de terre	= *Earthquake*		**La tempête**	= *Tempest*
L'averse (f.)	= *Heavy shower*		**La trombe**	= *Water-spout*
La brise	= *Breeze*		**Le verglas**	= *Glazed frost*

PSYCHOLOGICAL TERMS

L'activité (f.)	= *Activity*		**L'éloquence(f.)**	= *Eloquence*
L'ambition (f.)	= *Ambition*		**L'entêtement**	= *Obstinacy*
L'amour (m.)	= *Love*		**(m.)**	
L'audace (f.)	= *Audacity*		**L'envie (f.)**	= *Envy*
La bonhomie	= *Simplicity*		**L'espérance**	= *Hope*
La bonté	= *Goodness*		**(f.)**	
Le caractère	= *Temper*		**L'estime (f.)**	= *Esteem*
La colère	= *Anger*		**L'exactitude**	= *Accuracy*
La conduite	= *Behaviour*		**(f.)**	
La conscience	= *Conscience*		**La fierté**	= *Pride*
La crainte	= *Fear*		**La foi**	= *Faith*
L'affection (f.)	= *Affection*		**La franchise**	= *Frankness*
L'amitié (f.)	= *Friendship*		**La gaieté**	= *Gaiety*
L'amour-			**La gourman-**	
propre	= *Self-love*		**dise**	= *Greediness*
L'avarice (f.)	= *Avarice*		**La haine**	= *Hatred*
Le bon sens	= *Good sense*		**La honte**	= *Shame*
Le caprice	= *Whim*		**La mauvaise**	
Le chagrin	= *Vexation, grief*		**humeur**	= *Bad temper*
La compassion	= *Compassion*		**L'ignorance**	= *Ignorance*
La confiance	= *Confidence*		**(f.)**	
Le courage	= *Courage*		**L'incertitude**	= *Uncertainty*
Le crime	= *Crime*		**(f.)**	
La cruauté	= *Cruelty*		**L'indifférence**	= *Indifference*
Le décourage-			**(f.)**	
ment	= *Discouragement*		**L'inhabilité**	= *Inability*
La délicatesse	= *Delicacy*		**(f.)**	
Le désespoir	= *Despair*		**L'inquiétude**	= *Uneasiness*
Le désir	= *Desire*		**(f.)**	
La dignité	= *Dignity*		**L'insouciance**	= *Thoughtlessness*
La douceur	= *Gentleness*		**(f.)**	
Le doute	= *Doubt*		**L'intérêt (m.)**	= *Interest*
L'effronterie	= *Impudence*		**L'intrigue (f.)**	= *Intrigue*
(f.)			**La joie**	= *Joy*

La liberté	=	Liberty
Maladroit	=	Awkward
La méchan-ceté	=	Wickedness
La mémoire	=	Memory
La curiosité	=	Curiosity
Le dégoût	=	Disgust
Le dépit	=	Spite
Le dés-honneur	=	Dishonour
La désobéis-sance	=	Disobedience
La discrétion	=	Discretion
La douleur	=	Pain
L'économie	=	Economy
L'égoïsme	=	Egotism
L'ennui (m.)	=	Boredom
L'enthou-siasme (m.)	=	Enthusiasm
L'erreur (f.)	=	Error
L'esprit (m.)	=	Mind
L'étude (f.)	=	Study
La fermeté	=	Firmness
La flatterie	=	Flattery
La fourberie	=	Knavery
La frivolité	=	Frivolity
Le génie	=	Genius
L'habileté (f.)	=	Skill
L'honneur (m.)	=	Honour
La bonne humeur	=	Good temper
L'idée (f.)	=	Idea
L'impudence	=	Impudence
L'indignation	=	Indignation
L'ingratitude	=	Ingratitude
L'innocence	=	Innocence
L'insolence	=	Insolence
L'intelligence	=	Intelligence
L'intimité	=	Intimacy
La jalousie	=	Jealousy
La lâcheté	=	Cowardice
La mal-adresse	=	Awkwardness
La malveil-lance	=	Malevolence
La mélancolie	=	Melancholy
Le mensonge	=	Lie
Le mépris	=	Contempt

La négligence	=	Negligence
L'orgueil (m.)	=	Pride
La paresse	=	Laziness
La patience	=	Patience
La pensée	=	Thought
La peur	=	Fear
Le plaisir	=	Pleasure
La prévoy-ance	=	Foresight
La pudeur	=	Shame
La rancune	=	Rancour
La réflexion	=	Reflection
Le ressenti-ment	=	Resentment
La simplicité	=	Simplicity
La sottise	=	Foolishness
Le soupçon	=	Suspicion
La tempér-ance	=	Temperance
La tran-quillité	=	Tranquillity
La vanité	=	Vanity
La vérité	=	Truth
Le zèle	=	Zeal
La modestie	=	Modesty
La noncha-lance	=	Carelessness
L'oubli (m.)	=	Forgetfulness
La passion	=	Passion
La peine	=	Trouble, pain
La persévé-rance	=	Perseverance
La pitié	=	Pity
La politesse	=	Politeness
La propreté	=	Cleanliness
La raison	=	Reason
La reconnais-sance	=	Gratitude
Le remords	=	Remorse
La sagesse	=	Wisdom
Le soin	=	Care
Le souhait	=	Wish
La stupidité	=	Stupidity
La timidité	=	Timidity
La tristesse	=	Sadness
La vengeance	=	Vengeance
La volonté	=	Will

RELATIONSHIP

Les aïeux (m. pl.)	=	Forefathers
Le bisaïeul	=	Great-grand-father

La tante	= *Aunt*	Les jumeaux	= *Twins*
La nièce	= *Niece*	(m. pl.)	
La grand'		La petite-fille	= *Granddaughter*
mère	= *Grandmother*	La femme,	
Le petit-fils	= *Grandson*	l'épouse	= *Wife*
L'arrière		Le beau-père	= *Father-in-law,*
petit-fils	= *Great-grandson*		*step-father*
Le cousin, la		La belle-mère	= *Mother-in-law,*
cousine	= *Cousin*		*step-mother*
Le cousin		Le gendre	= *Son-in-law*
germain	= *First cousin*	La belle-fille,	
Le petit-		la bru	= *Daughter-in-law*
cousin	= *Second cousin*	Le beau-frère	= *Brother-in-law*
Le mari,		Le parrain	= *Godfather*
l'époux	= *Husband*	Le filleul	= *Godson*
L'oncle	= *Uncle*	Les ancêtres	= *Ancestors*
Le neveu	= *Nephew*	La belle-fille	= *Step-daughter*
Le grand-		La belle-sœur	= *Sister-in-law*
père	= *Grandfather*	La marraine	= *Godmother*
		La nourrice	= *Nurse*

ASTRONOMICAL TERMS

Les astres (m. pl.),		Le dernier	
les étoiles	= *Stars*	quartier	= *Last quarter*
(f. pl.)		La terre	= *Earth*
Le ciel	= *Sky, heaven*	La comète	= *Comet*
L'étoile filante	= *Shooting-star*	La nouvelle	
L'étoile		lune	= *New moon*
polaire	= *Polar star*	Le premier	
Le firmament	= *Firmament*	quartier	= *First quarter*
La pleine		La planète	= *Planet*
lune	= *Full moon*	La voie lactée	= *Milky way*
		L'éclipse	= *Eclipse*

NAMES OF COUNTRIES AND CONTINENTS

Country or Continent		*Native*
L'Europe (f.)		Un Européen
L'Asie (f.)		Un Asiatique
L'Afrique (f.)		Un Africain
L'Amérique (f.)		Un Américain
L'Australie (f.)		Un Australien
L'Allemagne (f.)	= *Germany*	Un Allemand
L'Alsace (f.)	= *Alsatia*	Un Alsacien
L'Angleterre (f.)	= *England*	Un Anglais
L'Autriche (f.)	= *Austria*	Un Autrichien
La Bavière	= *Bavaria*	Un Bavarois
La Belgique	= *Belgium*	Un Belge
La Bohême	= *Bohemia*	Un Bohême
La Chine	= *China*	Un Chinois
Le Danemark	= *Denmark*	Un Danois

L'Écosse (f.)	= *Scotland*	Un Écossais
L'Espagne (f.)	= *Spain*	Un Espagnol
Les États-Unis (m. pl)	= *United States*	Un Américain
La Flandre	= *Flanders*	Un Flamand (*Fleming*)
La France		Un Français
La Grande-Bretagne	= *Great Britain*	
La Grèce	= *Greece*	Un Grec
La Hollande	= *Holland*	Un Hollandais
La Hongrie	= *Hungary*	Un Hongrois
L'Irlande (f.)	= *Ireland*	Un Irlandais
L'Italie (f.)	= *Italy*	Un Italien
Le Japon	= *Japan*	Un Japonais
La Norvège	= *Norway*	Un Norvégien
La Pologne	= *Poland*	Un Polonais
Le Portugal	= *Portugal*	Un Portugais
La Prusse	= *Prussia*	Un Prussien
La Russie	= *Russia*	Un Russe
La Sardaigne	= *Sardinia*	Un Sarde
La Suède	= *Sweden*	Un Suédois
La Suisse	= *Switzerland*	Un Suisse
La Turquie	= *Turkey*	Un Turc

MILITARY TERMS

La buffleterie	= *Accoutrements*	Le colonel	= *Colonel*
L'adjudant major	= *Adjutant*	La colonne	= *Column*
L'avant-garde (f.)	= *Advance-guard*	La compagnie	= *Company*
Les munitions (f.)	= *Ammunition*	La défaite	= *Defeat*
		Le détachement	= *Detachment*
L'armistice (m.)	= *Truce*	Le fossé	= *Ditch, moat*
L'artillerie (f.)	= *Artillery*	L'ennemi (m.)	= *Enemy*
L'aviateur (m.)	= *Airman*	L'escorte (f.)	= *Escort*
La caserne	= *Barracks*	Le bac	= *Ferry*
La batterie	= *Battery*	Le combat	= *Fight*
L'ambulance	= *Ambulance*	La fuite	= *Flight*
L'ambuscade (f.)	= *Ambush*	La frontière	= *Frontier*
L'armée (f.)	= *Army*	Le général	= *General*
Attaquer	= *To attack*	La poudre	= *Powder*
Le ballon	= *Balloon*	Le casque	= *Helmet*
Le bataillon	= *Battalion*	L'infanterie (f.)	= *Infantry*
La bataille	= *Battle*	La meurtrière	= *Loophole*
La baïonnette	= *Bayonet*	La marche	= *March*
La bombe	= *Bomb*	L'avion (m.)	= *Aeroplane*
La brigade	= *Brigade*	La parade	= *Parade*
Le clairon	= *Bugle*	La solde	= *Pay*
La campagne	= *Campaign*	La poursuite	= *Pursuit*
La nacelle	= *Car (of balloon)*	Le grade	= *Rank*
		L'arrière (f.)	= *Rear*
Le canon	= *Cannon*	Le régiment	= *Regiment*
		L'état-major (m.)	= *Staff*

L'épée (f.)	= Sword		Le fusil	= Rifle
L'uniforme (m.)	= Uniform		Le quartier	
Le pont	= Bridge		général	= Headquarters
La balle (de			L'obusier (m.)	= Howitzer
fusil)	= Bullet		L'équipement	= Kit
Le camp	= Camp		(m.)	
Le capitaine	= Captain		Le lieutenant	= Lieutenant
La cartouche	= Cartridge		La mitrailleuse	= Machine-gun
La cavalerie	= Cavalry		La carte	= Map
Le drapeau	= Flag		L'officier (m.)	= Officer
L'intendance (f.)	= Commissariat		La patrouille	= Patrol
Le caporal	= Corporal		La paix	= Peace
La défense	= Defence		Les bandes	
Les dépêches (f.)	= Dispatches		molletières	= Putties
Le remblai	= Embankment		Les aliments	= Rations
Le génie	= Engineers		La Croix Rouge	= Red Cross
Les manœuvres	= Exercises		Le renfort	= Reinforce-
(f.)				ment
Le champ	= Field		Le galon	= Stripe
Le flanc	= Flank		La tranchée	= Trench
La forteresse	= Fortress		Le fourgon	= Waggon
La fusée	= Fuse			

MARINE TERMS

La flotte	= Fleet		Le garde-côte	= Coastguard
Le remorqueur	= Tug		Le vaisseau	= Vessel
Le radeau	= Raft		L'amarre (f.)	= Hawser
L'ancre (f.)	= Anchor		À bord	= On board
Le bâbord	= Port (side)		Le câble	= Cable
Le tribord	= Starboard		La cale	= Hold
	(side)		La corde	= Rope
La cheminée	= Funnel		L'hélice (f.)	= Screw
La gaffe	= Boat-hook		Le mât	= Mast
Le lest	= Ballast		La rame	= Oar
Le pavillon	= Flag		Le tillac	= Deck
Le sabord	= Port-hole		La vergue	= Yard
Le timon	= Helm		L'équipage	= Crew
La voile	= Sail		(m.)	
Le pilote	= Pilot		Le marin	= Sailor
Le coq	= Cook		La bouée	= Buoy
Le phare	= Lighthouse			

MOTORING AND AVIATION TERMS

L'allumage (m.)	= Ignition		Le frein	= Brake
L'essence (f.)	= Petrol		La bougie	= Sparking-plug
Huiler	= To oil		Le bandage	= Tyre
Le démarreur	= Starter		Défense de	
Le volant	= Steering wheel		stationner	= No parking
Le phare	= Headlight		Sens interdit	= No entry
Doubler	= To overtake		Sens unique	= One way street

Croisement dangereux	= *Dangerous cross roads*	Le pilote	= *Pilot*
		Le hangar	= *Shed*
Descente rapide	= *Steep descent*	S'envoler, décoller	= *To take off*
Passage à niveau	= *Level crossing*	Le trou d'air	= *Air pocket*
Tournant dangereux	= *Dangerous bend*	Atterrir	= *To land*
		L'aéroport (m.)	= *Air port*
L'aérodrome(m.)	= *Aerodrome*	Le port d'atterrissage	= *Landing port*
L'avion (m.)	= *Aeroplane*		

BUSINESS TERMS

L'associé	= *Partner*	L'échantillon (m.)	= *Sample*
La banque	= *Bank*	La facture	= *Invoice*
Le marchand	= *Merchant*	La faillite	= *Failure, bankruptcy*
Le commis	= *Clerk*		
L'acquit (m.)	= *Receipt*	Le frêt	= *Freight*
L'assurance (f.)	= *Insurance*	Le taux	= *Rate*
La balance	= *Balance*	Le magasin	= *Warehouse*
Le bilan	= *Balance-sheet*	Le mandat-poste	= *Postal-order*
Le change	= *Change*		
La correspondance	= *Correspondence*	La promesse	= *Promise*
		Le rabais	= *Reduction*
Le crédit	= *Credit*	La remise	= *Remittance*
La dette	= *Debt*	Le certificat	= *Certificate*
Le détail	= *Retail*	Le solde	= *Settlement*
L'escompte (m.)	= *Discount*	Importer	= *To import*
Le banquier	= *Banker*	Les intérêts (m. pl.)	= *Interest*
Le caissier	= *Cashier*		
Le négociant	= *Merchant*	La lettre de change	= *Bill of exchange*
Le colis	= *Packet*		
Le timbre-poste	= *Postage-stamp*	Le mandat	= *Order*
Assurer	= *To insure*	Payer	= *To pay*
Faire banqueroute	= *To become bankrupt*	La quittance	= *Receipt*
		Le reçu	= *Receipt*
Le billet	= *Bill*	Signer	= *To sign*
Le compte	= *Account*	La société	= *Company*
Le créancier	= *Creditor*	La vente	= *Sale*
Le débiteur	= *Debtor*		
Le débit	= *Debit*		

WIRELESS AND TELEVISION TERMS

La radio La T.S.F. }	= *Radio*	Accrocher	= *To tune in to*
		La réception	= *Reception*
La télévision	= *Television*	La perturbation	= *Disturbance*
Radiodiffuser	= *To broadcast*	Changer de réglage	= *To switch to another station*
La lampe	= *Valve*		
Le poste à huit lampes	= *Eight-valve set*	La batterie	= *Battery*
		La station	= *Station*
L'antenne (f.)	= *Aerial*	Les prévisions météorologiques (f.)	= *Weather forecast*
La longueur d'onde	= *Wavelength*		
Le bouton	= *Knob*	Tourner le bouton	= *To switch on ; to switch off*

USEFUL VERBS

Brosser	= *To brush*	Danser	= *To dance*
Porter	= *To carry*	Embrasser	= *To embrace, kiss*
Songer	= *To dream*		
Défendre	= *To forbid*	Oublier	= *To forget*
Saluer	= *To greet*	Guider	= *To guide*
Entendre	= *To hear*	Aider	= *To help*
Informer	= *To inform*	Durer	= *To last*
Louer	= *To let (apartments)*	Laisser	= *To let, allow*
		Déplaire	= *To displease*
Obliger	= *To oblige*	Jouer	= *To play*
Prier	= *To pray*	Louer	= *To praise*
Promettre	= *To promise*	Regretter	= *To regret*
Recommander	= *To recommend*	Répondre	= *To reply*
Réjouir	= *To rejoice*	Se raser	= *To shave (oneself)*
Se reposer	= *To rest (oneself)*		
		Prendre	= *To take*
Arrêter	= *To stop*	Voyager	= *To travel*
Traduire	= *To translate*	Comprendre	= *To understand*
Essayer	= *To try*	Chuchoter	= *To whisper*
Attendre	= *To wait (for)*	Dépenser	= *To spend*
Copier	= *To copy*	Disparaître	= *To disappear*
Jeter	= *To throw*	Se dépêcher	= *To hurry (oneself)*
Compter	= *To count*		
Aller chercher	= *To fetch*	Fermer à clé	= *To lock*
Sourire	= *To smile*	Remonter	= *To wind up (clock)*
Nettoyer	= *To clean*		

USEFUL ADJECTIVES

Agréable	= *Agreeable*	Mou (f. molle)	= *Soft*
Soigneux	= *Careful*	Épais	= *Thick*
Sec, sèche	= *Dry*	Utile	= *Useful*
Profond	= *Deep*	Faible	= *Weak*
Élégant	= *Elegant*	Lointain	= *Far, distant*
Gras	= *Fat*	Amusant	= *Amusing*
Haut	= *High*	Boiteux	= *Lame (in one leg)*
Honnête	= *Honest*		
Malade	= *Ill*	Large	= *Broad*
Juste	= *Just*	Direct	= *Direct*
Mince	= *Thin (of paper, etc.)*	Sale	= *Dirty*
		De bonne heure	= *Early*
Tard	= *Late*	Vide	= *Empty*
Long	= *Long*	Bien aise	= *Glad*
Gai	= *Gay, merry*	Saint	= *Holy*
Étroit	= *Narrow*	Dur	= *Hard*
Rapide	= *Rapid*	Important	= *Important*
Tranquille	= *Quiet*	Maigre	= *Thin, lean*
Mûr	= *Ripe*		
Court	= *Short*		
Fort	= *Strong*		

Léger	= Light (in weight)	Aigu	= Sharp
		Étrange	= Strange
Dernier	= Last	Doux	= Sweet
Bas	= Low	Las (fatigué)	= Tired
Joyeux	= Joyous, jolly	Malheureux	= Unhappy
Fier	= Proud	Ivre	= Drunk
Vif	= Quick	Drôle	= Funny
Prêt	= Ready	Estropié	= Lame
Rond	= Round	Intéressant	= Interesting

MISCELLANEOUS NOUNS

La fourmi	= Ant	Le canard	= Duck
La vache	= Cow	Le lion	= Lion
Le foie	= Liver	Le rossignol	= Nightingale
L'huile de foie de morue	= Cod-liver oil	La perdrix	= Partridge
		Le cochon	= Pig
Le crabe	= Crab	Le lapin	= Rabbit
L'aigle (m.)	= Eagle	L'hirondelle (f.)	= Swallow
L'oie (f.)	= Goose	Le tablier	= Apron
Le homard	= Lobster	La dentelle	= Lace
L'huître (f.)	= Oyster	Le porte-feuille	= Pocket-book
Le faisan	= Pheasant	La bourse[1]	= Purse
Le pigeon	= Pigeon	La bague	= Ring (finger)
Le mouton	= Sheep	La pantoufle	= Slipper
Le loup	= Wolf	Le cure-dents	= Tooth-pick
L'éventail (m.)	= Fan	Le voile	= Veil
Le linge	= Linen	La falaise	= Cliff
Le jupon	= Petticoat	Le sentier	= Path
Le mouchoir	= Handkerchief	Le moulin	= Mill
Le ruban	= Ribbon	Le sommet	= Top (mountain)
Le soulier	= Shoe		
Le dé	= Thimble	La cuvette	= Basin
Le pantalon	= Trousers	Le coussin	= Cushion
Le château	= Castle	La carafe	= Decanter
La ferme	= Farm	Le couteau	= Knife
Le terrain	= Ground	La soucoupe	= Saucer
Le moulin à vent	= Windmill	Le drap de lit	= Sheet
		La cuisine	= Kitchen
Le fauteuil	= Armchair	La bibliothèque	= Library
La commode	= Chest of drawers	L'escalier (m.)	= Stairs
		La sonnette	= Bell (small)
Le rideau	= Curtain	Le marteau	= Hammer
La fourchette	= Fork	Le pétrole	= Petrol
La peinture	= Painting	L'as (m.)	= Ace (cards)
Les ciseaux	= Scissors	La cabine	= Cabin
La cave	= Cellar	Les cartes (f.)	= Cards (game)
L'ours (m.)	= Bear	Le tambour	= Drum
La morue	= Cod	Le théâtre	= Theatre
L'huile (f.)	= Oil	Le biscuit	= Biscuit
L'âne (m.)	= Donkey		

[1] Or 'Porte-monnaie.'

Le bouillon	=	*Broth*	Le concert	=	*Concert*
La figue	=	*Fig*	La foire	=	*Fair (country)*
Le rognon	=	*Kidney*	La carte postale	=	*Postcard*
La moutarde	=	*Mustard*	L'asperge (f.)	=	*Asparagus*
Le riz	=	*Rice*	La carotte	=	*Carrot*
Le saumon	=	*Salmon*	Le gibier	=	*Game (birds. etc.)*
La saucisse	=	*Sausage*			
Le vinaigre	=	*Vinegar*	Le champignon	=	*Mushroom*
Le dictionnaire	=	*Dictionary*	La poire	=	*Pear*
L'enveloppe (f.)	=	*Envelope*	La salade	=	*Salad*
La veuve	=	*Widow*	Le sel	=	*Salt*
L'auberge (f.)	=	*Inn*	La soupe[1]	=	*Soup*
Le musée	=	*Museum*	Le pupitre	=	*Desk*
Le bâtiment	=	*Building*	L'encre (f.)	=	*Ink*
Le faubourg	=	*Suburb*	Le veuf	=	*Widower*
La poussière	=	*Dust*	L'hôtel (m.)	=	*Hotel*
L'affiche (f.)	=	*Bill, notice*	Le marché	=	*Market*
La courroie	=	*Strap*	Le palais	=	*Palace*
L'indicateur (m.)	=	*Time-table*	La prison	=	*Prison*
La racine	=	*Root*	La tour	=	*Tower*
Premier étage	=	*First floor*	Le bruit	=	*Noise*
Le frein	=	*Brake*	Le chemin de fer	=	*Railway*
La machine	=	*Machine*	La malle	=	*Trunk (baggage)*
La lentille	=	*Lens*			
La cornemuse	=	*Bagpipe*	Le tunnel	=	*Tunnel*
La loge	=	*Box (at theatre)*	Le bas	=	*Stocking*

---

[1] Or 'Le potage.'

APPENDIX I

Literal translation of poem contained in the Conversation Lesson of the seventh chapter :

All is mute, the bird throws (pours forth) no more its cries.
The gloomy plain is white afar under the grey sky.
Alone, the great black crows which go seeking their prey
Rummage with beak the snow and stain its paleness.
There now, on the horizon, arises a clamour ;
It approaches, it comes ; it is the tribe (flock) of geese.
Like a dart thrown, all (of them), the neck outstretched,
Going quicker still in their distracted flight,
Pass, whipping the wind with their swishing (whistling) wing.
The guide who conducts these pilgrims of the air
Beyond the oceans, the woods and the deserts,
As if to excite (hasten) their pace all too slow,
From moment to moment throws (pours forth) his piercing cry.
Like a double ribbon the caravan (of geese) undulates,
Murmurs strangely and through the sky unfolds
Its great winged triangle which goes (along) widening itself.
But their captive brothers spread upon the plain,
Benumbed by the cold, move along gravely (badly).
A child in rags, whistling, drives (walks) them,
Like heavy vessels rocked (swayed) slowly.
They hear the cry of the tribe which passes,
They erect their heads ; and, seeing to flee
The free travellers through space,
The captives suddenly rise (lift themselves) to depart.
They agitate in vain their powerless wings
And, upstanding on their feet, feel confusedly,
At that roving call to arise (ever) becoming greater,
The first freedom at the bottom of the dormant heart,
(And) The fever of (for) space and warm shores.
In the fields full of snow they run scared,
And, throwing through the sky despairing cries,
They reply a long time to their wild brothers.

APPENDIX II

THE CAT AND THE LITTLE GIRL

(Contained in the Conversation Lesson of the seventh chapter)

Her great friend, who plays an important part in her life, is Puck, our cat ; a fine grey and white animal, which I had already before my marriage ; grave, loving his ease and that one (should) respect it, coaxing, stout, correct, his hairs always well glossed (polished)—except at the periods (epochs) when he disappears for a week (eight days) and returns bristled, lanky (thin), lamentable, to recover himself in less than no time (in a nothing of time). From the moment (' dès ') that Baby sees him sleeping on his cushion, she crawls up to him and possesses herself (' S'emparer de ' means ' To possess oneself of ' or vulgarly, ' To collar ') of his tail.

Puck half opens his eyes, doubting that it be necessary (*subjunctive*) to interrupt his sleep. Baby pulls more strongly, by jerks.

Puck rises, looks at her while yawning, stretches himself and, proud (splendid) with indifference and disdain, lies down again on the other side whilst hiding his tail under his stomach.

Baby makes the tour of the cushion, and soon the tail finds itself once more in her hands : exulting with joy, triumphant, she agitates (waves) it like a bell-cord whilst banging the (imaginary) big drum on the spine of the cat.

Puck growls a little (so as) to demand mercy. In vain. Then he rises, dignified, moves off with majesty, without haste, jumps in two leaps upon the back of the couch, instals himself, and from up there, like the sage of Lucretius, looks without fear or rancour at Baby, who shakes herself ; she is engaging (inviting) at first ; she holds out her hands to him (' lui '), she prattles (warbles) gracious things. Puck not moving, she becomes more pressing (insistent) ; then her face lengthens, her mouth opens showing three teeth, and she lets off a cry, sharp, piercing, despairing, the cry which preludes (to) a great explosion of tears . . .

It is the moment when **I enter** into the **game** (match). I undertake to explain to Puck that he ought to let his tail (to) be pulled, in order to restore (render) our tranquillity.

Puck looks at me with his great eyes of gold, and makes me (to) understand very clearly that that is (strongly) very disagreeable to him, and that he is not accustomed to it (' y '), and that it is too hard, at his age, to have to change his habits. . . . Still (however), if I insist, if I take him on my knees, as formerly when he was king of the house, he lets himself be convinced (note the use of the infinitive here), and, for (during) a moment, Baby can fiddle about (dabble, etc.) with him at ease.

Whilst she is pulling his tail (' lui tire la queue '—note the construction), he rubs his head against my hand ; sometimes he even purrs, in order (' pour ') to show me that he sacrifices himself with a good heart (willingly). But his patience has limits : when she is at (the) end (done, finished) definitely, he mounts upon the stove, with the conscience of duty accomplished, yawns, stretches himself again, opens and re-shuts his eyes two or three times, and re-sleeps (' S'endormir ' means ' To go to sleep ' ; ' Se rendormir ' means ' To go to sleep again '), indifferent to the piercing cry which breaks out (' éclate ') an instant after. Myself, I should not dare to ask more (of it) of him.

The student will notice that in French the definite article ' le,' ' la,' and ' les ' is frequently used instead of the possessive adjectives, ' mon,' ' ma,' ' mes,' ' son,' ' sa,' ' ses,' etc., where no mistake could be made with regard to the possessor of the thing mentioned.

' Il ouvre les yeux ' means, ' He opens his (own) eyes.' We do not expect him to open the eyes of another being.

The French say, ' Je me suis coupé le doigt,' meaning ' I have cut my finger.' As the verb has been used reflexively with ' me ' the word ' le ' is used instead of ' mon.'

APPENDIX III

I do not say that for myself, madame, but I know what I say ; money is money, whatever be the hands where it is found. It is the only power that one never discusses. One discusses virtue, beauty, courage, genius ; one never discusses money. There is not a civilised being who, whilst rising in the morning, does not recognise (*subjunctive*) the sovereignty of money, without which he would have neither the roof which shelters him, nor the bed where he lies, nor the bread which he eats. Whither goes that (this) population which hurries (presses on) in the streets, from (since, beginning with) the messenger who sweats under his too heavy burden (load) to (up to, until) the millionaire who goes (renders himself) to the exchange (money-market) to the trotting of his two horses ? The one runs after fifteen half-pennies, the other after a hundred thousand francs. Why these shops, these vessels, these railways, these factories, these theatres, these museums, these lawsuits between brothers and sisters, between sons and fathers, these discoveries, these divisions (splits), these assassinations ? For a few pieces, more or less numerous, of this white or yellow metal which is called (one calls) silver or gold. And who will be the most considered following on that great race for crowns ? (Also used figuratively for ' tin, shekels, lucre,' etc.) The one who will bring back most. Today a man ought not to have more than one goal—that is to become rich. As for me (' quant à moi '), that's always been my idea ; I have arrived at it and I congratulate myself. Formerly, everybody found me ugly, stupid, troublesome ; today everybody finds me handsome, witty, amiable : and God knows if I am witty, amiable, and handsome. From the day where (when) I shall have been silly enough to ruin myself and become (again) Jean (John) as before, there will not be (' il n'y aura ') enough stones in the Montmartre quarries to throw (them) at my head ; but that day is still far, and many of my fellows (colleagues) will have ruined themselves between now and then (' d'ici là ') in order that I do not ruin myself. In short, the greatest praise that I can give (make) of money, is that a society (group of people) like that where (in which) I find myself has (*subjunctive*) had the patience to listen (hear) so long (to) the son of a gardener who has no other rights to that attention than the poor little millions which he has won.

APPENDIX IV

WHAT IS (ARE) THE PEOPLE?

You are (the) people; know first what people means (is). There are men who, under the weight of the day, unceasingly exposed to the sun, to the rain, to the wind, to all the inclemencies of the seasons, plough the earth (land), deposit in its bosom, with seed which will bear fruit, a part of their strength and of their life, obtain thus from it, by the sweat of their forehead, the food (nourishment) necessary to all. These men are men of the people.

Others work the forests, the quarries, the mines, descend to immense depths into the bowels of the earth (soil), in order to extract from it (' en ') salt, coal, minerals, all the materials indispensable to the trades, to the arts.

These, like the first, grow old in (by) hard labour, in order to procure for (to) all the things of which all have need.

These, again, are men of the people.

Others melt metals, fashion them, give them the shapes (forms) which render them fit for a thousand varied uses; others work (on) wood; others weave wool, flax, silk, manufacture different (diverses) stuffs (cloths); others provide in the same manner (to) the different necessities derived (' dérivent ') either from Nature directly or from the social state.

These, again, are men of the people.

Several (many), in the midst of continual perils, scour (sail over, overrun) the seas in order to transport from one country to the other what is peculiar (' propre '—notice the several English equivalents to this word) to each one of them; or (they) struggle (wrestle) against the waves and the tempests, under the fires of the tropics as amidst the polar ices, either (it may be) in order to augment by fishing the common mass of provisions (maintenances), or (it may be) in order to pluck from (' arracher à ') the ocean a multitude of productions useful to human life. These, again, are men of the people.

And who takes (up) arms for the Fatherland, who defends

it ? Who gives for it his (their) finest years, and his (their) night-watches (eves) and his (their) blood ?

Who devotes himself (themselves) and dies for the security of the others, in order to assure (for) them the quiet enjoyment of the domestic hearth, if it isn't the children of the people ?

Some (of them) also, through (across) a thousand obstacles, driven (pushed), upheld by their genius, develop and perfect the arts, letters (literature), the sciences, which smooth (softens, makes gentle) our customs, civilise the nations, surround them with that brilliant splendour which one calls (is called) glory, form, in short, one of the sources, and the most fertile one, of public prosperity.

Thus, in each country, all those who tire (themselves) and who trouble (themselves) in order to produce and spread productions, all those of whom the act (whose acts) turn to the profit of the entire community, the classes most useful to its well-being, most indispensable to its preservation : that's the people.

Take away (take off) a small number of privileged (ones) laid out in (plunged in) pure enjoyment—the people, 'tis the human genus (kind, species).

Without the people, not any prosperity, not any development, not any life, for no life without work—and work is everywhere the destiny of the people.

The student must notice the figurative meanings of certain words contained in this passage. He must learn, too, that there exist certain words in all languages which have no exact counterpart in other tongues, and which, therefore, will not present the correct shade of meaning when translated.

La cohorte donc, le tribun et les serviteurs des Juifs se saisirent de Jésus, et le lièrent. Et ils l'amenèrent d'abord chez Anne, beau-père de Caïphe qui était le grand prêtre de cette année. Mais Anne l'envoya lié chez Caïphe le grand prêtre ; là s'étaient réunis les scribes et les anciens. Or, c'était Caïphe qui avait donné ce conseil aux Juifs : Il est avantageux qu'un seul homme meure pour le peuple.

Simon Pierre suivait Jésus de loin, ainsi qu'un autre disciple. Mais ce disciple était connu du pontife, et il entra avec Jésus dans la cour du pontife. Pierre, au contraire, était dehors à la porte. Cet autre disciple, qui était connu du pontife, sortit donc et parla à la portière, et elle fit entrer Pierre, jusque dans la cour du grand prêtre. Pierre étant entré dans l'intérieur, s'assit au feu avec les serviteurs pour voir la fin, et il se chauffait. Cependant le pontife interrogea Jésus sur ses disciples et sur sa doctrine. Jésus lui répondit : J'ai parlé publiquement au monde ; j'ai toujours enseigné dans la synagogue et dans le temple, où tous les Juifs s'assemblent, et je n'ai rien dit en secret. Pourquoi m'interrogez-vous ? Interrogez ceux qui ont entendu ce que je leur ai dit ; ceux-là savent ce que j'ai enseigné. Après qu'il eut dit cela, un des valets, là présent, donna un soufflet à Jésus, disant : Est-ce ainsi que tu réponds au pontife ? Jésus lui répondit : Si j'ai mal parlé, rends témoignage du mal ; mais si j'ai bien parlé, pourquoi me frappes-tu ?

Cependant les princes des prêtres et tout le conseil cherchaient un faux témoignage contre Jésus pour le faire mourir, et ils n'en trouvaient pas. Car beaucoup disaient de faux témoignages contre lui, mais les témoignages ne s'accordaient pas. En dernier lieu vinrent deux faux témoins, qui dirent : Celui-ci a dit, Je puis détruire le temple de Dieu, et après trois jours le rebâtir. Nous l'avons entendu dire : Je détruirai ce temple fait de main d'homme, et après trois jours j'en rebâtirai un autre, non fait de main d'homme. Et ce témoignage n'était point encore suffisant.

Alors le grand prêtre se levant au milieu, interrogea Jésus, disant : Tu ne réponds rien à ce que ceux-ci déposent contre toi ? Mais Jésus se taisait, il ne répondit rien. De nouveau le grand prêtre l'interrogea et lui dit : Je t'adjure par le Dieu vivant de nous dire si tu es le Christ, Fils de Dieu-béni. Jésus lui dit : Tu l'as dit, je le suis. De plus, je vous le déclare, vous verrez un jour le Fils de l'homme assis à la droite de la majesté de Dieu et venant sur les nuées du ciel.

Alors le prince des prêtres déchira ses vêtements, en disant : Il a blasphémé, qu'avons-nous encore besoin de témoins ? Voilà que vous venez d'entendre le blasphème. Que vous en semble-t-il ?

Les autres juges répondirent : Il est digne de mort.

Quelques-uns commencèrent à lui cracher au visage ; les hommes qui le tenaient, l'insultaient en le frappant. Puis ils lui voilèrent la face, ils le frappèrent au visage, et ils l'interrogeaient en disant : Christ, prophétise, quel est celui qui t'a frappé ? Ils disaient encore beaucoup d'autres blasphèmes contre lui.

Or, les serviteurs et les soldats, ayant allumé du feu au milieu de la cour, se tenaient auprès du feu et se chauffaient, parce qu'il faisait froid. Pierre était aussi avec eux debout et se chauffant. Comme il était en bas dans la cour, survint une des servantes du grand prêtre, la servante qui gardait la porte. Apercevant Pierre qui se chauffait, elle le regarda et lui dit : Vous aussi, vous étiez avec Jésus de Nazareth. Il le nia devant tout le monde et dit : Femme, je ne le connais pas ; je ne sais pas, j'ignore ce que vous dites.

Il sortit devant le vestibule, et le coq chanta.

Comme il passait la porte, une autre servante le vit, et dit à ceux qui étaient là : Celui-ci était aussi avec Jésus de Nazareth. Il le nia de nouveau avec serment : Je ne connais pas cet homme. Après un intervalle d'une heure, un autre, parent de celui à qui Pierre avait coupé l'oreille, affirmait et disait : Celui-ci était aussi avec lui, car il est Galiléen. Ceux qui étaient debout s'approchèrent, et dirent à Pierre : Oui, tu es aussi de ces gens-là, ton langage te trahit. Alors il commença à jurer avec des imprécations et des anathèmes : Je ne connais pas cet homme dont vous parlez. Aussitôt le coq chanta une seconde fois. Et le Seigneur, s'étant retourné, regarda Pierre. Pierre alors se souvint de la parole que Jésus lui avait dite : Avant que le coq chante deux fois, tu me renieras trois fois. Il commença à verser des larmes, et étant sorti, il pleura amèrement.

Le matin, dès qu'il fut jour, les anciens du peuple, les

princes des prêtres et les scribes s'assemblèrent et firent
venir Jésus dans leur conseil, disant : Si tu es le Christ
dis-le-nous. Il leur répondit : Si je vous le dis, vous ne me
croirez pas. Et si je vous interroge, vous ne me répondrez
pas, ni ne me renverrez. Mais désormais le Fils de l'homme
sera assis à la droite de la puissance de Dieu. Alors ils dirent
tous : Tu es donc le Fils de Dieu ? Et Jésus répondit : Vous
le dites, je le suis. Alors ils dirent : Qu'avons-nous besoin
d'autre témoignage ? Car nous-mêmes nous l'avons entendu
de sa propre bouche.

Et toute leur assemblée se levant, ils menèrent Jésus
lié, de chez Caïphe au prétoire, puis ils le livrèrent au gouverneur Ponce-Pilate : c'était le matin.

Alors Judas qui l'avait livré, voyant qu'il était condamné,
fut touché de repentir ; il reporta les trente pièces d'argent
aux princes des prêtres et aux anciens, disant : J'ai péché
en livrant le sang innocent. Mais eux lui répondirent : Que
nous importe ? Cela te regarde. Alors ayant jeté les pièces
d'argent dans le temple, il se retira et alla se pendre.

Mais les princes des prêtres, ayant pris les pièces d'argent,
dirent : Il n'est pas permis de les mettre dans le trésor,
parce que c'est le prix du sang. Et après délibération, ils
en achetèrent le champ d'un potier pour la sépulture des
étrangers. C'est pourquoi ce champ est encore aujourd'hui
appelé Haceldama, c'est-à-dire le champ du sang. Ainsi
fut accomplie la parole du prophète Jérémie disant : Ils
ont reçu les trente pièces d'argent, valeur de celui qui a été
mis à prix et dont les enfants d'Israël ont fait marché ; ils
les ont données pour le champ du potier, ainsi que me l'a
précisé le Seigneur.

Cependant Jésus parut devant le gouverneur. Mais
eux n'entrèrent point dans le prétoire, afin de ne point se
souiller et de pouvoir manger la pâque. Pilate donc vint
à eux dehors, et dit : Quelle accusation portez-vous contre
cet homme ? Ils répondirent et lui dirent : Si ce n'était
pas un malfaiteur, nous ne vous l'aurions pas livré. Alors
Pilate leur dit : Prenez-le vous-mêmes, et jugez-le selon
votre loi. Mais les Juifs lui répondirent : Il ne nous est pas
permis de mettre personne à mort. Afin que fût accomplie
la parole que Jésus avait dite, montrant de quelle mort il
devait mourir.

Ils commencèrent donc à l'accuser, disant : Nous avons
trouvé cet homme soulevant notre nation, empêchant de

payer les tributs à César, et se disant le Christ-Roi. Pilate rentra alors dans le prétoire, appela Jésus et lui dit : Es-tu le roi des Juifs ? Jésus répondit : Dites-vous cela de vous-même, ou d'autres vous l'ont-ils dit de moi ? Pilate reprit : Est-ce que je suis un Juif, moi ? Ta nation et les pontifes t'ont livré à moi. Qu'as-tu fait ? Jésus répondit : Mon royaume n'est pas de ce monde ; si mon royaume était de ce monde, mes serviteurs combattraient certainement pour que je ne fusse point livré aux Juifs ; mais maintenant mon royaume n'est pas d'ici.

Alors Pilate lui repartit : Tu es donc roi ? Jésus répondit : Vous le dites, je suis roi. Je suis né et je suis venu dans le monde, pour rendre témoignage à la vérité ; quiconque est de la vérité écoute ma voix. Pilate lui demanda : Qu'est-ce que la vérité ? Et ayant dit cela, il alla de nouveau vers les Juifs, et leur dit : Je ne trouve en lui aucun crime. Pour Jésus, bien qu'il fût accusé par les princes des prêtres et par les anciens, il ne répondit rien. Pilate donc l'interrogea de nouveau disant : Tu ne réponds point ? vois de combien de choses ils t'accusent. Cependant Jésus ne répondit pas davantage, de sorte que Pilate s'en étonnait. Mais eux insistaient en disant : Il soulève le peuple, enseignant par toute la Judée, depuis la Galilée jusqu'ici.

Pilate, entendant nommer la Galilée, demanda si cet homme était Galiléen. Et dès qu'il sut qu'il était de la juridiction d'Hérode, il le renvoya à Hérode, qui était lui-même à Jérusalem ces jours-là. Hérode, voyant Jésus, s'en réjouit beaucoup ; il désirait depuis longtemps le voir, parce qu'il avait entendu dire beaucoup de choses de lui, et il espérait lui voir faire quelque miracle. Il le pressait donc de nombreuses questions ; mais Jésus ne lui répondait rien. Cependant les princes des prêtres et les scribes étaient là, l'accusant sans relâche. Hérode avec sa cour le méprisa ; il se joua de lui, après l'avoir revêtu d'une robe blanche, et il le renvoya à Pilate. Hérode et Pilate devinrent amis ce jour-là même, car auparavant ils étaient ennemis l'un de l'autre.

Pilate ayant convoqué les princes des prêtres, les magistrats et le peuple, leur dit : Vous m'avez présenté cet homme comme soulevant le peuple, et voilà que, l'interrogeant devant vous, je n'ai rien trouvé en lui de ce dont vous l'accusez ; ni Hérode non plus ; car je vous ai renvoyés à lui, et on ne l'a pas traité comme digne de mort. Je le renverrai donc après l'avoir châtié. Or, il était obligé de leur délivrer un prisonnier pendant la fête. Il avait alors un prisonnier fameux qu'on appelait Barabbas ; c'était un voleur qui était enchaîné avec les émeutiers, pour avoir commis un meurtre dans une sédition. Lors donc que le peuple fut monté, il commença à demander ce que le gouverneur lui accordait toujours. Tous étant assemblés, Pilate leur dit : C'est la coutume parmi vous que je vous délivre un criminel à Pâques ; voulez-vous bien que je vous délivre le roi des Juifs ? Car il savait que c'était par envie qu'ils l'avaient livré. Or, pendant qu'il siégeait sur son tribunal, sa femme lui envoya dire : Qu'il n'y ait rien entre vous et ce juste ; car j'ai beaucoup souffert aujourd'hui dans un songe à cause de lui.

Mais les princes des prêtres et les anciens persuadèrent au peuple de demander Barabbas, et de faire périr Jésus. Le gouverneur prenant donc la parole leur dit : Lequel des deux voulez-vous que je vous délivre ? Tout le peuple cria à la fois, disant : Enlevez celui-ci, et délivrez-nous Barabbas. Ce dernier avait été mis en prison, à cause d'une sédition faite dans la ville et d'un meurtre. Pilate leur parla une seconde fois, voulant délivrer Jésus : Que voulez-vous que je fasse au roi des Juifs ? Mais ils criaient et disaient : Crucifiez-le, crucifiez-le. Pour la troisième fois, il leur dit. Quel mal a-t-il fait ? Je ne trouve en lui aucune cause de mort, je le châtierai donc, et je le renverrai. Mais ils insistaient à grands cris, demandant qu'il fût crucifié ; et leurs cris redoublaient avec violence. Alors donc Pilate prit Jésus et le fit flageller. Les soldats du gouverneur, emmenant Jésus dans le prétoire, rassemblèrent autour de lui toute la cohorte, le dépouillant de ses habits, ils le couvrirent d'un manteau de pourpre ; puis entrelaçant une couronne d'épines, ils la posèrent sur sa tête, et mirent un roseau dans sa main droite. Puis ils venaient à lui, fléchissaient les genoux devant lui, l'insultaient en disant : Salut, roi des Juifs ; et ils lui donnaient des soufflets ; ils lui crachaient à la face, prenaient le roseau et lui frappaient la tête.

Pilate sortit alors de nouveau, et leur dit : Voici que je vous l'amène dehors, afin que vous sachiez que je ne trouve en lui aucun crime. Ainsi Jésus sortit, portant la couronne d'épines et le vêtement de pourpre. Et Pilate leur dit : Voilà l'homme. Quand les pontifes et les soldats le virent, ils crièrent, et disaient : Crucifiez-le, crucifiez-le ! Pilate leur dit : Prenez-le vous-mêmes, et le crucifiez, car moi, je ne trouve en lui aucun crime. Les Juifs lui répondirent : Nous avons une loi, et selon cette loi, il doit mourir, parce qu'il s'est fait Fils de Dieu. Pilate ayant entendu cette parole, craignit davantage. Et rentrant dans le prétoire, il dit à Jésus : D'où es-tu ? Mais Jésus ne lui fit point de réponse. Pilate lui dit donc : Tu ne me parles pas ? Ignores-tu que j'ai le pouvoir de te crucifier et le pouvoir de te délivrer ? Jésus répondit : Vous n'auriez sur moi aucun pouvoir, s'il ne vous avait été donné d'en haut. C'est pourquoi celui qui m'a livré à vous est coupable d'un plus grand péché.

Et, dès ce moment, Pilate cherchait à le délivrer. Mais les Juifs criaient et disaient : Si vous le délivrez, vous n'êtes pas ami de César, car quiconque se fait roi, se déclare contre César. Pilate ayant entendu ces paroles, fit amener Jésus dehors, et il s'assit sur son tribunal, au lieu qui est appelé Lithostrotos, en hébreu Gabbatha. C'était la préparation de la Pâque, vers la sixième heure. Pilate dit aux Juifs : Voilà votre roi. Mais eux criaient : Ôtez-le, ôtez-le du monde, crucifiez-le ! Pilate leur dit : Crucifierai-je votre roi ? Les pontifes répondirent : Nous n'avons de roi que César. Pilate donc, voyant qu'il ne gagnait rien, mais que le tumulte augmentait, prit de l'eau et lava ses mains devant le peuple, disant : Je suis innocent du sang de ce juste ; c'est votre affaire. Et tout le peuple répondant, dit : Que son sang soit sur nous et sur nos enfants. Pilate, voulant donc complaire au peuple, ordonna qu'on fît droit à leur demande. Il leur délivra celui qui pour un meurtre et une sédition avait été mis en prison, et qu'ils réclamaient, et livra Jésus à leur volonté.

Ils lui ôtèrent le manteau, lui remirent ses vêtements, et l'emmenèrent pour le crucifier. Jésus, portant sa croix, vint au lieu appelé le Calvaire, en hébreu Golgotha. Comme ils sortaient, ils rencontrèrent un homme qui passait par là, revenant de son champ, Simon de Cyrène, père d'Alexandre et de Rufus ; ils le contraignirent et le réquisitionnèrent de porter la croix derrière Jésus.

Or, une grande foule de peuple et de femmes le suivaient, se frappant la poitrine et se lamentant sur lui. Jésus, se tournant vers elles, dit : Filles de Jérusalem, ne pleurez pas sur moi, mais pleurez sur vous-mêmes et sur vos enfants. Car voici que viendront des jours où l'on dira : heureuses les femmes stériles, les entrailles qui n'ont pas engendré et les mamelles qui n'ont point allaité. Alors ils commenceront à dire aux montagnes : tombez sur nous ; et aux collines : couvrez-nous. Car si l'on traite ainsi le bois vert, que sera-t-il fait au bois sec ?

On conduisait aussi avec lui deux autres hommes, des malfaiteurs, pour être mis à mort. Et ils vinrent au lieu appelé Golgotha, qui est le lieu du Calvaire. Ils lui donnèrent à boire du vin de myrrhe, mêlé à du fiel, et lorsqu'il en eut goûté, il n'en voulut pas boire. Là ils le crucifièrent, avec les deux voleurs, l'un à droite, l'autre à gauche, et Jésus au milieu ; ainsi fut accomplie l'Écriture qui dit : Il a été mis au rang des scélérats. Or, Jésus disait : Père, pardonnez-leur, car ils ne savent pas ce qu'ils font.

Ils partagèrent ensuite ses vêtements et les tirèrent au sort. Les soldats, après qu'ils l'eurent crucifié, prirent ses vêtements et firent quatre parts, une pour chaque soldat, et la tunique. Mais la tunique était sans couture, d'un seul tissu d'en haut jusqu'en bas ; ils se dirent l'un à l'autre : Ne la divisons pas, mais tirons au sort à qui elle sera. Afin que fût accomplie l'Écriture qui dit : Ils se sont partagé mes vêtements, et ils ont jeté le sort sur ma tunique. Ainsi firent les soldats. Puis s'étant assis, ils le gardaient. Or, c'était la troisième heure.

Pilate fit une inscription et la mit sur la croix. Il était écrit : *Jésus de Nazareth, Roi des Juifs.* Beaucoup de Juifs lurent cette inscription, parce que le lieu où Jésus avait été crucifié se trouvait près de la ville, et qu'elle était écrite en hébreu, en grec et en latin. Les pontifes des Juifs dirent donc à Pilate : N'écrivez point, Roi des Juifs ; mais, Parce qu'il a dit, je suis le Roi des Juifs. Pilate répondit : Ce que j'ai écrit, je l'ai écrit.

Le peuple était debout, regardant ; les passants le blasphémaient en branlant la tête. Et ils disaient : Ah ! toi qui détruis le temple de Dieu et le rebâtis en trois jours, sauve-toi toi-même. Si tu es le Fils de Dieu, descends de la croix. Pareillement les princes des prêtres se moquaient de lui avec les scribes et les anciens, et disaient : Il a sauvé les autres, il ne peut se sauver lui-même : s'il est le roi d'Israël, qu'il descende maintenant de la croix, et nous croirons en lui. Il se confie en Dieu ; qu'il le délivre maintenant, s'il l'aime, car il a dit : Je suis le Fils de Dieu. Les soldats l'insultaient aussi, s'approchant, lui offrant du vinaigre, et disant : Si tu es le roi des Juifs, sauve-toi.

Les voleurs qui étaient crucifiés avec lui l'insultaient aussi de la même manière. En effet, l'un des voleurs qui étaient suspendus en croix le blasphémait, disant : Si tu es le Christ, sauve-toi toi-même, et nous aussi. Mais l'autre lui répondait et le reprenait en ces termes : Ne crains-tu point Dieu, non plus toi, qui subis le même supplice ? Pour nous, du moins, c'est avec justice ; car nous recevons ce que nos actions méritent : mais celui-ci n'a rien fait de mal.

Puis il disait à Jésus : Seigneur, souvenez-vous de moi quand vous serez arrivé dans votre royaume. Jésus lui répondit : En vérité, je te le dis, aujourd'hui tu seras avec moi dans le paradis.

Il était environ la sixième heure, et les ténèbres couvrirent toute la terre jusqu'à la neuvième heure. Et le soleil s'obscurcit. Il y avait aussi là, mais loin, de nombreuses femmes qui avaient suivi Jésus de la Galilée pour le servir. Lorsqu'il était en Galilée, elles le suivaient aussi et le servaient ; beaucoup d'autres encore qui étaient montées avec lui à Jérusalem. Debout, près de la croix, étaient la mère de Jésus, et la sœur de sa mère, Marie de Cléophas, mère de Jacques le mineur et de Joseph, Marie-Madeleine, et Salomé, mère des fils de Zébédée. Lorsque Jésus vit sa mère et le disciple qu'il aimait, debout, il dit à sa mère : O femme, voilà votre fils. Il dit ensuite au disciple : Voilà ta mère. Et de ce moment, le disciple la prit chez lui.

Vers la neuvième heure, Jésus cria d'une voix forte, disant : Eli, Eli, lamma sabacthani ? c'est-à-dire, Mon Dieu, mon Dieu, pourquoi m'avez-vous abandonné ? Quelques-uns de ceux qui étaient là l'entendant, disaient : Celui-ci appelle Elie.

Jésus sachant que tout était consommé, afin que l'Écriture fût consommée, dit : J'ai soif. Or, il y avait placé là un vase plein de vinaigre. À l'instant, l'un des soldats, courant, prit une éponge, la remplit de vinaigre, et la plaçant du bout d'un roseau d'hysope, il lui donnait à boire. Mais les autres disaient : Laisse, voyons si Elie viendra le délivrer. Mais Jésus, ayant pris le vinaigre, dit : Tout est consommé. Puis criant à haute voix, il dit : Mon Père, je remets mon esprit entre vos mains. Et ayant incliné la tête, il rendit l'esprit.

Aussitôt voilà que le voile du temple se déchira en deux parties, depuis le haut jusqu'en bas, la terre trembla, et les rochers se fendirent. Les tombeaux s'ouvrirent, beaucoup de corps de saints qui s'étaient endormis, ressuscitèrent, et sortant de leurs tombeaux après sa résurrection, vinrent dans la cité sainte et apparurent à plusieurs.

Pour le centurion, qui était vis-à-vis, voyant qu'il avait expiré en poussant un tel cri, il rendit gloire à Dieu. Et ceux qui étaient avec lui, chargés de garder Jésus, en voyant le tremblement de terre et ce qui arrivait, furent saisis d'une grande frayeur, disant : Vraiment cet homme était le Fils de Dieu. Toute la multitude de ceux qui assistaient à ce spectacle, et qui voyaient ce qui se passait, s'en retournaient en se frappant la poitrine. Tous ceux de la connaissance de Jésus, se tenaient au loin, ainsi que les femmes qui avaient suivi Jésus de la Galilée, considérant ces choses.

Comme c'était la préparation du sabbat, afin que les corps ne demeurassent pas en croix le jour du sabbat, car ce jour du sabbat était très solennel, les Juifs prièrent Pilate qu'on leur rompît les jambes et qu'on les enlevât. Les soldats vinrent donc, et ils rompirent les jambes du premier, puis du second qui avait été crucifié avec lui. Mais lorsqu'ils vinrent à Jésus et qu'ils le virent déjà mort, ils ne lui rompirent point les jambes ; seulement un des soldats ouvrit son côté avec une lance, et aussitôt il en sortit du sang et de l'eau.

Celui qui l'a vu en a rendu témoignage, et son témoignage est vrai, il sait qu'il dit vrai, afin que vous croyiez aussi. Car ces choses ont été faites, afin que s'accomplît l'Écriture : Vous ne briserez aucun de ses os. Et ailleurs l'Écriture dit encore : Ils porteront leurs regards sur celui qu'ils ont transpercé.

Et quand le soir fut arrivé, parce que c'était le jour de la préparation, c'est-à-dire d'avant le sabbat, il vint un homme d'Arimathie, ville de Judée, nommé Joseph, homme bon et juste, noble décurion qui était aussi disciple de Jésus, mais en secret, à cause de la crainte des Juifs. Il n'avait pas pris part à leur conseil et à leurs actes, et il attendait lui-même le royaume de Dieu ; il entra hardiment chez Pilate, et demanda le corps de Jésus. Pilate s'étonnait qu'il fût mort sitôt ; et ayant mandé le centurion, il lui demanda s'il était déjà mort. S'en étant donc assuré par le centurion, il donna le corps à Joseph, qui vint et prit le corps de Jésus.

Nicodème qui était venu d'abord vers Jésus la nuit, vint aussi apporter une composition de myrrhe et d'aloès, d'environ cent livres. Ils prirent donc le corps de Jésus ;

puis Joseph, ayant acheté un linceul, après l'avoir déposé de la croix, il l'enveloppa dans le linceul, et ils l'entourèrent de linges avec des parfums, comme les Juifs ont coutume d'ensevelir.

Il y avait au lieu où il fut crucifié un jardin, et dans ce jardin, un sépulcre neuf, taillé dans le roc, où personne encore n'avait été mis. C'est là que, à cause de la préparation des Juifs, parce que le sépulcre était proche, ils déposèrent Jésus. Joseph roula ensuite une grande pierre à l'entrée du sépulcre, et il s'en alla. C'était le jour de la préparation, et le sabbat allait commencer.

Or, là étaient Marie-Madeleine et l'autre Marie, assises en face du sépulcre. Elles regardèrent avec grande attention le sépulcre, et comment le corps de Jésus avait été placé ; puis s'en retournant, elles préparèrent des aromates et des parfums ; mais le jour du sabbat, elles gardèrent le repos selon la loi.

Le lendemain qui était le jour d'après la préparation du sabbat, les princes des prêtres et les pharisiens vinrent ensemble vers Pilate, et lui dirent : Seigneur, nous nous sommes rappelés que ce séducteur a dit lorsqu'il vivait encore, Après trois jours, je ressusciterai. Commandez donc que le sépulcre soit gardé jusqu'au troisième jour, de peur que ses disciples ne viennent le dérober et ne disent au peuple, Il est ressuscité d'entre les morts ; car cette dernière erreur serait pire que la première. Pilate leur dit : Vous avez des gardes ; allez, et gardez-le comme vous l'entendez. Ils allèrent donc, s'assurèrent du sépulcre, en scellèrent la pierre, et y mirent des gardes.

APPENDIX VI

ADDITIONAL WORDS, IDIOMS AND PHRASES

À vol d'oiseau	=	*As the crow flies*
Un bouton de rose	=	*A rose-bud*
Une brouette	=	*Wheelbarrow*
Tourner la manivelle	=	*To turn the handle*
Le caissier	=	*Cashier*
La télégraphie sans fil	=	*Wireless telegraphy*
Il n'est pas correct	=	*He is not proper*
Le chou-fleur	=	*Cauliflower*
La chute	=	*Fall; downfall*
L'orchestre	=	*Band; orchestra*
La grille	=	*Railings*
Une foule de monde	=	*Crowd*
Le pape	=	*The pope*
L'histoire ancienne	=	*Ancient history*
Les jarretières	=	*Garters*
Le calendrier	=	*Calendar*
Je m'en moque Je m'en fiche (*slang*) Je m'en bats l'œil (*slang*) }	=	*I don't care that much*
Il est toqué (*slang*)	=	*He's mad, touched, up the pole*
Va-t-en d'ici ! Allez-vous en d'ici ! }	=	*Get out: get out of this !*
Une sèche (*slang*)	=	*A cigarette*
La galette (*slang*)	=	*Money*
Avez-vous de la galette ?	=	*Have you got any money ?*
C'est tout comme !	=	*It's all the same ; it's just the same*
Le lendemain	=	*The next day*
Quelques jours après	=	*A few days after*
Se borner à	=	*To restrict oneself to*
Il est au septième ciel	=	*He's in the seventh heaven*
La bruyère	=	*Heather* (from which *briar* pipes are made)
Le piou-piou	=	*Foot-soldier* (common expression)
Chiper (*slang*)	=	*To pilfer, crib, pinch*
L'argot (m.)	=	*Slang*
La noce	=	*Wedding*
Un noceur	=	*Reveller, fast fellow*
Faire la noce	=	*To have a fine time of it*
Faire la bombe	=	*To feast, go on the spree*
La bombe	=	*Shell, bomb*
Une chique	=	*Quid (of tobacco)*
La blague	=	*Tobacco-pouch; (slang) bunkum, humbug*

C'est un blagueur	=	*He's a humbug*
Un mauvais exemple	=	*A bad example*
Une baleine	=	*Whale*
Un requin	=	*Shark*
Le chœur	=	*Choir, chorus*
Le refrain	=	*Chorus, refrain*
La chimie	=	*Chemistry*
La physique	=	*Physics*
La bicyclette		
Le vélo	=	*Bicycle*
La bécane		
La béquille	=	*Crutch*
Le flacon	=	*Bottle, flask (or ' La bouteille ')*
S'égarer	=	*To lose one's way*
Flanquer une gifle	=	*To land (someone) a smack*
Flanquer	=	*To fling, let fly*
Un flocon	=	*A flake (of snow)*
Je vous en ferai cadeau	=	*I'll make you a present of it*
Un gigot	=	*Leg of mutton*
D'ici là	=	*From now till then ; from here to there*
Un spectre : revenant	=	*Ghost*
Un bateau	=	*Boat*
Un vaisseau	=	*Ship*
Un bateau à vapeur	=	*Steamboat*
Un pont	=	*Bridge*
Un sentier	=	*Path*
Être malade	=	*To be ill*
Être indisposé(e)	=	*To be slightly unwell*
Un drapeau	=	*Flag*
Rendre compte	=	*To render account*
Je me suis fait mal	=	*I have hurt myself*
Je me suis épris d'elle	=	*I am rather taken with her*
Que jamais	=	*Than ever*
Elle est plus charmante que jamais	=	*She is more charming than ever*
Je n'aime pas ses manières	=	*I don't like his ways*
Un espion	=	*Spy*
Une bouteille à moitié pleine	=	*A bottle half-full*
Un espace	=	*A space*
Une erreur	=	*An error*
L'équateur (m.)	=	*Equator*
Le guignol	=	*Punch-and-Judy show*
Un gué	=	*A ford (shallow water)*
Les guêtres (f. pl.)	=	*Leggings*
La marine	=	*Navy*
Vive le roi !	=	*Long live the king !*
La nacelle	=	*Car (of a balloon, air-ship)*
Un nain	=	*Dwarf (f., ' la naine ')*
Le jour de naissance	=	*Day of birth*
L'anniversaire (m.)	=	*Anniversary, birthday*
Une anguille	=	*Eel*
Des appartements à louer	=	*Apartments to let*
S'abonner à	=	*To subscribe, to take in (a newspaper)*

Je suis abonné à un quotidien	=	*I take in a daily paper*
Ma montre avance	=	*My watch gains*
Ma montre retarde	=	*My watch loses*
Le patois	=	*Dialect*
Une hausse[1] de cinq pour cent	=	*A rise in price of five per cent*
Au début de la guerre	=	*At the beginning of the war*
Faire des châteaux en Espagne	=	*To build castles in the air*
L'eau de savon	=	*Soap-suds*
L'encre (f.)	=	*Ink*
Encre de Chine	=	*Indian ink*
À l'abri (m.) de ——	=	*Under cover of ; sheltered by——*
Quel est le titre ?	=	*What is the title ?*
S'échapper	=	*To escape*
L'échapper belle	=	*To have a narrow escape*
Le beau sexe	=	*The fair sex*
J'ai beau parler	=	*It's no use for me to speak*
Au beau milieu de ——	=	*Right in the middle of ——*
Le bec	=	*Beak (of a bird)*
La cloche	=	*Bell*
Le clocher	=	*Steeple*
Le crâne	=	*Skull*
S'écarter	=	*To keep off, away ; to move off*
Malheureux	=	*Unhappy*
Malhonnête	=	*Dishonest*
Un malfaiteur	=	*An evildoer*
Malpropre	=	*Dirty, slovenly*
Un malentendu	=	*A misunderstanding*
Le marsouin	=	*Porpoise*
Un vieux loup de mer	=	*An old sea-dog (wolf)*
Une pomme de pin	=	*A pine-cone*
La pelle	=	*Shovel*
Le siècle	=	*Century*
Il y a un siècle qu'on ne vous a vu	=	*I haven't seen you for a very long time*
Il me dégoûte	=	*He makes me sick*
Tisser	=	*To weave*
Coudre	=	*To sew*
Raccommoder, réparer	=	*To mend*
Un mensonge	=	*A lie, falsehood*
Une épingle	=	*A pin*
Une aiguille	=	*A needle*
Un bouton	=	*Pimple ; button, bud*
Un tablier	=	*A pinafore, apron*
Un pistolet	=	*A pistol*
Bavarder	=	*To prattle, gossip*
Comment vous portez-vous ? Comment allez-vous ? Comment ça va-t-il ?	=	*How are you ?*
Que se passe-t-il ?	=	*What's up ? What's the matter ?*
Au plus tard	=	*At the latest*
Mieux vaut tard que jamais	=	*Better late than never*
Se taire	=	*To be quiet ; hold one's tongue*

---

[1] Or 'augmentation.'

Taisez-vous !	=	*Be quiet ; hold your tongue !*
Il me tarde de le voir	=	*I long to see him*
Raffoler de ——	=	*To be passionately fond of ——*
Je raffole de la musique	=	*I'm passionately fond of music*
J'ai un béguin pour elle	=	*I'm awfully fond of her ; I've taken a liking for her*
Dire des bêtises } Dire des sottises	=	*To talk rot*
Le cochon	=	*Pig*
Jeter de la poudre aux yeux	=	*To throw dust in the eyes (of someone)*
J'en ai plein le dos	=	*I'm fed up with it ; I've just about had enough of it*
Ne faites pas attention !	=	*Don't take any notice !*
Que diable allait-il faire ?	=	*What the dickens was he going to do ?*
Ne bougez pas !	=	*Don't move !*
Il n'y a pas de quoi !	=	*Don't mention it !*
À mon insu	=	*Without my knowledge*
À son insu	=	*Without his or her knowledge, etc.*
Dans les coulisses	=	*In the wings (stage)*
La cire à cacheter	=	*Sealing-wax*
En cachette	=	*Secretly, privately, without being seen*
Une punaise	=	*Bug. (Also means drawing-pin)*
Des éclats (m.) de rire	=	*Shouts of laughter*
Jeanne d'Arc ; la pucelle d'Orléans	=	*Joan of Arc ; Maid of Orleans*
La tour Eiffel	=	*The Eiffel Tower*
Le tour du monde	=	*Round the world*
Coucher à la belle étoile	=	*To sleep in the open air*
Défense d'afficher !	=	*Stick no bills !*
Le luxe	=	*Luxury ; show*
Objets (m.) de luxe	=	*Fancy goods*
Glisser	=	*To slip, slide*
Le paon	=	*Peacock*
Le maître ; la maîtresse	=	*Master ; mistress*
Un franc-maçon	=	*A freemason*
À la française	=	*In the French way*
À l'anglaise	=	*In the English way*
À propos de ——	=	*Speaking of ; about ; with regard to ——*
À propos	=	*Apt ; to the point ; at the right time*
Exprès	=	*On purpose*
Je l'ai fait exprès	=	*I did it on purpose*
L'ascenseur	=	*Lift (in buildings, etc.)*
Se mettre au courant de ——	=	*To get oneself acquainted with——*
Se consoler	=	*To console oneself*
Appuyer sur ——	=	*To lay stress on ——*
Exiger	=	*To demand ; exact ; insist upon*
Faire le diable à quatre	=	*To play the deuce*
Les Américains	=	*Americans (of the U.S.)*
Le président	=	*President*

Bras dessus bras dessous	=	*Arm-in-arm*
Croiser les bras	=	*To fold arms*
Eau potable	=	*Drinking-water*
Eau de source	=	*Spring water*
Eau de vie	=	*Brandy*
L'ébène (f.)	=	*Ebony*
Le ciment	=	*Cement*
La cigale	=	*Grasshopper*
La cigogne	=	*Stork*
Le furoncle	=	*Boil (on the skin)*
La mâchoire	=	*Jaw*
Mâcher	=	*To chew, masticate*
La gueule	=	*Jaw, mouth (of an animal)*
Le cure-dent	=	*Tooth-pick*
Une photographie	=	*Photograph*
Le photographe	=	*Photographer*
Le chirurgien	=	*Surgeon*
Le chocolat	=	*Chocolate*
Les bonbons (m.)	=	*Sweets ; candy*
Aller à cheval	=	*To ride on horseback*
Une engelure	=	*Chilblain*